HUMPF!...
RIFF MANQUE
DE NERFS! pour le sandwich.

...ets

...GEST DIÉTÉTIQUE

vous serez" relax !

comme les knickers

peeling.

!la

Tweed chiné

shopping

CLING!

la grande star

CLANG!

CLIB

étiemble

...e-shirt

...akin-Shi...

...t-shirt

parlez-vous

YOU!...OH!
H! JE SUIS
RO!

franglais ?

des fourrahs

pulls

beautifully
fashioned

IL SNOB ?

EYE-LINER
avec Eye-Shadow

et snack,

FLAP!

la robe-jumper

OMATIC

LE SURF-RIDING, sport

l'aftershave

bien « sexy ».

...je mens.

flirter

idées nrf

BOOM

...n-agers

...amp

Parlez-vous franglais ?

nrf

Gallimard

« *Une langue ne peut être dominante
sans que les idées qu'elle transmet ne
prennent un grand ascendant sur les
esprits, et une nation qui parle une autre
langue que la sienne perd insensiblement
son caractère.* »

Senac de Meilhan, *L'Émigré.*

A tous ceux — étudiants, amis, auditeurs de radio, correspondants bénévoles — qui, d'une fiche, d'un dossier ou d'un diplôme d'études supérieures, ont secondé mon entreprise et contribué à enrichir le trésor du sabir atlantique, j'offre ce résumé de nos communs travaux.

PREMIÈRE PARTIE

Histoire
de moins en moins drôle

« *Appelons les blacks de son [sic]* nom *américain et personne n'y trouvera rien à redire.* »

Ello.

HISTOIRE PAS DROLE

Je vais d'abord vous conter une manière de short story. Elle advint à l'un de mes pals, un de mes potes, quoi, tantôt chargé d'enquêtes full-time, tantôt chargé de recherches part-time dans une institution mondialement connue, le C. N. R. S. Comme ce n'est ni un businessman, ni le fils naturel d'un boss de la City et de la plus glamorous ballet-dancer in the world, il n'a point pâti du krach qui naguère inquiétait Wall Street ; mais il n'a non plus aucune chance de bénéficier du boom dont le Stock Exchange espère qu'il fera bientôt monter en flèche la cote des valeurs. Vous réalisez que ce n'est pas un crack, mon copain. J'ajouterai qu'il n'a rien moralement du play boy, ni physiquement du pin up boy. Comme il se spécialise dans l'étude des orbitoïdés de l'Éocène et du Crétacé, vous ne serez pas surpris d'apprendre que nul de ses ouvrages ne fut un best-seller et que ses royalties, quand il veut faire la fête (ce qui lui arrive à lui aussi, parbleu!), ne lui permettent jamais de s'offrir une deb de la High Society. J'ajouterai que, bird-watcher passionné (seul trait de caractère qui le rapproche de l'ancien chef du State Department, feu Foster Dulles), il s'intéresse de

préférence à certains oiseaux en très particulier ;
plutôt qu'aux poulets, aux cocottes. Mais comme c'est
un homme de goût, qu'il déteste le petting autant que
le ou la romance, mais ne saurait condescendre aux
call-girls, force lui est souvent d'aller traîner dans les
endroits où, plutôt que des girl-scouts, il a quelque
chance de rencontrer des starlettes, des cover-girls,
des bobby-soxers, bref des demoiselles avec qui on peut
causer entre deux drinks. Récemment, dans un de ces
lieux souterrains où fréquentaient un set de misses quelque chose, l'une grecque, l'autre turque, la troisième
finlandaise, il avait entrepris une assez jolie stewardess.
Dans un jet-clipper de la Pan American, elle venait
de faire un tour jusqu'au Far South saharien. Avec
enthousiasme elle célébra son métier, ce service non-stop
qu'on assure maintenant sur des 8.000 km, le rush de
la clientèle sur les jets-clippers, les forêts de derricks,
les bulldozers, les pipelines, les baby-pipes et les motels
qui transformeront bientôt le Sahara. Mon ami, je vous
l'ai dit, n'était pas trop argenté ; plutôt que de s'attar-
der dans cette boîte pour lui dispendieuse, il entraîna
sa pin up vers les Champs-Élysées et jusqu'au drugstore qu'on vient d'y organiser. Il lui proposa un hamburger ou un hot dog assaisonné de ketchup et arrosé
d'un soft drink ; il faut ce qu'il faut. La poupée déclara
qu'elle n'avait besoin de rien, sinon, pour son maquillage, de cold cream, et, pour son démaquillage, de clean-
sing cream, de kleenex, avec à la rigueur quelques
paquets de quickies ; peut-être aussi, à cause de la
grippe et de cette vague de froid, en profiterait-elle
pour acheter du vaccin-cocktail et un peu de sulfa-
long-acting. Pierre (appelons ainsi notre ami) paya
galamment ces babioles, mais, quand sa nouvelle com-

pagne marqua un intérêt soutenu pour le makeur qui
ne se vendait que 99 francs « à cause de son succès mondial », il jugea les Champs-Élysées décidément fort
dangereux pour un chargé de recherches part-time
et même pour un chargé d'enquête full-time. Il avait
lu jadis quelque part que le difficile n'est pas de séduire
une femme, mais de l'emmener dans un endroit clos.
Stimulé par ce défi, Pierre se hasarda jusqu'à inviter
chez lui la beauté. Premier obstacle : elle faillit mépriser
un ou une escorte qui ne pouvait même pas l'installer
dans un roadster, un spider ou un hard-top, et qui,
en guise de carrosse, lui proposait mesquinement le
tan-sad de son scooter. Quand il vit qu'elle hésitait
à le suivre, il en fut réduit à commencer par où continuent la plupart des amants : il mentit. Il assura que la
difficulté toujours plus obsédante de trouver un parking lui avait conseillé de vendre sa dernière voiture,
et il ajouta même, par joke, que l'avenir était aux auto-
stopistes. « Du reste, conclut-il, un bon duffle-coat
vaut bien un auto-coat. Vous vous serrerez tout contre
moi sur le scooter et vous ne regretterez pas, je crois,
la petite party intime à laquelle je vous convie. » Après
avoir fait le plein chez un motoriste-stockiste, le spécialiste des orbitoïdés de l'Éocène appuya sur son starter
et, pétaradant à travers les rues déjà endormies, il
réveilla sans scrupule de trente à cent mille dormeurs.
Quand il s'arrêta aux Buttes-Chaumont, devant un
building dont le black out à peu près complet du quartier ne parvenait pas à dissimuler le délabrement, la
jeune fille eut un geste de recul : « Vous croyez que
je veux vous kidnapper ? Me prendriez-vous pour un
gangster ? un gun-man, un gentleman-cambrioleur ?
Non, je ne cache aucun 22 long rifle dans rien qui res-

semble à un holster. Rassurez-vous, je ne suis pas non plus un squatter : assurément, je n'habite pas un building de grand standing ; mon home est modeste ; ce n'est pas un ou une pent-house ; je ne vous y montrerai pas de game-room ; je ne dispose ni de liftier, ni de lift-boy, ni même de lift, mais je n'en suis pas réduit au closet chimique. Ce qui ne m'empêche pas d'utiliser l'Air-wick, de préférence à « Brise ». »

Les six étages faillirent décourager la stewardess ; mais quand elle arriva, quelle récompense ! Un roof et un garden privés ; outre le chauffage au fuel, une vraie cheminée, à côté de laquelle un bûcher bien fourni offrait des packs de bois dur, chêne et fayard bien secs, une corbeille bourrée de grape-fruits et de goldens qui portaient encore le label d'un grand épicier, un pick-up avec beaucoup de jazz-records et de musique classique, contrastaient avec l'apparence miteuse de la façade. Cet appartement, qu'il avait hérité d'une tante, était le seul, le vrai luxe de mon ami. Cependant qu'il écrasait des fruits dans son mixer pour en verser le jus dans le shaker et préparer son cocktail favori, il pria son invitée de prendre au bar les party-picks et de picorer en attendant quelques olives farcies qu'elle trouverait dans l'ice-box. Elle se récria sur la qualité du shopping qu'on pouvait faire dans un quartier pourtant assez populaire : « Vous avez un supermarket ? — Non, mais un shopping-libre. J'y trouve toutes sortes de cans, ce qui me permet d'éviter le quick lunch, le snack-bar, le milk-bar, voire le quick-lait qui autrement seraient mon lot quotidien, car je ne peux pas prétendre, je vous l'avoue, déjeuner toujours dans un grill-room à la mode, ni même dans un plus modeste grill-shop. Œufs au bacon, sandwiches ou toasts, en manière de souper fin ? » La stewardess eut la discrétion de préférer un peu de musique ; l'immeuble étant vieux, par chance, et les murailles épaisses, malgré l'heure avancée on joua du jazz, du scat, des slows, des foxes, des blues, des negro-spirituals, du rock and roll, du madison, du climb, des twists, du hully-gully, et un rythme de boogie-woogie qui constituait le leitmotiv aux moments les plus hot. Comment résister au départ pour Cythère ? Et bien plus agréablement qu'au cri nasillard des juke-boxes! La musique aidant, la stewardess, qui avait du sex-appeal et même qui se révéla plutôt sexy, offrit à son hôte érudit un bien joli numéro, tout improvisé, de strip-tease. Et foin du dressing-room! « Voilà du one woman show », dit-elle, assez drôlement. Quand il ne lui resta plus que son slip, mon ami en profita pour lui raconter une histoire qu'il venait de piller au *Canard enchaîné*, lequel l'avait découpée dans *Paris-Jour*, à la rubrique « Ils savent tout » : *Si, dans la rue, vous voyez une jeune fille perdant son slip, ne le lui faites pas remarquer vous-même. Prévenez une autre jeune fille qui le lui dira.* Ce conseil d'une exquise délicatesse parut drôle à la stewardess qui, malgré les mots d'anglais dont elle corsait son français, était assez française pour penser slip en français. Or, comme disait fort bien *Le Canard enchaîné*, les gens de *Paris-Jour*, qui savent tout, ignoraient que la traduction anglaise du mot slip, c'est chez nous combinaison, et que les raffinements de politesse à quoi je me réfère concernaient tout simplement une combinaison qui dépasse [1]...

1. Autre emploi de *slip* : « slip avec passerelle d'embarquement » (*Feuille d'Avis Officiels* du canton de Vaud, 1er septembre 1959), citée au *Canard enchaîné*, qui enchaîne : « Il doit s'agir d'une culotte petit-bateau. »

Inutile de vous raconter la suite, ils n'eurent besoin ni de doping, ni de forcing. Je dirai tout juste que Jacqueline la stewardess fouilla son sac, en sortit quelques gadgets dont un contraceptive éprouvé, éparpilla sur le divan deux ou trois compacts et un charmant utility. Quand elle eut enfin extirpé son lipstick du fouillis où il se perdait, elle se refit une beauté. Qu'ils paraissaient lointains, les orbitoïdés de l'Éocène et ceux du Crétacé ! Le lendemain matin, Jacqueline annonça qu'elle repartait dans deux jours en jet pour Istanboul et qu'elle aimerait beaucoup rapporter quelques jouets au petit garçon d'une amie, un vrai problem-child. Ce fut l'occasion de décrire avec tendresse la nursery, la difficulté d'obtenir des nurses et même des baby-sitters. Les deux amants s'en furent dans un Prisunic, achetèrent un ou une jerry en plastique, ainsi que plusieurs dinky-toys. Pierre demanda, mais en vain, un bloc-men et un ice-men, ces deux accessoires de tout shaving up to date. Après quoi, on déjeuna. Pour traiter avec tact une jeune personne qu'il ne reverrait sans doute point, Pierre choisit un grill chic, exigea qu'elle ne se contentât pas d'un banal mutton-chop, mais commençât par quelques clams, continuât par un mixed-grill et terminât sur un ice-cream.

Avec une femme, comment éviter ensuite la séance de window-crash ? On lécha donc les carreaux : elle, s'émerveillant d'un tailleur en tweed, d'un overpull en mohair, d'un sweater en cashmere. Il fallut entrer. Avec quelle volupté les ongles mordorés éraillaient les doux lainages ! Tout la tentait dans ce grand magasin, les robes baby-doll, les twin-sets du dernier new look, les homespuns, les pulls-chasubles. « Moi je n'achète plus que des pulls fully fashioned ! » Égoïstement,

Pierre s'intéressait aux trench-coats et aux blue-jeans.
Mais la jeune femme lui montrait de ravissants smo-
kings bleutés, des spencers très Eaton, des raglans
de loden ou de camel-hair, des pardessus fourrés de
teddy-bear (voire, dérision! des blazers, des polo-pulls
ou des polo-shirts ; comme si un chargé d'enquêtes
même full-time pouvait jamais prétendre appartenir
à un team de polo!). « Et cet attaché-case en box, ce
serait pratique pour les week-ends! » Elle gagnait bien
sa vie, elle, et pouvait penser aux week-ends. Pierre,
lui, pensait aux fins de mois. Elle voulut payer cash
quelques fanfreluches dont elle s'enticha et dont elle
n'avait pas besoin. Quand elle ouvrit son sac, la vendeuse y remarqua un carnet de travellers et lui fit observer qu'en France il n'y avait pas de purchase-tax,
au contraire, et qu'elle obtiendrait un discount de 10 %
si elle payait en dollars. Comment donc! Tout heureuse
de son discount, Jacqueline voulut prolonger sa prome-
nade dans les stands. Elle y admira des ballantyne
lambswool pull-overs the Rustic et suggéra gracieusement à son compagnon qu'il devrait s'offrir le dual coat
Burborry. Tout à coup, devant un autre rayon, elle
tomba en arrêt sur des chemises de popeline traitées
no iron : « Voilà ce qu'il te faut, lui dit-elle, pauvre céli-
bataire ; ça sera aussi pratique que du nylon, puisque
ça ne se repasse pas ; et, quand même, c'est de la popeline! — La prochaine fois que j'achèterai des chemises,
if any, je tâcherai de pouvoir m'offrir ces no iron. Ah!
que de choses il me faudrait, et que je pourrais sans
doute me payer si j'étais steward, moi aussi. Par exemple, j'en suis toujours à me raser avec un Gillette adjus-
table ; je viens pourtant de lire de la publicité qui me
donnait rudement envie de me mettre au rasoir élec-

trique, maintenant que je sais qu'il existe ce fameux
produit H pour Hommes after shaving qui complète
admirablement, paraît-il, le pré-électric shave. Au fait,
tu ne pourrais pas demander à l'un des public-relations
men de ta Compagnie de m'accorder une interview ?
J'aimerais trouver un nouveau job. » Le temps passait
et l'heure vint du cinéma que Pierre lui avait promis.

Non loin des bureaux de la T. W. A., sur les Champs-
Élysées, deux ou trois noms de stars, dont la stewardess était une fan, mobilisèrent son attention. C'était
un spectacle de scope avec des films U. S. « On entre ?
O. K. Chic alors ! on va peut-être voir un western »
(elle était de ces maniaques du cinéma qui n'entrent
dans une salle que parce qu'ils ont vu affiché le nom d'une
star favorite et qui ne se préoccupent jamais de la
programmation). « Je raffole de ces histoires de con-
victs. Je suis toujours pour les outlaws et contre les
sherifs, moi ; et puis, j'aime beaucoup l'ambiance des
saloons et des ranches ; plein air et tabagie... Tiens, à
propos, vite une cigarette avant qu'on ne rentre. Camel
ou Lucky ? J'ai les deux. — C'est tout ? une stewardess
devrait avoir aussi des Pall Mall et des Players. Enfin,
je me contenterai d'une Lucky. » Pendant qu'ils en
grillaient une et piétinaient pour se réchauffer, Pierre
contestait l'intérêt du scope ; qu'il s'agisse de kino-
scope ou de cinéscope, la technique lui paraissait
contraire à l'esthétique de l'écran. La stewardess faillit
tomber à la renverse, K. O. Mais il s'obstinait. Tous ces
remakes qu'on nous propose aujourd'hui de bons vieux
films en noir et blanc et à écran normal lui paraissaient
autant de sacrifices à la barbarie. (On voit que si, par
son langage et le choix de ses partenaires, c'était déjà
un assez valeureux babélien, il n'avait pas encore assi-

milé toutes les finesses de cette culture, lui qui se refusait au scope.) Aux actualités, on vit la relève des
guards à Buckingham Palace, les marines américains
dans un exercice de débarquement, le porte-parole du
Labour qui faisait à la presse une « importante » déclaration (il ne s'agit pas, comme vous pourriez le croire,
de ce M. Philippe Lamour qui dirige une grande organisation de laboureurs français, mais d'un personnage
du parti travailliste anglais), le baptême du sister-ship
de je ne sais plus quel pétrolier, enfin un catcheur de
baleines au travail dans la mer du Nord. Après les
actualités sportives, volley-ball, course de motocross-
men, hand-ball, skating artistique, hockey, match de
wolters, jumping, etc., on vit un ingénieux montage de
vieux stock-shots. Le cameraman n'avait pas toujours
cadré avec habileté et l'on aurait aimé que ceux qui
avaient mis au point cette bande profitassent de l'éli-
minateur de scratches. Sur un Donald Duck, fort
médiocre, la première partie s'acheva. Après l'entracte,
durant lequel les deux complices se précipitèrent au
Fouquet's pour y avaler un long drink et griller encore
des Luckies, ce fut le grand film. Lorsque le générique
lui révéla le nom de la script-girl, la stewardess poussa
du coude son voisin ; « Je la connais, cette script-girl.
Je l'ai rencontrée un jour que je servais dans un avion
chartered par le producteur d'un film où elle n'était
encore que script-girl adjointe. Un peu vamp, elle était ;
et toujours à mâcher du chewing-gum. » Le long film
était un thriller avec tout le suspense auquel on pouvait
prétendre. Les travellings y étaient parfaitement au
point et la photo, prise au zoom, irréprochable. Pierre
apprécia deux effets de voix off particulièrement réussis
et un sensationnel travelling-matte. Non pas que le

film fût destiné aux happy few! Un thriller à suspense avec happy end étant plutôt destiné, vous le concevez sans peine, au grand, très grand public.

A la sortie, Pierre, qui voyait filer ce qui lui restait de son traitement de chargé d'enquêtes full-time, suggéra de grignoter quelque chose dans un snack ou un self-service. « Ce sera, dit-il plaisamment, un habile moyen de nous mettre à la hauteur de la situation présente, où tout est self : le self-service, le self-control, la self-beauté, le self-gouvernement, et j'en passe. — Seriez-vous partisan du self-service ? demanda la stewardess avec un sourire ambigu. Si peu que je vous connaisse, je n'aurais pas cru ça de vous. » Innocent comme le sont les « chercheurs », notre savant ne comprit pas l'insinuation. Tandis qu'on déambulait sur les Champs-Élysées, Pierre tomba sur un de ses anciens camarades du Quartier latin, qui faisait dans le journalisme et rentrait de l'étranger avec un « grand reportage ». On s'attabla dans un snack. Profitant de l'éclipse du reporter descendu aux water-closets, la stewardess demanda qui était ce joli garçon. Outre les reportages, ce journaliste français pratiquait le rewriting. A la vérité, comme le courage lui avait manqué de vivre dans la pauvreté sa vocation d'écrivain, il se contentait de faire le rewriter ; mais son rêve, son obsession : devenir columnist dans le tabloïd auquel il collaborait. Il connaissait Fleet Street aussi bien que la rue du Croissant et le marketing U. S. des features mieux encore que le tarif des whiskies et du gin-fizz dans la plupart des boîtes parisiennes. Il ne vivait que pour les flashes, les scoops, l'offset, les tickers, les printings, les teletype-setters. Homme intelligent du reste, et bien informé des dessous de la politique. Ce n'était pas un de ces reporters qui répètent ce qu'on leur a dit. Bourré de cross-references, habile debater, il s'informait minutieusement et discutait longuement avant de rédiger ses papiers. Si important que fût l'évent mondial, ce n'est pas lui qui, pour lâcher son flash une minute avant le journal concurrent, se serait aventuré à câbler une erreur. La diplomatie du jet, il la connaissait intimement. Avec volubilité, il parla des affaires dont il avait la tête remplie. Ni Pierre, ni même la stewardess, tête pourtant fort peu politique, ne s'ennuyaient. Il était assez pessimiste, ce reporter, sur l'avenir du camp atlantique. Tous les échecs des rocket-boosters en Floride l'affectaient plus qu'il ne l'avouait. Avec ses Luniki et ses Spoutniki, Monsieur K. lui paraissait avoir scoré quelques points. Sans parler des missiles! D'après les renseignements qu'il tenait de l'Intelligence U. S. et de quelques indiscrétions d'un gars du F. B. I. (il avait même fait parler un détective-superintendent qui appartenait au service de sécurité d'Ike), les Russes disposaient d'un nombre incalculable de missiles à tête atomique, et le missile-gap s'élargissait entre le camp socialiste et le N. A. T. O., au profit hélas du premier. Non, il ne voyait pas l'avenir en rose et se demandait si, en dépit du sourire optimiste de Mamy, le monde de la free enterprise et de Mom allait longtemps encore garder le leadership mondial. Pour peu qu'il ait un peu de fading dans l'aide américaine, on devait craindre de voir le camp socialiste marquer quelques nouveaux avantages. Mr. K. serait bientôt en mesure de faire efficacement du dumping en Occident, comme jadis les Japonais, et de briser ainsi à peu de frais le système capitaliste. Or, le big business américain semblait renâcler de plus en plus à donner au Président les voies et moyens d'appliquer le point 4. De nombreux congressmen inclinaient à nouveau vers l'isolationnisme. Appuyés sur certaines chaînes de journaux, lobbies et pressure-groups agissaient sur l'exécutif pour obtenir qu'on diminuât les allocations en dollars destinées aux pays sous-développés. La situation prenait un développement plutôt défavorable. Sans doute les données logistiques n'étaient pas toutes aussi fâcheuses pour le camp de la liberté. Le planning, dans le monde libéral, valait bien les plans quinquennaux ; peut-être même valait-il mieux. L'engineering américain restait à la hauteur et seules les zizanies entre civils et militaires, entre militaires eux-mêmes (notamment entre un certain brigadier général d'infanterie et un certain lieutenant général de l'U. S. Air Force) expliquaient la largeur toujours croissante du missile-gap. Mais on ne désespérait pas de le voir un jour se combler. Par malheur il aurait fallu agir vite, tout étant une question de timing ; durant quelques années au moins, le monde occidental était à la merci d'une guerre presse-bouton que déclencherait Monsieur K. Ensuite, l'initiative reviendrait aux puissances atlantiques. Pour le moment, il fallait surtout temporiser, se résigner à négocier l'appeasement pour sauvegarder la politique de containment. Une façon de gentlemen's agreement qui restaurerait l'esprit de Yalta et partagerait provisoirement le monde. Bien entendu il faudrait s'arranger, dans les négociations, pour proposer à Monsieur K. un package assez habilement constitué pour qu'il ne pût sans perdre la face le refuser, ni l'accepter sans y laisser quelques-uns de ses derniers cheveux. Du reste, l'ami de l'ami Pierre pensait que, dans les circonstances présentes, et malgré l'avantage que donnaient aux Russes leurs sous-marins, leurs divisions blindées, leur infanterie, bref leurs armes conventionnelles, ni l'un ni l'autre leader ne se risquerait à déclencher son deterrent. Bien plutôt voyait-il les chefs d'État continuer à se rendre de mutuelles visites pour essayer de gagner quelques mois ou quelques années. L'espoir du monde, c'était la multiplication des round tables. Pourvu seulement que les jobs ne se fassent pas trop rares aux États-Unis car, devant une menace de récession, qui sait si quelques têtes mac carthystes ne reprendraient pas là-bas la politique de Foster Dulles. Pierre alors interrompit : « Mais que donnerait à votre avis un gallup poll pour ou contre la guerre ? — Comment voulez-vous qu'un peuple pour qui le bonheur suprême consiste à sucer en hiver des ice creams à gogo puisse vouloir profondément autre chose que la paix ? Le gallup opterait sûrement pour le gentlemen's agreement dont je vous parlais tout à l'heure. Mais si vous imaginez que la politique du State Department coïncide jamais avec les vœux du peuple U. S., vous vous trompez. »

Comme le journaliste devait partir vers 3 heures du matin par le night ferry, il proposa de ne pas se coucher et de terminer la nuit dans un music hall ou peut-être un night-club. La jumpologie allait bientôt faire son entrée au music-hall de l'ABC, mais ce nouveau spectacle n'avait pas commencé encore. « C'est moi qui invite. » Pierre du coup respira et, sans scrupules, proposa d'aller au Lido. Ce n'est pas toutes les nuits qu'un chargé d'enquêtes full-time peut inviter à l'œil une poupée dans une des boîtes les plus chères de Paris. Non pas qu'il y appréciât tellement le dancing, mais le floor show, ça, il en rêvait. On lui avait si souvent célébré les Blue Bell girls qu'il regrettait de n'avoir jamais pu

admirer ces belles filles. Il ne fut pas déçu : chacune
d'elles, une vraie pin-up ; et toutes, en groupe, elles
paraissaient terrifics. La stewardess non plus n'avait pas
à se plaindre, puisque tous les danseurs qui évoluaient
avec les mannequins étaient eux-mêmes de parfaits
pin-up boys. Le journaliste était blasé. Pas plus que le
boxing business, le show business n'avait de secrets
pour lui. Les girls, il en avait caressé autant et plus que
notre chargé d'enquêtes ne voyait de laborantines. La
seule chose qui l'émût encore, dans ces shows, c'était,
à cause des dessous froufroutants et des éclairs blancs
de la chair, le French cancan, si drôlement nommé, et les
exercices de virtuosité en skating, quand le programme
— ce qui arrivait souvent dans les boîtes chics —
produisait une des meilleurs performers olympiques.
On le voit, c'était un éclectique. La rigueur du costume
des patineuses, et cette allure de rose ou d'œillet qu'ont
les dessous d'une girl de French cancan satisfaisaient
en lui deux tendances complémentaires. Au fond, dans
les night-clubs, ce qui le passionnait plus que tout,
c'étaient les conversations, mine de rien, avec les barmen
et les barmaids montantes ; car les barmen surtout,
dans les endroits à la mode, ont l'occasion de surprendre
maint et maint propos d'exécutives des grands trusts. Il
s'arrangeait donc pour être en bons termes avec eux.
Cette familiarité n'était pas la moindre des raisons
qui lui avaient obtenu un standing bien assis dans sa
spécialité. Avant le début du floor-show, Pierre l'interrogea sur le melting pot et son fonctionnement, ainsi
que sur la situation des Noirs dans le deep South. « Le
melting-pot ne se fait pas sans heurts, répondit le journaliste ; et le stamping out des caractéristiques natio-
nales est aussi malaisé là-bas, plus même que chez nous

celui de la fièvre aphteuse. Car lorsqu'il s'agit du stamping out de la fièvre aphteuse, si douloureuse que soit l'opération à la bourse des paysans, il ne s'agit que de tuer des bêtes ; tandis que celui des caractéristiques spécifiques des gens à first papers et même à second papers équivaudrait autant dire à supprimer par dizaines de millions les citoyens futurs des U. S. A. Quant au deep South, deep South il restait, deep South il resterait aussi longtemps que les niggers y auraient la peau noire. » On observait même une résurgence du K. K. K., une campagne accrue en faveur du poll-tax, et une recrudescence du lynch. Le deep South se restait fidèle. A preuve, un grand jury refusait de poursuivre les Blancs qui avaient lynché le jeune Parker, mais l'attorney général s'acharnait sur les Noirs convaincus de vol ou accusés de viol. Chaque fois qu'il s'agirait de saboter une loi contre la ségrégation, les filibusters auraient toujours beau jeu au Congrès, les plus libéraux des congressmen ne pouvant prendre le risque d'effacer la ligne de partage des couleurs. « Que pensez-vous de la surpopulation ? », demanda Pierre, que l'étude des orbitoïdés de l'Éocène et du Crétacé ne détournait pas tout à fait des problèmes cruciaux d'actualité. Si conformiste qu'il fût en général, son copain journaliste appartenait à une religion, la protestante, qui lui permettait d'avoir, sur ce problème, des idées d'une certaine audace. Sa sympathie pour le N. A. T. O. et le capitalisme ne l'empêcha donc pas de faire une sortie à propos des dernières interventions de l'épiscopat U. S. contre le birth-control. « Dans le monde d'under-dogs, point de salut pour l'homme, conclut-il, sans birth-control et planning familial. On devrait lui consacrer un symposium mondial. — Dites surtout, renché-

rit la stewardess, point de santé pour la femme, ce qui
me paraît tout aussi important. » C'était la première
phrase intelligente que Pierre en eût obtenu depuis
vingt-quatre heures. Il se prit à regretter qu'elle dût
partir si tôt.

Outre le birth-control, cet habile journaliste avait un
autre hobby, le bowling, qu'il préférait au karting, aux
flippers, aux links de golf et même aux matches de
catch. (Je ne me rappelle plus quelle occasion lui fut
donnée d'en parler, ah ! si : il racontait y avoir joué dans
un club de Pékin, et ça l'avait amusé de constater qu'en
Chine on pratiquait le bowling dans un Kegelbahn.)
« Au fait, dit Pierre, ce bowling dont tu nous casses
les oreilles, qu'est-ce que c'est au juste ? » L'aficionado
du bowling décrivit son jeu favori. Là-dessus, le spécialiste des orbitoïdés de l'Éocène et du Crétacé éclata
d'un rire joyeux : « Si je te comprends bien, ce que tu
me racontes là, ce n'est pas tout à fait le boulingrin,
qu'un de mes professeurs jadis dérivait, par ingénieuse
adaptation française, du bowling-green de l'anglais.
Ce que tu me décris, ma parole, c'est, selon les cas, un
jeu de boules ou un jeu de quilles. Ainsi donc, ma vieille
branche, tu joues aux quilles ! Je comprends pourquoi
tu te piques de faire du bowling. Parce qu'entre nous,
jouer aux quilles, rien de plus banal. J'y jouais dans mon
enfance, comme au bouchon, à la toupie, à la carotte,
au cerceau et même au perlis ou perly. Certes, je ne
savais pas que je m'adonnais au bowling. Sacré far-
ceur, va ! tu pratiques le bowling ! — Moi, mon vieux,
répliqua le journaliste, irrité par l'épigramme, surtout
en présence d'une pin up, je suis un sage, je vis avec
mon époque, je refuse de vieillir ; tranchons le mot :
je hurle avec les loups. Le temps est fini où le français

pouvait prétendre au statut incontesté de langue universelle. Pourquoi veux-tu que, Don Quichotte d'une cause perdue, je m'obstine à jouer aux quilles quand tout le monde fait du bowling? Crois-moi, elle est foutue, la langue française. Je n'aime pas les vaincus. Qu'aurais-tu dit, au VIIIe siècle, de celui qui, fidèle aux quarante mots celtiques dont il disposait encore, refusait de parler latin, c'est-à-dire le futur français? Regarde le monde comme il court : les Américains occupent l'Europe et une partie de l'Asie ; avec les Anglais, les Canadiens, les Australiens, les Néo-Zélandais, les Africains du Sud, ils ont disposé sur la planète un réseau politique et linguistique anglophone contre lequel tu t'insurgeras en vain. L'armée française ne nous donnet-elle pas l'exemple, qui parle déjà anglais et qui, lorsqu'elle adopte un nouveau brodequin Pataugas, c'est le Military? Dans un siècle ou deux, quand les communistes se seront entredévorés ou que le communisme se sera digéré lui-même, seule régnera sur le monde la free enterprise, dont le langage véhiculaire sera fatalement l'anglais, mais adapté selon les substrats ethniques et linguistiques. De même que le latin donno selon les cas le roumain et l'espagnol, l'italien et le français, l'américain d'aujourd'hui produira de l'italianglais, du germanglais ou du franglais. Et tu prétendrais m'imposer de parler français? Non, mon vieux, trop tard. Au gallup-poll de l'avenir, je vote pour le franglais, qui remplace avantageusement notre vocabulaire ; lequel, reconnais-le, n'offre plus aucune résistance. Midinettes et femmes du monde sont converties au franglais. Or les langues, vois-tu, j'ai lu ça dans le temps chez Gourmont, « ce sont les femmes qui les font ». » La stewardess sourit. Mais l'autre continuait : « Un petit nombre de

crétins, je le sais et le déplore, de professeurs et d'écrivains, avec la tête plantée si drôlement sur les épaules
qu'ils ne peuvent regarder qu'en arrière, s'obstinent,
mais ne parviendront pas à freiner le développement. »
La stewardess approuva : « Dans l'aviation, désormais,
presque tous nos mots sont anglais : batman, first,
cockpit, flight, etc. ; quand un passager veut se faire
comprendre d'un autre, c'est l'anglais, tout de suite,
qu'il essaie. Alors, à quoi bon s'entêter ? A l'ère du baby-
foot et des services non-stop, quand, au coin de chaque
rue, les boutiques de pressing et de renoving remplacent enfin les teintureries désuètes, dans un pays où,
protégés par leurs leggings, les gendarmes font leurs
tournées en jeep, dans un pays où l'on s'offre autant
de kidnappings, de gangsters, de bootleggers et de
hold-ups qu'aux U. S. A., qui ne voit que la langue
française fait figure de vieille, de très vieille vague ? —
A la bonne heure, darling », minauda le journaliste, qui
profita de l'occasion pour tenter un peu de petting.
Puis, se tournant vers mon copain : « On voit bien,
Pierrot, que tu es avant tout un spécialiste des orbitoïdés de l'Éocène et du Crétacé. Dans ce temps-là,
j'en conviens, si l'on ne parlait pas encore français,
on pouvait se passer de l'anglais. Maintenant, les jeux
sont faits ; l'anglais a le feu vert, je devrais dire le green
light. L'avenir est au top salesman, aux V. I. P., au
manager, à l'organization man. Tu peux chanter,
danser... »

A ce moment précis, le floor show s'arrêta pour
permettre aux clients, justement, de danser. Le reporter up to date invita la non moins up to date stewardess.
Au retour de cette expédition, il se déclara fatigué, et
proposa, puisqu'il disposait d'une nouvelle compact,

de reconduire chez elle la pin up. « Je te ramènerai
d'abord chez toi », dit-il obligeamment au spécialiste
des orbitoïdés. Celui-ci n'allait pas se ridiculiser par une
scène de jalousie. On sortit. Il fallut prendre un peu
d'essence. « Moi, dit le reporter, je participe au Mobilgas
economy run. Filons jusqu'à la prochaine station-service. » C'était une station-service up to date, elle aussi.
Une affiche imprimée y promettait monts et merveilles :
friction-proofing-oil station officielle. Pendant le plein,
Pierrot-les-orbitoïdés murmurait à son vieux copain :
« Pendant que tu ramènes ta-ma pin up, tâche de ne
pas avoir d'accident voluptueux. Après tous les drys ou
dries qu'on a bus, si tu passes au breatheliser, à l'alco-
test, à l'alcooltest, ou même à l'ivressomètre, j'aime
mieux te prévenir que le taux de l'alcool te sera sûrement défavorable, comme il le sera du reste à tes autres
entreprises, mon enfant! conclut-il perfidement. Je
vous laisse à votre petit petting. Tu vois que je suis
up to date, moi aussi, et que je sais vivre. Adios, muchacho! Dasvidanié! Ciao! »

Le lendemain matin, le dentiste de l'ami Pierre, avec
lequel celui-ci avait pris rendez-vous pour un plombage,
lui fit complaisamment admirer la perfection de son
unit flambant neuf, importé de Nouillorque. Il venait
de le ou de la faire monter. « Une iounite, kékséksa? »
dit Pierrot d'un ton hargneux. Le dentiste expliqua
qu'on désignait ainsi l'ensemble composé par le fauteuil
du patient, le tabouret mobile évoluant autour du
fauteuil comme autour de sa planète un satellite, tout
l'appareillage, enfin. « Iounite! iounite! répétait Pierre,
tu pourrais pas parler français, non? » Quand son vieux
copain le dentiste, en guise de plombage, lui proposa un
inlay, Pierre piqua une colère à quoi l'autre ne comprit

rien. « Tu pourrais pas dire orage, non ? sur or, puisque sur plomb tu fais plombage ? ou, du moins, à cause de l'autre mot orage, tu pourrais pas dire insertion ou mieux encore incrustation, non ? Parce qu'enfin, ton inlay, voilà ce que c'est, rien de plus : une incrustation, in et lay. » Le dentiste avait bon caractère. Persuadé que le spécialiste des orbitoïdés de l'Éocène et du Crétacé se trouvait de mauvais poil à cause d'une nuit de labeur, il ne se fâcha point. Il se trompait, vous le savez, vous, et que notre ami peut-être eût moins âprement défendu sa langue natale s'il n'avait été un peu cocufié par un reporter up to date. Comme quoi, selon la parole de l'Église, tout sert à notre salut, les péchés y compris, les péchés surtout.

CHAPITRE II

HISTOIRE ENCORE MOINS DRÔLE

Si je ne la juge pas drôle, mon histoire, c'est que vous l'avez comprise bien que je l'aie composée en sabir atlantique, cette variété new look du franglais. L'anglomanie (ou l' « anglofolie » comme l'écrivit un chroniqueur), l'anglofolie donc, dont nous payons l'anglophilie de nos snobs et snobinettes, se voit déplacée par une américanolâtrie dont s'inquiètent les plus sages Yanquis : c'est un des mes collègues américains, le professeur Kolbert, qui, dans *Vie et Langage*, nous adjurait de parler chez nous notre langue et de renoncer à singer l'américain. Après un an de travail préparatoire, lorsqu'en octobre 1959 je commençai mes cours sur le sabir atlantique, j'avais sujet de penser que les temps étaient mûrs.

Les 29-30 août 1959, un éditorial du *Figaro*, signé Michel de Saint-Pierre, s'intitulait *Parlez Français* : « Tu étais au *Jumping* ? — Oui. J'ai suivi les dernières épreuves : celles du *week-end*. La participation européenne était excellente, avec un joli *back-ground* américain et russe... Et j'ai bien aimé le *show* !

« Les Français, assurément, ont le défaut d'être chauvins. Mais ils ne le sont pas assez dès qu'il s'agit de leur

2

propre langue — et je ne sais quelle rage les pousse à
recourir en toutes occasions aux vocabulaires étrangers ; plus spécialement aux expressions anglo-saxonnes. »

Quelques jours plus tard, le 26 septembre 1959,
M. Maurice Rat écrivait pour *France-Soir* un de ses
Potins de la grammaire. Pertinent, ma foi : *Français
ou franglais ?* « L'élite des Argentins écrit et parle un
français mêlé d'espagnol que le spirituel chroniqueur
du *Quotidien*, le grand journal français de Buenos Aires,
a proposé de baptiser le *fragnol*. Faudra-t-il appeler
bientôt *franglais* ce français émaillé de vocables britanniques que la mode actuelle nous impose ?

« Il serait pourtant facile de résister à cette invasion
et la langue française n'aurait rien à y perdre. »

Deux ans plus tard, dans *La Nouvelle Revue française*
du 1er décembre 1961, la verve d'Audiberti s'égayait
amèrement des « petits ennuis » que nous cause le
« ku-klux-klan publicitaire du quartier des *concessions*
et le *pie* de lapin » ; petits ennuis contre lesquels il
déplore que nous ne disposions « guère que du *Robust*,
fusil de chasse de la Manufacture de Saint-Étienne qui
sacrifie sa voyelle muette. Nous tablons aussi sur des
nominatifs commerciaux du type *Lavnett*. De tels
vocables, reliés à des ellipses genre *talon minute, cousu
main, assurance vie, emprunt acier*, publient la nostalgie, ou l'ébauche, d'un idiome contracté, télescopé,
créolisé. »

Cette fois, le mot est lâché : le quartier des « concessions » nous situe à notre rang, et à ce statut colonial,
ou semi-colonial, qui, du point de vue langagier en tout
cas, est le nôtre.

Au moment précisément où les anciens dominions
et protectorats, où les colonies et pays sous mandat

recouvrent leur indépendance, ne serait-il pas indiqué d'obtenir pour nous des avantages analogues, et dussions-nous pâtir un peu, nous aussi, de notre neuve autonomie ?

De fait, il semble que certains de nos concitoyens aient alors pris conscience exacte du péril :

25 février 1962. Marc Blancpain écrit *Tel qu'on l'écrit*, un de ses billets du *Parisien libéré* : « J'étais au snack-bar! je venais de prendre un self-service, un bel ice-cream ; la musique d'un juke-box m'endormait quand un flash de radio annonça soudain qu'un clash risquait d'éclater à Alger.

« Je sortis, repris ma voiture au parking et ouvris mon transistor. Le premier ministre venait de réunir son brain-trust. Etc. »

Mars 1962. *Télé-Magazine* publie la lettre la plus originale de la semaine. L'auteur en est M. Marcel Sechet, de Tours, qui du coup gagne 30 francs : « Papa et Toto devant le petit écran, tout récemment installé. Toto, retenu par l'image, découvre en même temps un langage particulier :

« Le présentateur : « Un hold up a eu lieu... » Toto : « Qu'est-ce que c'est un *oledup* ?... » « Un véritable rush avait précédé cette réunion. » Toto : « Qu'est-ce que c'est un *reuch* ?... » « Nous étions en plein suspense. » Toto : « Qu'est-ce que c'est le *seuspence* ?... » « Un pipe reliera... » Toto : « Qu'est-ce que c'est un *païpe* ?... » « En athlétisme indoor. » Toto : « Qu'est-ce que c'est *inedor* ?... »

Lettre originale ? je n'en sais rien. Mais pertinente, elle aussi, ça oui, et qui n'a pas volé ses 30 francs.

Dans les autres pays de langue française, même et saine réaction. Au Canada surtout, doublement exposé : à l'anglais, à l'américain. En 1960, par exemple, les

Cahiers de l'académie canadienne-française publiaient une étude de M. Victor Barbeau sur les anglicismes, une autre de M. André d'Allemagne sur les américanismes. Il en ressort que le vocabulaire canadien est encore plus gravement marqué d'américain que d'anglais : « Il y a longtemps que nous n'importons plus guère de termes britanniques. Certes il en existe un certain nombre qui sont passés dans notre langue avec l'établissement des institutions parlementaires, politiques et militaires anglaises, tels que *bill, constable, whip,* et des traductions telles qu'*orateur, premier ministre* et tous les grades de l'armée. Mais le plus souvent ce sont des mots typiquement américains qui défigurent notre langue, tels que *can* (conserve, en anglais *tin*), *fender* (garde-boue, en anglais *mudguard*), *flashlight* (lampe de poche ou torche électrique, en anglais *torch*), *intermission* (entr'acte, en anglais *interval*), *lot* (terrain, en anglais *site*). Parfois d'ailleurs ces termes ont donné lieu à de fausses traductions, par exemple « élévateur » (de l'américain *elevator,* en français ascenseur ou « lift », en anglais *lift*), « gazoline » (de gasoline, en français essence, en anglais *petrol*), « exclusif » (d'exclusive, en français « sélect », en anglais *select*), ou l'horrible « magasin de marchandises sèches » (de dry goods, en français mercerie, en anglais *haberdashery*), ou même « artiste » (d'artist, en français acteur ou comédien, en anglais *actor*). »

Si déjà nous « nous sentons concernés », comme disent nos américanolâtres, par cette brève liste, combien plus par ces réflexions de M. Victor Barbeau sur les anglicismes et américanismes clandestins ? « Les anglicismes et les américanismes vraiment pathologiques se présentent non pas à l'état nature, tout crus ou tout

nus, ce qui déjà les dénonce et nous met en garde contre
leur emploi, mais sous un masque qui nous en dissimule
la hideur. A leur air anodin, qui les croirait aussi redou-
tables ? Plus ils sont insidieux, plus ils sont malfaisants
parce que moins on s'en méfie. Le petit bourgeois ou
l'homme de profession qui se cabrent devant le gara-
giste qui ingénûment parle de *muflor* (silencieux) ou de
windshield (parebrise) n'éprouvent, par ailleurs, aucun
scrupule à dire : *moi pour un* [1], à payer en *argent dur*
ou à commander un carton de cigarettes et à le faire
charger à son compte. A leur insu, ils réalisent le tour
de force de parler anglais en français.

« [...] Un fait devient un *développement* ; un projet à
l'étude se dit *sous considération* ; on n'est plus préposé à,
on est *en charge de* ; [...] les parties intéressées sont dites
concernées ; [...] on ne fait plus face à ses dépenses, on les
rencontre, etc. »

En Belgique, en Suisse romande, pays pourtant un
peu moins menacés que le Québec, l'opinion est en
alerte.

12-13 février 1961. *Le Soir* de Bruxelles raille les
anglomanes : « Pourquoi dire *show* quand nous avons
« spectacle » à notre disposition, et *self-service* pour
« libre service » ? On parle sans cesse de *surprise party*
pour « partie surprise », expression devenue d'ailleurs
impropre depuis que, dûment organisé, cet événement
n'a pas plus de secret pour les visiteurs que pour les
visités. On prête couramment du *sex-appeal* à une jolie
femme ; il est moins brutal, plus décent et beaucoup
plus gentil de proclamer qu'« elle a du charme ». *Shopping, rowing, skating* sont inutiles puisqu'on peut aussi

---

1. *I for one*, c'est-à-dire : quant à moi, en ce qui me concerne.

bien dire qu'on fait ses courses, du canotage ou du patinage. Pourquoi *air hostess* pour « hôtesse de l'air », *bowling* pour « jeu de quilles », *spleen* pour nos « nostalgie », etc., etc. » Un des membres de l'Académie royale de Belgique, M. Maurice Piron, écrit en ce même sens, dans *Vie et Langage* et dans la *Revue française* d'avril 1961.

2 octobre 1962. *La Suisse* consacre au franglais une chronique de Cadet Rousselle. Le chroniqueur adopte lui aussi le vieux système de Balzac et de Proust, celui du pastiche, de la charge. A peine hélas a-t-il besoin de charger. Jugez vous-même :

     « Dear Joséphine,

« Je t'écris d'un snack, où je viens de me tasser un hot dog en vitesse, tandis que Charlie, à côté de moi, achève son hamburger.

« Charlie, c'est Charlie Dupont, mon nouveau flirt. Un vrai play boy, tu sais ! En football, un crack. On le donne comme futur coach des Young Cats, leader des clubs série F. C'est te dire si j'entends parler de goals et de penalties !

« Je me suis lassée de Johnny Dunand, trop beatnik avec ses blue-jeans et son chewing-gum, etc. »

Non seulement la grande presse s'en mêle, mais des revues ou des organismes spécialisés s'efforcent de lutter contre le sabir atlantique. Chez les médecins, par exemple, je citerai :

— le Dr Pierre Theil qui, dans la *Revue de médecine praticienne et sociale*, condamne *bridge, test*, et mainte expression de la sorte ;

— le Pr J.-C. Sournia, de Rennes, qui, dans *Le Concours médical* du 27 janvier 1962, se demande ironiquement *Pourquoi parler français ?*, quand il est si bon

de jargonner, de gréciser ou de succomber à l'anglomanie ;

— le Dr Marcel Monnerot-Dumaine qui, dans le
numéro 129 de *Médecine de France* (1962), condamne
les « travers » de la langue médicale et ne rate point
les anglomanes ;

— le Dr Maurice Lamy qui, dans *La Presse médicale*
du 1er décembre 1962 (*La dégradation du langage médical ou Lettre à un jeune médecin sur le bon usage du
français*), exécute à son tour et jargon et sabir atlantique ;

— le Dr Daniel Eyraud, qui, dans *L'Hôpital* de janvier 1963 juge l'*Anglo-Saxonite épidémique*.

D'autres milieux spécialisés viennent à la rescousse.
Les administrateurs du *Gaz de France* ouvrent une
rubrique *Défense et illustration de la langue française*
pour seconder le *Comité d'étude des termes techniques
français* (que préside M. Georges Combet, et dont le
secrétaire général est M. Agron). « Bouter l'anglo-saxon
— et les termes étrangers — hors du français », voilà
un excellent programme. Pour le *cracking* et *to crack*,
Gaz de France adoptera donc : craquage et craquer ;
pour *gas oil*, gazole ; pour *fuel oil*, mazout ; pour *to
scrub*, *scrubbing* et *scrubber*, laver, lavage et tour de
lavage ; pour *steaming*, injection de vapeur ; pour *coal
tar* et *coke ear*, chariot à charbon et chariot à coke.
Bravo pour *Gaz de France* !

Bravo également (et non pas *hip, hip, hip, hurrah !*)
en faveur de l'*Association française pour l'étude des
eaux*, dont le directeur, M. R. Colas, eut la courtoisie
de faire repiquer à mon intention les pages du bulletin
qui sont relatives à la terminologie. J'y apprends avec
joie que les *cuttings* seront désormais des déblais, les

tests, des essais, le *training*, la formation (ou l'entraînement), le *dope*, un adjuvant, le *tubing*, un tubage,
le *by-pass*, une déviation, le *boosting*, une surpression,
le *breakpoint*, une surchloration, le *flash off*, de l'eau évaporée, le *pondage*, une retenue, les *wastes*, des eaux résiduaires, l'*activated sludge*, de la boue activée, etc., etc.

Jusqu'à l'*Union syndicale des Journalistes sportifs*
qui, troublée par mes cours sur l'américanisation de
notre langue, m'avait demandé de collaborer, avec
M. Alain Guillermou, aux travaux d'une commission du
vocabulaire des sports. M. Chassaignon en était l'animateur. En 1961, nous travaillâmes régulièrement et
proposâmes, dans le bulletin de liaison de cette *Union
syndicale*, nos premières suggestions, élaborées durant
plusieurs déjeuners où participaient, outre M. Chassaignon, MM. Michel Clare, Roger Debaye, Jean Eskenazi,
Jacques Ferran, Jacques Forestier, Gabriel Hanot,
Marcel Hansenne et Louis Naville.

Nous eûmes raison, je crois, de proscrire *come back,
comingman, referee, back, goal, shoot, crack, has been,
indoor, leader, open, test-match*, et de suggérer qu'on
les remplaçât par : retour, espoir, arbitre, arrière, but,
tir, as, fini, en salle, major (comme major de promotion)
ouvert, match officiel ; nous eûmes raison, je crois, de
franciser *lob* en lobe (mais j'aurais préféré chandelle) et
corner en cornère ; nous eûmes raison, je crois, de rem
placer *derby* par match de terroir (ou de voisinage) et l
penalty par un onze mètres.

C'était exaltant d'imaginer qu'on allait peut-êtr
sauver le vocabulaire en cause, l'un des plus corrompu
par l'anglo-américain. Hélas, André Chassaignon mou
rut en octobre 1961...

Bien mieux, les chansonniers apportèrent au proje

leur concours bénévole. Philippe Clay, le premier en date,
à ce qu'il me semble, dans *Paris Parisse* :

*Excuse me si je connais mal ton langage
Mais l'Assimil me l'a prouvé
L'anglais ça s'apprend à tout âge.*

Ce ne sont que *beautiful, drugstores, parking, self
service, snack-bar* et *buildings, rock and roll, surboums,
love* et *suspense. Sankiou verimuche* rime avec Ménil-
muche. Bref :

Paris I love you t'as du suspense et t'es sexy.

Tout récemment, Léo Ferré chanta *La langue française* :

*C'est une barmaid qu'est ma darling...
J' suis son parking, son one man show.
Son Jules, son king, son sleep au chaud.
J' paie toujours cash...*

Plusieurs pensèrent d'abord que j'exagérais et que
j'obéissais à je ne sais quel esprit de vengeance ou de
chauvinisme ; M. Félicien Mars, par exemple, qui écrivait dans *La Croix*, le 20 décembre 1960 : « Etiemble,
après avoir très utilement travaillé à détruire un certain nombre de mythes, est en train de créer le mythe
du babélien. » A quoi répondit Jean-François Revel,
le 12 janvier 1961, dans *L'Observateur littéraire* : « Non,
Etiemble n'a pas inventé le péril babélien. » Après avoir
écouté mon cours radiodiffusé du 12 janvier 1962,
M. Félicien Mars m'accordait crédit sur un point de
détail et concluait avec loyauté que je m'attaquais
à une maladie réelle, et grave, du français : « Ceux qui

étaient à l'écoute du *Français universel*, dimanche soir 5 février 1961, comprendront ce raidissement de mon attitude en face de l'invasion des anglicismes. Un texte, d'autant plus ahurissant qu'il était écrit en français et par un Français, affirmait qu'il nous *faudrait* reconnaître *une fois pour toutes que l'anglais est la langue internationale d'aujourd'hui*, ce qui peut être, à la rigueur, un fait pénible à enregistrer. Mais ce qui traduisait une démission inadmissible, c'est que le responsable de cette constatation invitait à *poser en principe que la culture de la France n'est accessible qu'à ses fils*, et que *la pensée française a suffisamment de valeur, par son contenu, pour pouvoir négliger l'idiome qui lui sert d'expression.* Autrement dit, pourvu que nos *Caravelles* continuent de se vendre, ce que je souhaite, peu importe que Racine et Voltaire soient lus désormais en anglais! Eh bien! ce type-là m'a convaincu... qu'il était temps de réagir. »

Après *Le Monde* et *Le Figaro littéraire* qui, à plusieurs généreuses reprises, approuvèrent mon combat contre le sabir atlantique, un des journaux de France qui lui avaient le plus joyeusement, le plus activement sacrifié changeait de camp : le 1er septembre 1962, *Paris-Match* alertait son public. Le courrier des lecteurs, celui que je reçus, auraient pu m'endormir, car tout le monde ou peu s'en faut approuvait mon initiative qu'on appelait parfois, d'un mot un peu audacieux, ma « croisade ». Un peu plus tard, dans son n° 705, *Paris-Match* publiait une amusante caricature de Morez : une rue de Paris, telle qu'on la voit chaque jour désormais : *snack, hair dresser, hot dogs, bowling, night-club, suspense, ice-cream, strip-tease*, etc. « Oui, disait la légende, Maggy est à Paris pour apprendre le français. »

De son côté, dans *L'Express*, Siné blaguait la gastro-

nomie *new look* et *up to date* : *hot-dogs* et *ice-creams* et
vingt autres spécialités « bien de cheux nous ».

Enfin, le 16 octobre 1962, le *New York Herald Tribune*, édition de Paris, reprenait le dessin de Morez pour
illustrer un article où M. Thomas R. Bransten rensei-
gnait objectivement ses compatriotes sur mon propos
dans un article intitulé *Paris professor fights invasion
of language by anglicisms* (c'est-à-dire : un professeur
français lutte contre l'invasion de sa langue par les
anglicismes).

La partie était donc gagnée ? Je pouvais mourir
tranquille ?

Hélas non.

En effet, si, dans *Le Figaro* des 29 et 30 août 1959,
l'éditorial de Michel de Saint-Pierre s'intitulait *Parlez
français*, le même journal, le même jour, parlait d'une
« puissance atomique majeure » (*major atomic power*),
au lieu d' « une grande puissance atomique » ; à propos
d'un « week-end politique » Eisenhower-Macmillan,
mon vieux camarade Pierre Bertrand câblait de Londres un article où il s'agissait notamment d'un parc
propice « aux chasses à la grouse », c'est-à-dire au tétras,
au coq de bruyère, au lagopède d'Écosse (ou de quelque
nom qu'il vous plaise de l'appeler). Le même journal
me proposait le même jour, dans un garage, des « scoo-
ters », des « boxes » pour des stalles, et m'apprenait que
Nice est le « possible leader unique » (avec un impossible
possible, et un *leader* inacceptable aux termes de l'éditorial). Et d'un !

Quant à *France-Soir* du 26 septembre, ce *France-Soir*
où Maurice Rat s'interrogeait sur le *franglais*, j'y décou-
pai, entre plusieurs, les franglicismes que voici : « dans
le style *news* », « *flirter* avec le documentaire », « la

maniaque du *kidnapping* », « *slips T-shirts* », « le *gang*
de la boxe *U. S.* », « le *baby-pipe* », « des *muscle-men* »,
« un *manager* de boxe », « c'était du *gangstérisme* »,
« un garçon d'une douzaine d'années en *blue-jeans* »,
« le *show business* », « l'*underworld* », « il est le *columnist* »,
« la reine du *strip-tease* », « Gypsy Rose Lee, Madame
Strip-Tease », « l'acier *U. S.* », « K. et le *hot-dog* », « le
rush fantastique des voitures », « un *trigger-man* »,
et naturellement l'anglo-germanisme *speakerine*. Et
de deux !

Tout se passe en effet comme si, dans chaque journal,
un homme et un seul, celui qu'on charge de la rubrique
langagière, devait sauver la langue, ou du moins la
défendre contre les divers dangers qui la menacent,
dont aujourd'hui l'américanisation outrancière et
systématique est de loin le plus grave. Quant aux autres
columnists, comme on dit désormais pour ne pas dire
rubriquards, ou chroniqueurs, ils continuent à rédiger
leur sabir atlantique.

Ainsi pouvait-on lire, le 17 février 1961, dans un journal belge, *Le Ligueur*, tel article qui demandait *Pitié
pour le français !* Fort bien. Le même jour, une chronique
de M. Vinca traitait de *La nouvelle Taunus 17* à renfort
de « pare-soleil capitionnés » (*sic*), de « jauche... pas
particulièrement précise », de boîte de vitesses « renta-
ble » qui permet de « prendre un start très rapide »,
cependant qu'un « rayon de braquage étendu » autorise
à manœuvrer sans peine « au parking ». Et de
trois !

Impossible par conséquent de croire que la cause est
gagnée. Certes je peux me féliciter de lire, sous la signature de M. René Georgin, un pastiche de Marie-Chantal
intitulé *Le quart d'heure de Rabelais* : les *brain-trusts*,

les *parkings*, les *plannings* et les *relaxations* s'y font
gentiment épingler.

Certes, je peux estimer que tout n'est pas perdu,
puisque, le 27 octobre 1961, le même René Georgin,
qui assistait au déjeuner de l'*Association internationale
des journalistes de langue française*, y lut une satire du
français tel qu'on l'écrit dans la presse :

Mais c'est l'afflux des noms english et amerloques
Qui donne à notre langue un aspect si baroque
  Car Albion et l'Amérique
  Sont nos fournisseurs de mots chics
  (Nous tenons et non y tenons)
  La divine relaxation
  Ainsi que la réservation,
  Le debating et le parking,
  Public-relations et footing
  Le living-room et le pressing
  Le lunch, le match et le building,
  Leadership, suspense et camping,
  Business, label et standing,
  Le flair-play, le pool, le planning,
  Le rush, le score et le meeting,
  Steamer, record, boxe et pudding,
  La garden-party et le swing.

Ça continue longuement, pour s'achever sur une
pirouette :

Mais devant tant d'intrus, lorsque nous nous cabrons
C'est bien de notre sol que montent nos jurons
  Et le mot fameux de Cambronne
  Rend un son gaulois quand il tonne.

Tout ça, encourageant ? Ouais! Savez-vous combien
elle compte d'adhérents, cette *Défense de la langue*

française, qui publie les fantaisies de M. René Georgin ?
En 1963, elle célébrait son millième cotisant ! Et si
M. Félix de Grand Combe a fulminé, lui, contre *l'anglomanie en français*, il n'eut pas plus de lecteurs que n'en
compte *Le Français moderne*, revue réservée à des professionnels.

Au fait : tournez le bouton de la radio, de la télé ;
ouvrez les yeux au restaurant, chez le droguiste. Vous
constaterez que, malgré tant d'efforts, tant d'articles,
et dans les plus grands journaux, l'épidémie ne fait
que gagner en étendue, en profondeur. Arrêtez-vous
au restoroute (mot-valise à l'américaine) ; on vous y
offrira, non loin de Paris, un *Baby scotch*, un *steack* (sic),
un *cheeseburger steack* (sic), des *hot dogs*, un *club sandwich*. Lisez Odette Pannetier, *Cent restaurants de
Paris ;* vous y dégusterez du *digest*, de la *réservation*,
du *flash*, des *caméramen*, des *stars* et des *starletts* (sic),
du *chicken pie*, des *drinks*, des *mixed grills*, de l'*apple
sauce*, du *chicken sandwich à la milord*, du *self control*,
du *saloon*, du *gay Paris*, des *duffel* (sic) *coats*, des *smo-
kings*, des *surprise parties*, du *be-bop*, du *22 long rifle*,
de l'*eggburger*, du *baby cochon de lait*, du *hamburger-
steak à cheval ;* si vous voulez un *quick lunch*, vous l'y
trouverez sans peine (mais avec douleur, je l'espère).

Certains Français peuvent ou doivent éviter le restaurant ; ils restent donc à l'abri des *mutton chops*,
mixed grills et autres nouveautés. Ils ne peuvent s'épargner l'ennui de laver la vaisselle et de tenir la maison.
Il leur faut donc fréquenter le droguiste, que détrônera
bientôt le répugnant *drugstore*. S'ils y acquièrent une
pile, se sera la pile *Wonder* « qui ne s'use que si l'on s'en
sert ». S'ils veulent récurer leurs casseroles, ils sauront
hésiter entre le *pad* (un tampon, vous n'y songez pas !)

et le *scotch brite*! Pour balayer, on leur conseille de
« balayer *strip* »; pour cirer, le ou la *John wax*. Qu'il
s'agisse de tuer les mouches, de recoller quelque chose,
de laver le linge, de cirer les chaussures, de recouvrir
les planches d'un placard ou quelque surface métal-
lique, de chasser les mauvaises odeurs aux toilettes (pardon, aux *W. C.* ou aux *closets*!), nos ménagères choisi-
ront ce qu'on leur impose : le *catch* ou le *fly-tox*, le *secco-
fast*, le *Sunlight*, le *Skip* ou le *Klir* (de *clear*), le *Polish*
Tanil-*Cream*, le *blacksun*. Je n'oublie ni le *Kik*, ni
le *Spic*, ni l'*Airwick*, ni le *Dip*, ni le *Holiday*, ni le
Timor standard super économique, ni le *Prim'verre* (avec
l'apostrophe très britannique), ni la fusée *Top* pour la
destruction des taupes, ni vingt autres *gadgets* tous
moins prononçables les autres que les uns : le *pocket*,
le *Tide*, le *sunsilk*, le *golflex*, le *Elnett*, le savon *O'flor*
ou le sel « Moos » (pour ne pas dire *mousse*), enfin, non,
pas enfin : le *Reluidog*, la corde à linge *Sthop*.

   Qu'il se veuille conscient et organisé, qu'il demeure
inconscient et inorganisé, quel citoyen peut éviter,
sait éviter de lire son journal? Il y apprendra donc
qu' « une fois de plus et au Canada, le français est
absent dans un congrès scientifique », mais, le même
jour, dans le même journal, on lui parlera d'un « *best-
seller* italien », du « *pipe-line* Sahara-Méditerranée »,
des « trois *aces* » de Fraser, de l'institut *est-allemand*,
de « l'*actuel* gouvernement », d'un certain M. Ike qui
« *ignore* sa voiture », autant d'américanismes ou patents
ou latents. Un peu plus tard, dans le même quotidien,
le lecteur conscient et inorganisé découvrira que M. Kennedy est « *proéminent* à titre mondain » (*prominent*,
c'est-à-dire en vue), que « le onzième *district* était *solidement* démocrate » (*solidly*, c'est-à-dire massivement),

que les « *saloons* irlandais de Boston » fêtaient l'élection
de Kennedy (les bistrots, fi donc !), et que cela se passait
dans un des *districts* les plus *dilapidés* de Boston (un
des *most dilapidated districts*, en français : dans *une des
circonscriptions les plus misérables* de cette ville). Plutôt
que la presse bourgeoise, lirait-il *L'Humanité* et ses rubriques culturelles, notre pauvre concitoyen : le 4 juillet
1963, il buterait sur la première phrase de l'article
consacré au congrès de Genève sur *Le siècle des lumières* :
« à l'initiative de M. Théodore Besterman ». S'il aime
sa langue, il n'ira pas plus loin : en français, on dirait
« sur l'initiative ».

Oui, s'il aime sa langue, notre infortuné compatriote,
tout concourt à le corrompre, ou à le décourager ; une
petite annonce lui révèle que la *Société de Gérance des
Établissements cinématographiques Éclair*, domiciliée
12 rue Gaillon, Paris-2e, se déguise, pour faire *new look*,
en *Éclair international diffusion* ; après le *Stendhal-
Club* (acceptable dans la mesure où Stendhal, par jeu
et par prudence feint-il de croire, sacrifie à l'anglomanie
dans le *Brulard*), voici qu'il lui faut subir une « réalisation T. V. » intitulée « Paris-Club », vocabulaire et syntaxe
yanquis. Est-ce donc là notre façon de porter aux nus
nos visiteurs et notre capitale aux nues ? Lit-il un roman
à succès, notre Français, *La Grotte* de M. Georges Buis
par exemple, il y butera sur les *bazookas*, des *command
cars*, des *channels*, des *drop-zones*, des *barracks*, des
timings, des *top* (sic), du *self-control*, des *leaders héli-
coptères*, des *half-tracks*, des *Military Police* (sic),
du *strafer*, des *débriefings*, et autres immondices, mais
il découvrira du même coup que cet écrivain, si fort
en anglais, emploie plusieurs fois *mouvance* avec le sens
de mouvement (« un jour que la tribu était en mou-

vance dans un autre monde »), alors que la *mouvance* veut dire et ne veut dire que : la dépendance d'un fief à l'égard d'un autre! La mort dans l'esprit, s'il est père de famille, notre concitoyen va découvrir qu'on enseigne à son fils, qui trébuche encore sur les pluriels de *caillou* et de *joujou*, ceux de *supporter, sportsman, shoot, steeple-chase, cross-country, rallye-paper, tennis-woman, penalty, swing, garden party* (*Grammaire* Dubois et Jouannon, Larousse, 1956, exercice n° 95, p. 38). Avec consternation, il vérifiera que la méthode porte les fruits qu'on en peut espérer ou redouter, car il lira, s'il est professeur, telle copie d'un élève de cinquième, incapable de fixer dans sa mémoire l'orthographe du français, mais imbattable sur l'anglais :

« Une Nuit fut merveilleuse pour moi. j'ai rêvé que j'avais été au gala de Twist et de Rock n'Roll. Je me voyais dansant un Rock n'Roll acharché avec une jolie môme bien moulée. Elle me disait des mots doux. Maintenant nous dansions en cadence avec une Musique Assourdissante, les Pirates, les Chaussettes noires, Elvis Presley chantaient du Rock. Johnny Hallyday, Vince Taylor faisaient du Twist, et tous les fans dansaient Twist sur un air de Rock n'Roll. Puis j'entrainait ma partenaire dehors loin du bruit, et là nous parlions joue contre joues échangeant parfois quelques baisers.

« Nous rêvions tous les deux que nous étions sur une plage ensoleillée.

« Puis nous rerentrâmes dans la salle de la Surprise Partie nous nous remimes à danser et la chantant nous roulant dans la salle.

« Mais un coup de tsimballes me réveilla en sursaut et je me retrouvait dansant un Twist sur mon lit.

« Quel rêve amusant mais absurbe et inexistant. »

A-t-il appris par une indiscrétion, notre pauvre concitoyen, qu'un ministre soucieux de l'intérêt public
refuse d'accepter le mot yanqui *engineering* et les « équivalents », plus aberrants les uns que les autres, que lui
soumettent ses experts (écotechnie, exploplanieconoto-
technique, génialisation, ingeneurie, multiscience, péri-
science, poliscience, prospectigénie, staugbeter, technico,
technoexpansion, vitaexpansion, vitatechnique, etc.) ;
s'efforce-t-il de penser un peu là-dessus : de fabriquer,
sur *génie rural*, quelque chose comme *génie industriel*, ou,
sur le mot à la mode *logistique*, une *logistique industrielle*
plus séduisante encore pour les hommes d'affaires ;
ose-t-il penser, humblement, à ce beau vieux mot :
bureau d'études, que pensez-vous qu'il pensera, en lisant
le 1er février 1962 le titre courant d'un hebdomadaire
fameux : *engineering, engineering, engineering, engineering* ? Oui, que pensez-vous qu'il pensera devant le
supplément spécial de *L'Information* (27 avril 1962)
avec, sur six colonnes, le titre que voici : *L'Engineering
français apporte une large contribution au développement
international. L'engineering français ! large ! développement !*
Autant dire *l'American équipement*, ou *l'American génie
industriel*. Hélas, le ridicule n'a jamais tué personne
en France.

Car enfin elle parut en France, cette édition du *Petit
Larousse illustré* où, pour définir le *single*, partie de
tennis qui se joue à deux, le rédacteur précisait : « On
dit abusivement simple. » Pour le *Petit Larousse* il
était donc abusif de vouloir parler français. De fait,
quand la commission du vocabulaire sportif décida de
suggérer aux intéressés les directives dont j'ai parlé, il
se trouva dans chaque salle de rédaction un mauvais
coucheur au moins pour exciper contre nous de l'auto-

rité du *Petit ou du grand Larousse* : « On dit abusivement simple », ou « shoot », et non tir, etc.

De sorte que...

De sorte que, malgré tant de réactions heureuses,
la France entière ou peu s'en faut sabire aujourd'hui
atlantique. A preuve, deux anecdotes. Je passe l'été
en Savoie, dans un village. Une paysanne, qui habite
une ferme située sur la même côte que moi, et qui venait
d'acquérir un appareil de radio, me demanda quelque
jour ce que ça voulait dire ce *dideur* qu'elle entendait
tout le temps. J'écoutai : il s'agissait de *lidour* (*leader*) ;
à mon tour de lui demander si par chance elle avait lu
dans la presse un mot qui s'épelle *l, e, a, d, o, r.*
Si elle avait lu ce mot-là ? Pour sûr ! un *léadé.*
Mais elle ne savait pas non plus ce que c'est qu'un
léadé.

A quelque temps de là, un incident survint au village
voisin et me confirma dans ma résolution. La buraliste
du pays sentit un jour sa tête un peu tourner : sa fille
Juliette, qui baragouinait quelques rudiments d'anglais
ramassés à l'école, venait de lui révéler que, lorsque le
général de Gaulle (*Jeanne la Lorraine ses petits pieds
dans ses sabots*) disait *oui*, Sa Majesté la reine Élisabeth
(*God save our gracious Queen*) dit plutôt *yes*. Un curé
anglais lui ayant en français commandé, puis payé des
cigarettes, fut surpris de s'entendre remercier d'un *sankiou.*

— Oh ! you speak English, enchaîna-t-il courtoise-
ment, ou peut-être charitablement.

— Minoméjujuiesse.

Je ne jurerais pas que ce curé bilingue ait su déchiffrer
sous cette énigme de *pidgin English* le « *me, no*, mais
Juju, *yes* » de la buraliste érudite (moi non, mais Juju

oui) ; je me suis juré, depuis lors, qu'il fallait en finir
avec le sabir atlantique.

Sinon, de *Sciences-Po Day* en *Garden Horti*, nous irons
à la décadence et à la servitude.

Oui, nous en sommes là, puisque l'École qui se pique
de préparer les cadres du pays, ses administrateurs,
veut-elle célébrer sa fête annuelle, ce sera par un anglicisme (aurait-elle conscience de se préparer à servir
d'abord *the American way of life* et la politique du *State
Department* ?). Dès lors l'affiche du *Garden Horti* paraît
quasiment (et non point pratiquement, sur *practically*)
anodine ; voire, innocente. (Si ça veut dire quelque
chose, cet accouplement ridicule, *Garden Horti*, c'est
jardin du jardin. *Garden* veut en anglais dire *jardin*, et
horti, c'est que je sache le génitif du latin *hortus*, qui
veut dire lui aussi le *jardin* !).

Eh bien non, non et non !

Ou alors briguons officiellement le statut de dominion,
ou bien aspirons franchement à devenir *star*, que dis-je,
starlett', sur la *Star spangled banner*.

Sachons alors clairement ce qui nous attend : au
dernier catalogue des disques *Odéon*, le lecteur remarquait
ceci : « June Richmond chante en français :

*Boom ladda boom boom — One two three four times
Impatients — Choubidou bidou poï poï.* »

Commentaire du *Canard enchaîné* : « On aimerait connaître le titre des œuvres qu'elle chante en charabia. »

Mais le fin du fin en *sabir atlantique*, je l'ai découpé,
à votre intention, dans un journal anglais : un lecteur
s'y plaignait de voir sa langue « mutilée » par l'enfant
prodige et prodigue ; afin d'éclairer son public, il citait

une phrase rédigée par un comité américain qui s'occupe
d'électronique : « In the interest of easierly reaching
internationalistic agreementation on a standardiza-
tionalised encodificationalization... » Sachons-le : si
nous ne faisons pas, tous tant que nous sommes, le
serment de parler français désormais, voilà le langage
barbare que vagiront nos enfants. Nos rubriques sportives nous en offrent l'avant goût.

CHAPITRE III

HISTOIRE LA MOINS DROLE IN THE WORLD

Relisant la préface écrite par M. Lorédan-Larchey pour son *Dictionnaire historique, étymologique et anecdotique de l'argot parisien*, j'y notai, page 7, une expression qui devrait nous alerter : « L'argot a toujours pratiqué sobrement le libre-échange, sauf toutefois dans le Sport, qu'on peut considérer comme une colonie anglaise (V. *Dandy, turf, rider, betting, ring, handicap, flirtation, cab, racer, four in hand, mailcoach*, et une foule d'autres). »

De fait, comment pardonner à ceux qui, au niveau du *Chasseur français*, se donnent des airs américains et, afin de se faire passer, je présume, pour des habitués du *Jockey*, titrent sans vergogne : *Un champion de coursing, le whippet*, ou *ball-trap*? On est toujours « entre pull et mark » : « manque de *swing* dans l'envoi du coup de fusil. Et, là encore, c'est un *problème* de *skeet* »; « l'installation d'un *skeet* se compose tout d'abord de deux cabanes d'où sont envoyés les plateaux. L'une haute dite : *pull*, l'autre basse dite *mark* », etc.

Par bonheur, tous nos sports n'en sont pas arrivés là! L'alpinisme, par exemple, exprime encore en français les plaisirs de la varape, ainsi que l'art de tailler des degrés dans un mur de glace. Si vous rencontrez un *gendarme*, dans les Alpes, vous le *convertissez*. Cela ne veut pas dire que si vous rencontrez un pandore catholique, vous en faites un musulman ou un bouddhiste ; cela dit quelque chose que comprennent fort bien les alpinistes ; et cela, en fort bon français. J'ai converti quelques gendarmes. Parmi les nombreuses raisons qui m'ont fait aimer la varape et le glacier, je compte pour quelque chose la qualité du vocabulaire dont se servaient mes compagnons de cordée ; mais j'alerte ici *La Montagne*, dont le numéro d'octobre 1958 emploie sans motif *feed-back* et *relaxation* à propos de la forme qui convient au varapeur (p. 274).

La varape n'étant pas à la portée de tous les âges, j'allais peut-être songer à me mettre au *golf*, lorsque j'en fus découragé par un article de *Carrefour*, le 23 septembre 1959. « Faut-il parler anglais pour jouer au golf ? » demandait Jeanine Merlin. Péremptoire, la réponse : « Tous les termes techniques du golf sont en effet anglais. Il est de bon ton de les prononcer avec un bon accent (le comble du chic est de parler avec l'accent d'Oxford), mais le glossaire suivant est suffisant, même si l'on ignore la langue : *all square, bunker, caddy, club, driver, fairway, grip, handicap, hazard, link, medal play, one down, one up, par, puller, putter, putting green, scratch, slicer, stance, stimmy, swing, tee, teeing ground.* » Suffisant ? A la rigueur. Il faut ajouter au moins *match-play*. Heureux les alpinistes ! Ils peuvent encore se servir de *piolets*, de *crampons* et de *pitons*, alors que le joueur de golf se voit contraint de recourir à des *clubs*. Lorsque la roche est bonne, ils disposent d'excellentes *prises*, alors que, s'ils jouaient au golf, il leur faudrait, sous peine de vulgarité, appeler *grip* leur *prise de canne* [1]. Il leur faut *griper le cleube*, je suppose, ou *grippe ze clube*. Heureux les alpinistes qui, au lieu de faire du *footing* sur un *link*, cheminent sur des *névés*, de la *caillasse*, posent prudemment leurs pieds sur des *vires*. Heureux les alpinistes qui, au lieu de faire du *swing*, c'est-à-dire ce mouvement de balancier qui permet de frapper la balle, font, tout vulgairement, des *rappels en balancier* ! Heureux les alpinistes qui, lorsqu'ils commencent une course, ne se rendent pas au *teeing ground*, mais à la *cheminée de* départ, à moins que ce ne soit, plus simplement même, à la porte du refuge. Heureux les alpinistes qui ne jouent pas de *mixed-foursome*, c'est-à-dire des parties où chaque camp est composé d'un homme et d'une femme, autrement dit des doubles-mixtes, et qui, lorsqu'ils s'encordent avec une fille, parlent simplement de *cordée*. Non, décidément, je ne ferai pas de golf ; je ne sais pas assez bien l'anglais pour me risquer sur un *link* ; et puis j'y attraperais le *golf elbow* !

Si l'état de mon cœur m'interdit la salle d'armes, où le quarte contre-de-quarte, le sixte contre-de-sixte, le une-deux, le une-deux-trois, le dégagez-rompez, préparent l'apprenti à tirer *dans un rond de saucisson* selon l'heureuse formule d'un vieux maître avec qui je travaillai (c'est-à-dire, vous l'avez deviné, de telle sorte que la pointe de votre fleuret déjoue celle de l'adversaire sans jamais dessiner de mouvements qui outrepasseraient le diamètre d'un rond de saucisson), si donc l'état de mon cœur m'interdit l'art des armes, rapide, subtil, courtois, et dont le vocabulaire n'insulte jamais notre langue, vais-je me rabattre sur le tennis ? Le jeu de

---

1. « Les clubs, c'est-à-dire les cannes, sont au nombre de quatorze. » Jeanine Merlin, *Carrefour*, 23 septembre 1959.

paume a bien des mérites, j'en conviens. Le jeu de
paume ? mais oui, car si je sais ma langue, selon Littré,
c'est bien celui « où l'on se renvoie une balle avec une
raquette ». Hélas, nous n'en sommes plus au serment du
Jeu de Paume. Entre plusieurs, nous avons soigneu-
sement oublié cet idéal de la Révolution française. C'est
pourquoi nous préférons le *tennis*. Je désespère de ressus-
citer le *jeu de paume*, et je consens à jouer au *tennis*.
Vais-je pour autant accepter le charabia dont se gorgia-
sent, comme eût dit Montaigne, tous les ignorants qui
veulent se donner des airs ? Il n'est question, dans la
presse, que de *sets* et de *net*, de *score* et de *match*, de *lob*,
de *lift*, de *lob lifté*, de *drive*, d'*out*, de *passing-shots*, de
challenge round et de *tennis elbow* [1] ! Quand j'étais gosse,
on poussait plus loin encore la nigauderie. Plus d'un petit
bourgeois qui ne savait pas un mot d'anglais n'eût
jamais servi une balle sans au préalable avoir crié un
play ? qu'il prononçait comme la troisième personne du
singulier du verbe plaire : *plaît ?* (je le prenais pour une
abréviation de *s'il vous plaît*). Son partenaire alors,
à supposer qu'il fût prêt, répondait : *ready ;* ou plutôt
il ne répondait pas *ready*, mais quelque chose comme
raidi. Ce qui, dans notre argot de potaches, devenait,
par étymologie populaire, *prêt ?* dans le premier cas ;
et, dans le second cas, *radis !* par mauvais jeu de
mots. J'avoue préférer *prêt ? — radis !* au simili-angliche
de nos snobs. Or, il n'est pas un mot du vocabulaire
en question qui ne puisse parfaitement s'exprimer en
français. Le *coup droit* vaut bien le *drive*, non ? et la
chandelle monte quand il faut tout aussi haut qu'un
lob ; un *coup imparable* me fait le même effet, exacte-

1. Le *tennis elbow* répond ingénieusement au *golf elbow*. Car les
Français, chacun le sait, n'ont pas de *coudes*.

ment, qu'un *passing-shot;* et je me demande si *out* signifie mieux que notre *dehors* que la balle en effet vient d'atterrir *hors* du *court.* Du *court* ? ou du *terrain*? Pourvu qu'on prononce à la française (*cour*), je consens qu'on parle d'un *court* de tennis ; mais pourquoi *courte* ou *corte*? Au club de Saint-Gervais-les-Bains, si bien organisé, pourquoi parle-t-on du *court quick*? Jouez plutôt sur un terrain de tennis. A la vérité, de plus en plus souvent, j'ai le plaisir de rencontrer des joueurs qui emploient de moins en moins le jargon anglais quand ils s'adonnent à la longue paume. Faut-il croire que, le tennis restant un jeu de classe, et la plupart des fils de bourgeois ayant quelques rudiments d'anglais, ils ne peuvent pas songer à s'émerveiller eux-mêmes en se disant *play ? — ready !* ou en parlant de *drive ?* Je suggère cette explication pour ce qu'elle vaut, mais je constate que la presse, elle, n'a pas fait de progrès et que les comptes rendus des parties sont truffés de mots prétentieux, à l'anglaise.

Notre anglomanie demeure telle, en ce qui concerne le tennis, que nous avons inventé, à cette fin, des mots « anglais » qui n'existent pas. Le 20 août 1959, dans sa chronique du *Figaro* sur les *Questions de langage,* M. Louis Piéchaud citait une communication que venait de lui adresser un professeur agrégé du lycée Lakanal, le bon sens même : elle recoupe ce que je pense de *smasher*, à savoir qu'il est sot de fabriquer sur le verbe anglais *to smash* — lequel veut dire *écraser* — un verbe français *smasher*, où la désinence de notre première conjugaison s'ajoute gauchement à un complexe consonantique aussi peu français que possible. Dites donc *écraser* la balle, puisque aussi bien c'est cela que vous faites et que c'est bien ça que dit l'anglais

to smash. Au lieu de un *smash*, dites : un *écrasé*, comme
un *piqué* en termes d'aviation, ou, en termes de billard,
un *massé* (à partir du troisième des verbes *masser* que
donne Littré, celui qui signifie *frapper la bille d'un coup
très sec de haut en bas*). Plus étonnant encore, le cas
des *tennismen*, dont en français le singulier, vous le
savez, est *tennisman*. Vainement chercherez-vous *tennismen* dans les dictionnaires anglais. Vous n'y trouverez
que *tennis-player*, c'est-à-dire *joueur de tennis*. Mais
ouvrez le *Harrap's anglais-français*. Sous *tennis-player*,
vous lirez la traduction, si j'ose dire française, que voici :
tennisman, pl. *tennismen*. Pour ne pas dire en français
joueurs de tennis, nous en sommes donc à *inventer* des
mots de pseudo-anglais ! Il est vrai que les joueurs de
tennis ont encore la chance de disposer parfois de petits
ramasseurs de balles, et non point, comme les joueurs de
golf, de *caddies* ; mais enfin, ces *tennismen* et ces *tenniswomen* me restent dans la gorge. Si au moins on faisait
effort pour franciser l'orthographe de tous ces mots-là.
Il arrive que ce soit le cas. Dans *L'Équipe*, récemment,
l'idée de chandelle s'écrit *lobe*, à la française, et non point
lob à l'anglaise. Plus conforme à l'esthétique de la
langue française, *lobe* me paraît cependant inutile (puisque nous avons *chandelle*) !

« *Coaching, yachting,* quel parler ! » écrivait Gourmont
voilà plus d'un demi-siècle. « Tous les jeux, disait-il
encore, tous les sports sont devenus d'une inélégance
verbale qui doit les faire entièrement mépriser de quiconque aime la langue française. » Gourmont exagère, le
vocabulaire de l'escrime, celui de la varape, restent
indemnes, je l'ai dit ; mais je dois ajouter, hélas, que
presque tous les sports sont affectés, et que l'épidémie ne
fait qu'empirer depuis trois quarts de siècle. Si je voulais

établir un bilan complet de l'anglomanie dans ce registre, j'y devrais consacrer tout un livre de poche. Je me livrerai seulement à quelques sondages, qui vous prouveront qu'il importe d'agir vite.

Parmi les sports chez nous les plus populaires, voici au premier rang les courses de chevaux. Comme si les chevaux fussent une invention anglaise, une part excessive de notre vocabulaire hippique est infectée, infectée d'anglicismes (ne confondons pas, du reste, *équestre*, *hippique* et *chevalin*). Le terme dont se désignent eux-mêmes les maniaques du champ de courses, *turfiste*, en est l'indice. *Turfiste* vient laidement de *turf*. Quand les truands mettent des filles sur le *turf*, c'est-à-dire sur le tapin, passe encore! C'est une métaphore. Mais *turf*, en anglais, signifie tout autre chose : la motte de gazon, le champ de courses, et le monde des courses. Un monde où il n'est question chez nous que de partir *scratch* ou, au contraire, avec un *handicap*. Monde hanté de *paddock*, de *steeple chase*, de *walk over*, de *canter*, de *lads*, de *jockeys*, de *sulky*, de *gentlemen-riders*, de *winning post*! Je ne me consolerai pas en apprenant que ce que j'appelle une *stalle d'écurie*, mais que nos snobs baptisent un *box*, serait un « anglicanisme », selon la curieuse formule, involontairement humoristique, du dictionnaire d'argot parisien de Lorédan-Larchey (il veut dire, je présume, *anglicisme*). Car, du *ditch*, ce fossé, à la *river*, cette rivière, et au *bullfinch*, tous ces mots de *turfistes* sont superflus ; tous ont leur excellent équivalent français. Le *poteau d'arrivée* vaut bien un *winning post* ; le *galop d'essai* n'a pas moins de mérite qu'un *canter* ; *paddock* n'ajoute rien à *pesage*, sinon que celui qui emploie ce mot-là n'a aucun respect pour sa langue ; un *lad*, c'est un *garçon*, tout simplement, ou encore un *palefrenier* ; ainsi du reste. Quand je pense qu'il me faut lire dans certaine « chronique hippique » que Jamin est *drivé* par Jean Riaud, et qu'une « dernière manche ou *run off* sera organisée », cela me paraît aussi navrant que d'écrire : « au *paddock*, remarqué l'Aga Khan qui portait un *hat*, ou chapeau gris ». Je ne crois pas que Jamin trotte plus allégrement quand il est *drivé* que s'il fût *conduit* par Jean Riaud. Il n'est pas *snob*, lui, du moins je l'espère. Non, les courses de chevaux ne perdraient rien de leur charme essentiel (qui est de ruiner le pauvre monde chez les *books* et au *sweepstake*) si elles le ruinaient à la française. Avez-vous remarqué à ce propos que les chevaux arrivent souvent *dead-heat*, ce qui est la traduction française de l'anglais *dead heat*. Voyez l'habileté : pour franciser les mots anglais, il suffit d'insérer un trait d'union dans les expressions composées! Du temps que je fréquentais la pelouse (aux jours fastes, le pesage), je remarquai que certains *turfistes*, disons des *pelousards*, prononçaient bizarrement ce mot-là : les uns, quelque chose comme *diditte*, les autres quelque chose comme *dédette*. Je me disais pour rire, une fois au moins, que cette arrivée *dead heat* allait sans doute causer bien *des dettes*. Ce n'est pas un argument de première force, mais puisque la prononciation de l'anglais n'est pas plus *diditte* que *dédette*, j'avais raison, ce me semble, de me railler de ces balourds que leur anglomanie conduisait à deux sottises. Je ne suis pas certain que *ex-aequo* soit du français recommandable, mais une arrivée *diditte*, ou *dédette*, est inadmissible en France. D'autant, je le sais, que beaucoup de gens qui savent un peu d'anglais (mais ignorent que *heat*, qui veut dire *chaleur*, signifie aussi *course*) interprètent inconsciemment *dead heat* en *dead head* (*head* signifiant *tête*) et pensent alors à deux têtes entre lesquelles on ne peut faire aucune différence. Je me rappelle très bien le temps de mon enfance où je contaminais *dead head*, en qui je transformais *dead heat*, du sens qu'a *dead* dans *dead-lock* (situation sans issue, impasse), l'arrivée en *dead head* s'alliant mieux aux arrivées à une *tête*.

L'art équestre, par bonheur, s'est défendu avec succès contre le jargon de ceux qui « font du cheval » et contre la vulgarité des champs de courses. Comme a bien voulu me l'écrire une auditrice, ce qui m'a opportunément rappelé le temps lointain — un quart de siècle — où je fréquentais un manège, le langage de l'art équestre est à la fois simple et noble : *voltes, demi-voltes, doublers, changements de main, pas de côté, croupes au mur, épaule en dedans, appuyers,* autant d'expressions irréprochables ; le cavalier doit avoir « peu de main et beaucoup de jambe » pour que le cheval soit toujours « dans l'impulsion ». Saluons celui qui mérite le Cadre noir et exécute avec aisance *levades, croupades, cabrioles, courbettes* ou *changements de pied en l'air.* Voyez enfin en quels termes parfaits M. O. de Carné sait formuler les vertus d'un « modèle » normand :

« Quoi qu'il en soit et même s'il est présenté en l'état que pour ma part je préfère, le cheval normand a du gros ; il est épais, éclaté, profond ; ses rayons inférieurs sont larges et donnent l'impression de solides colonnes ; son cadre est imposant, son encolure assez bien greffée, large et épaisse ; l'attache de la tête est souvent lourde, et la tête encore plus ; on dit que l'animal est chargé de ganaches ; le garrot est généralement bien sorti, le dos tendu, parfois trop ; les hanches sont larges, le cheval a presque toujours le beau carré de derrière que l'on recherche dans un cheval de selle, de beaux gigots,

une descente de cuisse acceptable sans être impression-
nante la plupart du temps. L'expression de l'animal
présente rarement l'intelligence pétillante du barbe
ou de l'anglo-arabe ; les yeux sont à fleur de tête, les
oreilles assez grandes ; le normand a généralement
un beau sanglage, de l'étendue, et parfois, mais assez
rarement, la côte plate, subsistance et rappel de son
hérédité de pur sang. »

Ma naissance ne me préparait guère à l'art équestre.
Plutôt me destinait-elle au vélo et au foute. Mais il me
fallut d'abord m'accoutumer à des mots embarrassants.
Je n'oublierai jamais ma gêne (j'avais alors onze ans
et demi, ou douze) lorsque, faute d'un joueur dans une
des équipes de moyens qui occupaient la cour, quelqu'un
me demanda, parce que ma taille et mon poids me rappro-
chaient déjà d'eux : « Veux-tu jouer *goal* ? » J'interpré-
tais : « Veux-tu jouer *gaule* ? » Le seul mot que je
connusse alors qui se prononçât *gaule* désignait dans mon
langage ce que j'appris plus tard qui se nommait plus
élégamment *canne à pêche*. Gosse, j'allais souvent
pêcher l'ablette ou le goujon, et je savais fort bien
poser ma *gaule* pour laisser les poissons s'enferrer seuls.
Quand on me demanda : « Veux-tu jouer goal ?[1] »
en me désignant la place entre les poteaux de but, je
fabriquai sur l'heure une interprétation populaire :
« être gaule », c'était évidemment rester immobile,
pendant la partie, entre les poteaux de but, comme
la gaule quand je pêchais l'ablette. « Si je voulais jouer
gaule ? Tu parles ! » Je n'étais pas au bout de mes sur-
prises. Il me fallut apprendre à *shooter*, à mettre en
corner, à bloquer un *penalty* (mots que nous prononcions

---

1. Abréviation absurde de *goal-keeper*, gardien de but.

chouter, cornère, pénaltie). Tout cela, aussi déplaisant que le mot *football* lui-même ; nous l'abrégions en *foute*, mais nous savions l'écrire mal, c'est-à-dire bien : *foot*. Comme si un *shoot* n'était pas un *tir* ; un *penalty*, une *sanction* ou une *pénalité* ; un *goal-keeper*, un *gardien de but* ; le *corner*, un *coup de coin*, et le *football*, la *balle au pied*, ou le *ballon rond* ! Depuis lors, le *football* a fait des petits (dont le *baby-foot*) aux noms tous plus anglais les uns que les autres, le *hand-ball*, le *volley-ball*, le *basket-ball*. Qu'il est loin, le temps où le petit Français jouait à *balle brûlée* ! Mais quelle imprudence je commets en révélant cette expression qui n'est plus au goût du jour : ils joueront bientôt au (ou à la) *burntball* ; et foin de la *balle au panier* ! Plus rien n'échappe à cette fureur anglo-maniaque. Après les *roller skaters* — car des patineurs à roulettes ne feraient pas l'affaire — nous voyons sévir le *rink hockey*, qui se joue avec des patins à roulettes. Les équipes (pardon ! je devrais dire les *teams*, comme tout le monde en France) sont généralement dirigées par un *coach* (vulgairement : un entraîneur) et encouragées durant leur *matches*, pour ne point dire leurs *parties*, par des partisans qui se sentent infiniment supérieurs depuis qu'ils se sont baptisés quelque chose comme *souteneurs* : *supporters*. Quelle émotion chez les *souteneurs-supporters* lorsque le *score*, ainsi qu'ils disent, n'est point favorable à leur *team*, autrement dit lorsque l'équipe adverse à *scoré* (disons *marqué*). On se demande si le *leader* d'attaque est bien d'attaque aujourd'hui (il ne saurait en France y avoir de *meneur de jeu*). Supposez que l'*outsider* l'emporte, comme les langues vont leur train ! Dire que les *Racingmen trustaient* jusqu'ici les victoires ! Mais les joueurs du *team* ne sont pas dans un bon *stan-*

ding ; à croire qu'ils ont omis de faire du *home-trainer*
et leur *footing* ; peut-être ont-ils négligé leurs parcours
de *cross* ; peut-être même ont-ils bu trop de *drinks*
pendant le *week-end*, si bien que le *pack* adverse a exercé
sur eux un irrésistible *pressing*. Ne croyez pas que je
charge : je viens de composer cette phrase avec des
expressions cueillies dans une page sportive de *Libération* (celle du 21 novembre 1959), et c'est au *Figaro*,
le 30 novembre, que j'ai lu : « Mulhouse n'a pu résister
au pressing d'Aboué. » Jusqu'à présent, il ne fallait
compter avec *pressing* qu'en terme de teinturerie. Voici
donc que ce mot pénètre sur nos terrains de sport! La
même page de *Libération* me donna une belle idée du
vocabulaire de la boxe et de ses *matchmakers*. J'y
appris qu'on pouvait « asseoir le standing d'un boxeur »,
et qu'il était arrivé à quelque malheureux pugiliste
welter de subir coup sur coup, dans le même *round*,
entre les cordes du *ring*, à violence de *swings* et de
jabs, d'*uppercuts*, bref de *punch*, jusqu'à « trois *knock
downes* ». Je dis bien : trois *knock downes.*

Plus bestial encore que le spectacle de boxe professionnelle, celui que proposent les *catcheurs* exige que
nous fermions les yeux devant ces orgies ; non toutefois
sans avoir noté, en passant près du Palais de la Mutua-
lité, le langage dont se servent les marchands de sa-
disme : *Tag-team-match. Tag-team-match*, je ne vois
pas au juste, et tant mieux, quels jeux de mains évo-
quent ces trois mots. Je sais en tout cas que nul d'entre
eux n'est français et que leur accouplement nous signale
quel peu de cas nous en devons faire.

Les jeux plus nobles, disons la navigation à voile,
nous offrent-ils quelque apaisement ?

Gourmont déjà condamnait le mot *yachting*. Comme

il avait raison! Je l'ai entendu, ce mot-là, prononcé de plusieurs façons : *iachetinge, iachetingue, iachetinnegue,* et même, quand on veut faire très anglais : *iôtingue, iôtinnegue.* L'embêtant, c'est qu'en anglais il se prononce autrement. Dans sa graphie anglaise, il sera toujours inassimilable aux Français. Espérons qu'un jour ou l'autre il disparaîtra **enfin** devant la plaisance, comme devant les plaisanciers les *yachtmen.*

Or, parmi tant d'autres, d'origine également anglaise, voici surgir le *criss-craft,* ou *chris-craft,* ou *chrys-craft,* le *surf-riding* et les *runabouts,* qui envahissent les rubriques du *yachting.* Ça suffit! Car il suffit d'ouvrir *Le Yacht* pour y trouver un lexique anglais-français des termes qu'on rencontre dans les règlements de jauge.

L'athlétisme lui-même paie son tribut, comme le cyclisme. Il n'est question, ici ou là, que de *sprinters* et de *stayers,* de *hurdlers,* de *comingmen* et de *has been.* Les coureurs gagnent au *finish,* après avoir fait *indoor* du *training,* chaudement revêtus de leur *training* en nylon. Dehors, on pratiquera plutôt « le *footing* d'échauffement ». Tout cela ne vaut pas mieux que le camping et le *caravaning* qui font de plus en plus de ravages dans les journaux et la nature. Tout cela me déconcerte autant que les *pongistes* vaudois, que je découvris dans *La Tribune de Lausanne,* le 25 novembre 1959. Belle surprise! Je crus d'abord identifier des partisans de Francis Ponge, le poète. Hélas, le contexte ne me permit pas d'en douter, les *pongistes* vaudois cachaient des *ping-pongistes,* des gens qui pratiquent le tennis de table, et tant pis pour la poésie française! Une semaine plus tôt, *L'Express* ne m'avait pas moins déconcerté en m'apprenant que Malraux et Tintin, rapprochement impie, étaient les « rois du footing ». Curieux emploi

du mot *footing* pour désigner cette singulière variété
de *globe-trotter* qui franchit l'Atlantique en avion à
réaction (pardon ! en *jet*) : André Malraux, ministre
de la Culture.

Comme si ce n'était pas assez, un périodique intitulé
Défense du sport nous propose de nous mettre à l'école
yanquie : « Il est essentiel de posséder un *healthful
environment*, c'est-à-dire un équipement extérieur
suffisant [...] ; quant à l'*health instruction*, elle fait
partie du cours de *Physical Education*. Le cours de
Social Studies met l'accent sur les progrès de la médecine », et « les activités *extra curricular* offrent à l'élève
toutes les possibilités de participer à l'effort de son
choix ». Étrange *Défense du sport*, avec *all round values,
school on level division, Free play's* et participation
extensive aux jeux !

Tout cela, pour nous persuader sans doute que nous
ne sabirons pas encore assez. Or j'enseignai quatre
ans là-bas et je puis témoigner, d'accord là-dessus
avec le président Kennedy, que nulle part au monde
on ne voit moins de muscles, plus de corps délabrés
par une vie contre nature que dans ce prétendu paradis
du sportif : les *U. S. A.*, c'est-à-dire les États-Unis.
Parce que nous produisons coup sur coup un Bernard,
un Jazy, s'ensuit-il que tous les Français excellent au
demi-fond ?

Ce n'est point en jargonnant franglais que nous for-
merons les jambes, les bras et le souffle de nos jeunes
gens. Vainement prétendra-t-on qu'il nous faut nous
modeler sur l'Amérique parce qu'on y enseigne « les
sports skills utilisables toute une vie durant », ces
« sports skills » qui nous préparent à « bonne citoyenneté
et leadership ». Sous ce vernis anglo-saxon, nous com-

prendrons que le sport ainsi conçu doit faire de nous
les soldats les plus conformistes *in the world*, et capables
d'imposer au monde notre *leadership*, notre *American
way of life*. Eh bien, non, non et non !

Plutôt la pêche à la ligne, ah! oui, que cette « bonne
citoyenneté et leadership ». Justement, les sabireurs-
saboteurs ont tout prévu : ils ont donc décidé de pourrir
cet ultime refuge du gars qui, après huit heures chaque
jour d'un atelier bruyant, n'aspire point au « leadership », lui, mais au repos. Un numéro récent de *La Pêche
et les poissons* (septembre 1959) veille jalousement au
salut de l'empire. Un M. François Pasqualini y publie
un bien bel article sur *Pêche et langue anglaise*. On nous
dit toujours que l'anglais s'impose dans les sports parce
que les Anglo-saxons, eux seuls, savent courir et sauter. Or moi, nigaud, je croyais que la pêche à la ligne
était une spécialité bien française, palsambleu! telle
par conséquent qu'on y puisse parler français, et
même se taire en français. Me voilà détrompé. Grâce à
M. Pasqualini (« pas de bon week-end sans un moulinet
Week-end »), le Français découvre avec stupeur que,
pour pêcher en France à la ligne, il importe de parler
d'abord anglais : on lui enseigne que « certains adjectifs
anglais du vocabulaire de la pêche pouvaient prendre
la marque du pluriel lorsqu'ils sont employés comme
noms (exemples : « dries » pour « dry flies » = « mouches
sèches », et « wets » pour « wet flies » = « mouches noyées »).
Il convient de mentionner également « artificials »,
que les pêcheurs anglo-américains utilisent couramment
pour abréger « artificial flies » (mouches artificielles).
Un autre adjectif intéressant est « carping ». Bien que
ce terme soit dérivé du mot « carp » où l'on reconnaîtra
aisément notre « carpe », il ne faut pas en déduire qu'il

a un rapport quelconque avec la pêche de ce poisson. [...] « brookie ». Ce substantif, qui sert à désigner une truite de petite taille, est un diminutif de « brook », ruisseau ou ruisselet. Une particularité de la langue anglaise dans le domaine de la pêche réside dans la concision avec laquelle on peut rendre certaines tournures françaises comme « la pêche à la truite », par exemple. Les cinq mots de cette expression se réduisent en effet à deux en anglais, à savoir : « trout fishing ». Mais cette économie de mots est encore plus prononcée si l'on prend comme exemple : « La pêche à la ligne », dont les cinq unités sont contenues dans un seul terme anglais : « angling » [...] ».

Pour dégoûter de leur langue nos pêcheurs à la ligne, voici que, flattant la manie contemporaine de la vitesse, on compte le nombre des lettres ou des mots dont on désigne, en anglais, la technique de la pêche. Pour étaler son érudition, M. François Pasqualini y va de *trout anglers*, de *trout hunters* et de l'américanisme *fishing bum*. Notre éminent angliciste conclut qu'on ne saurait le traduire en français : « On pourrait dire « braconnier de la pêche », mais ce ne serait pas tout à fait l'équivalent exact. » *Fishing bum*, je sais ce que c'est, moi : un *clochard de la gaule*, un *pêcheur à la sauvette*. De toute évidence, M. Pasqualini préfère *fishing bum*. Comme je le comprends ! Il ignore que *braconner* veut dire *prendre du gibier ou du poisson par braconnage* (Littré). Il lui faut donc inventer cette expression ridicule, *braconnier de la pêche*, qui n'est ni française ni américaine. Fort de son ignorance, il admire également que les Américains parlent de *talking fish* et, avec son sens infaillible de notre langue, il estime impossible de bien traduire cette expression ; « poissons parlants »,

en dépit des *poissons volants*, ne sonnerait pas très
bien « à nos oreilles capricieuses ». S'agissant en l'espèce
de poissons dont on a enregistré, sous la mer, des gro-
gnements, des cris, plus ou moins forts, etc., je ne vois
pas pourquoi les pêcheurs français à la ligne, et les
pêcheurs tout court, devraient renoncer à leur langue
pour *talking fish*. Car enfin M. François Pasqualini
doit être le seul Français qui n'a jamais entendu parler
d'un poème de Rimbaud intitulé *Le Bateau ivre* :

*J'aurais voulu montrer aux enfants ces dorades
Du flot bleu, ces poissons d'or, ces poissons chantants.*

M. Pasqualini, s'il consent à traduire *talking fish*, ce
sera : *des poissons qui parlent.*

A supposer même que la pêche à la ligne ait été inventée
en 1959 par un *cow-boy* lassé des *rodeos*, s'ensuivrait-il
que nous dussions parler de *dries* et de *wets*? L'histoire
de la fauconnerie nous prouve le contraire. On sait
que cet art ne se répandit en France qu'au retour des
croisades. Les Arabes, qui l'avaient emprunté à la
Perse, nous le transmirent. Fauconniers et autoursiers
connaissent les mots arabes qui correspondaient à ceux
dont ils se servirent. Dans son livre *De l'art de la fauconnerie*, publié en 1492, Guillaume Tardif énumère
les noms des oiseaux de proie et en donne l'équivalent
arabe : ni le gerfaut, ni le sacre, ni le pèlerin, ni le lanier,
ni l'émerillon, ces rameurs nobles, ne portent des noms
arabes ou persans. Rien de plus français, de plus beau que
les termes et métaphores de la fauconnerie, technique
importée d'Asie. Qu'on ne dise pas que les conditions
ont changé. Nous venons d'emprunter aux Japonais
leur *judo* ; or, en dépit de *dan*, de *wazari*, nos *judokas*

parlent encore français : un deuxième, un troisième, un septième ou un douzième de jambe, voilà un bon langage ; de même pour le dixième de hanche.

Telle pourtant aujourd'hui chez nous l'anglomanie que les auteurs d'un traité de fauconnerie nous parlent de *grouses* et de *bow-net* pour le piégeage des rapaces. Si des autoursiers en sont là, eux que devrait préserver l'exceptionnelle beauté de leur vocabulaire technique, c'est que ce pays désormais rougit de sa langue. Quoiqu'il ait su remplacer le *téléski* par un *tire-fesses*, devant l'anglais il se sent paralysé de crainte révérentielle. Ce qu'il faut maintenant démontrer.

DEUXIÈME PARTIE

La manière française de vivre

> « Ce serait la vie française, le sentier de l'honneur ! »
>
> Rimbaud.

CHAPITRE I

BABY-CORNER ET COIN DES TEENS

Il fut un temps, très ancien, où l'on parlait des mœurs françaises ; puis on parla de nos mœurses ; aujourd'hui la prosso nous enseigne « la manière française de vivre ». Il faut bien suivre son temps ! Du moment que les Yanquis se modèlent selon *the American way of life*, de quel droit garderions-nous nos mœurs à nous ? En les échangeant selon un accord de *swap* (comme on écrit en sabir pour éviter le mot *troc*) contre « la manière française de vivre », nous progressons tardivement vers le statut à quoi tout nous destine.

En ce temps fort ancien auquel je viens de me référer, il y avait en France des bébés ; ou plutôt il n'y en avait guère, mais c'étaient des bébés qui, s'ils n'étaient pas trop pauvres, cassaient de jolis jouets, et qui, s'ils étaient riches, embêtaient leurs bonnes d'enfants, voire leurs gouvernantes. Qui ne sent désormais le ridicule de ces mots-là, et leur vulgarité ? Grâce au *baby-boom* consécutif à des lois *ad hoc*, nous avons peu de *nurses*, mais beaucoup de *babies*.

Du coup, chaque petit Français se sent *revalorisé* ; *valable* : « Je suis un baby, moi. Daddy me promène en baby-cab. — Et moi, c'est plusse mieux, en baby-car,

na ! — Oui, mais moi, on me pèse sur une baby-balance, tandis que toi, j'ai vu que ta nurse te met dans
un pèse-bébé ; t'as pas honte ? — Oui, mais moi je
suis fier de ce qu'on me frotte les fesses au babyvéa,
et de manger mes eggs and bacon à la baby-cuiller. »
Ainsi de suite : pourvus de baby bottes, de baby bowls,
chaudement vêtus pour l'hiver de baby coats et de
baby-shoes, nos babys, échappant aux baby-sitters, se
révèlent dignes en tous points des babies de Chicago ;
ils organisent de gentils baby-gangs où l'on n'y va pas
avec le dos de la baby-cuiller : un coup de baby-
knife dans l'œil des idiots de bébés. Les comics ont
enseigné ce gag à leur gang.

L'infantilisme de notre monde, qui bave d'admiration
devant la bave des bavettes, trouve à ces babis son
compte. Et les marchands, donc ! qui vendent une
baby-balance bien plus cher qu'un pèse-bébé. Même nos
whiskies sont baby dans les bars chics et depuis peu
dans les moins chics. La moindre cafeteria vous propose
maintenant des sip-baby. Comprenne qui pourra !
L'important, c'est que tout soit *baby*-quelque chose.
Il y a des baby-cyclones, et même des baby-chevaux
(plus de *poulains* ! à quand le *chocolat bébé-cheval* ?)
Comme le suggérait dans *Arts* une caricature d'Ylipe,
Jean Babilée ferait bien d'y songer et de se baptiser
Babylée.

On pouvait donc espérer qu'ainsi « conditionnés »
par leurs nurses et les soirées de baby-sitting, nos babis
seraient définitivement à l'abri de la langue des croulants.

Or vers Noël, l'an dernier, je m'inquiétai d'entendre
des enfants demander à leurs parents qui une poupée,
qui une panoplie, qui une crèche, qui un lapin en

peluche, qui des patins à roulettes ; de constater qu'il
y avait chez nous trop de gamins qui, déjà croulants,
n'ont pas encore compris la nouvelle vogue, la nouvelle
vague, le new look, et ignorent encore notre religion
nationale. Des lapins, des patins, des roulettes, de la
peluche, ma parole ! c'est à croire que ces gens ne savent
pas ce qui les attend ; quand l'armée française leur
commandera : *Bombing go !*, ils risquent de ne pas
comprendre. Oui, laisser aux enfants le droit de jouer
en français, admettez que c'est grave (je n'ose plus
dire : *reconnaissez, avouez* ; le fin du fin, c'est de tout
admettre, puisque les Yanquis, eux, ils *admit*). Durant
des heures, chaque jour, nos enfants jouent. S'ils jouent
en français, ne risquent-ils pas de rester attachés aux
mots de leurs plaisirs, ces mots puérils, désuets, surannés, dépassés, périmés, ou mieux, hors de mode, ainsi
que déjà l'écrivait ce Mallarmé dont le style, pour une
part non négligeable, s'obtient à force d'anglicismes
(*out of fashion, outmoded,* pour qui ne sait pas trop bien
l'anglais, et veut ne pas écrire comme tout le monde,
cela fournit *hors de mode*). Or, rappelez-vous Victoria
Ocampo, la petite Argentine élevée par une Mademoiselle, et qui, devenue femme, écrivait encore avec tendresse les trois mots qui commandent sa passion pour
notre langue : *Honneur et patrie* ? Non. *Liberté, égalité,
fraternité* ? Soyez sérieux. *Décentralisation, cartésia-
nisme* et *anticonstitutionnellement* ? Non, non et non.
C'est de *toupie*, figurez-vous, qu'il s'agit, de *toupie*, de
guignol, de *sucre d'orge*.

  Comme le F. B. I. sait tout, nous le savons, sauf la
date de chaque révolution qui couve dans le Proche-
Orient, sauf ce qui se passe à Cuba et à Pékin, comme
il a lu attentivement, j'en eus la preuve, les œuvres

complètes de tous les écrivains suspects de ne pas souhaiter pour leur pays le protectorat yanqui, comme le
F. B. I., donc, n'ignore pas que Victoria Ocampo est
liée à la France par le souvenir de trois joujoux, comment pouvez-vous imaginer qu'il admette (ne pas
voir plus haut) que nous apprenions à nos gosses une
règle aussi subversive que celle qui régit les pluriels
de bijou, caillou, chou, genou, hibou, joujou, pou. A bas
les joujoux, premiers et derniers obstacles à la politique
de dissuasion, de déterrence, et finalement de roll-
back ! D'abord, de quel droit ce pluriel en -*x* ? Oui,
Américains, We Americans, nous avons su éviter ce
genre d'absurdités. Des joujous, passe encore, à la
rigueur, à l'extrême rigueur.

Eh bien, j'ai une nouvelle, une bonne nouvelle, une
grande nouvelle pour les spécialistes du Pideubelioubi,
du Psychological Warfare Branch : nos enfants sont
désormais assurés de ne plus jouer qu'en anglais. De
mon temps, il est vrai que je m'adonnais déjà au sca-
tinge avant de faire, un peu plus tard, du skètinegue.
Quand du moins je jouais à la guerre, c'était avec des
épées de bois, que je durcissais au feu, avec des carabines
à air comprimé, avec une mitrailleuse crachouillant
la mort à six pas, autant d'instruments d'une propa-
gande subversive, puisqu'elle était *unamerican*. Désormais, ce que je reçois dans les jambes, sur les esplanades,
ce ne sont plus des patineurs, mais des rollers-skaters.
Voilà déjà un progrès. Ce n'est pas tout.

Un kid de mes chaps ayant souhaité pour son Christmas un petit gift, qu'il laissait à ma discrétion, le malin, je
courus au Heaven des teen-agers et des babys, des babies,
ou des baby (l'un, l'autre et l'autre encore se disent
ou s'écrivent aujourd'hui) : au Nain Bleu. Pour avoir

longtemps joué au nain jaune, j'ai gardé pour le Nain
Bleu une amoureuse indulgence. J'y baguenaudai.
Certain rayon m'attrista : celui des yoyos. Alors que
je n'ai jamais été fichu de faire monter plus de trois fois
cette capricieuse mécanique sans que le fil se détendît
ou se tordît, une fille de ma connaissance domptait
plusieurs centaines de fois son yoyo, en tirait des figures
et fioritures fantasques. Non, je n'allais pas lui offrir
un yoyo, à ce gosse. Si jamais une fille l'humiliait, plus
forte que lui, ça lui donnerait des complexes. Lui imposer mes goûts, j'y répugnais également. J'emportai
donc le catalogue pour l'examiner avec lui. Il rentrait
du lycée, et précisément d'une classe où un professeur
exemplaire l'initie aux rudiments de notre première
langue, l'anglais. Pas très fier, ce jour-là, le mouflet.
Au cours d'un exercice écrit, on lui avait reproché
d'avoir traduit en chandail un pull-over. Il renifla :
« Vous m'aviez pourtant dit de ne jamais employer pull-
over, ni poule, ni pulle, et de toujours porter un chandail. Alors, moi, je ne sais plus qui croire. Avec tout ça,
j'ai fait une faute, ça m'enlève deux points, et j'aurai
une mauvaise place. — Tiens! Pour te consoler, lis le
catalogue et choisis le jeu ou le jouet qui te plaît. Puisque tu as fort bien mal traduit pull-over, je ratifierai
ton choix. » Le soir, au lit, plutôt que de compter sa
fortune en timbres anglais sur le catalogue Thiaude,
plutôt même que de terminer une seconde lecture de
La Chartreuse de Parme, le mouflet, qui préfère pourtant
de beaucoup ce roman à *Madame Bovary*, dont les
descriptions lui paraissent bien languissantes, négligea
son cher Fabrice pour éplucher les alléchantes propositions du Nain Bleu. Le lendemain matin, fort penaud,
il vint m'admettre (voir plus haut) : « Pas de veine!

Dans ma dernière dictée, j'ai fait une faute d'orthographe. Parmi les questions, on nous avait demandé
de mettre au pluriel les mots *sandwich, match, interview*
et deux ou trois autres que j'oublie. Moi, j'ai mis *interview* avec un *s* ; or, hier soir, j'ai appris que ce mot est
sans doute invariable, puisqu'il a pour pluriel *interview*.
— Qui t'enseigna cette ânerie ? — C'est pas une ânerie.
Je l'ai lu au catalogue du Nain Bleu. Tenez, là. » Je vis :
« Pour recueillir les interview les plus sensationnelles,
etc. » Que lui dire ?

« Qu'est-ce que tu as choisi ? — Rien. — Pourquoi
rien ? — Parce que je ne mérite rien : dans le dernier
devoir d'anglais que j'ai rendu hier soir, j'ai fait deux
grosses fautes que j'ai vues sur le catalogue ; j'ai écrit
school et *stick*, alors que ça s'écrit *stik* et *skool* ; je me
croyais pourtant presque sûr de l'orthographe de ces
mots-là. » Ce diable de mouflet avait encore raison. En
même temps que des interview, on lui proposait des
magnastiks, jeu mystérieux de construction, et un ou
une village *play-skool*, autre jeu pour moi non moins
mystérieux de construction. Je feuilletai le catalogue.
Délivrée des joujoux et des jouets, la France devenait
enfin new look et modern' style : partout des toys. Finis
enfin les jolis jouets, nous étions parvenus à l'ère nouvelle des dinky-toys. Nous allions enfin pouvoir fournir
à l'O.T.A.N. des G.I.'s à la hauteur, doter la Navy U. S.
de sailors et de marines ad hoc, préparer pour l'Air Force
des wing commanders terrifics (voir plus haut). Parmi les
toys que je pouvais offrir au kid, figurait en effet soit
Carol Ann, un P. T. Boat, et voilà pour le futur marine,
soit un Grumann Avenger avec commandes mobiles
actionnées du cockpit, et voilà pour l'aviateur prospectif.
Si je ne pouvais en former un héros de la politique de

roll-back, je devais le dresser aux hobbies de son avenir probable : lui offrir un Art master, un Carpenters, un Kiddicraft, un Playdoh, un System. Enfin, pour lui former le cœur à l'American way of life, je n'aurai que l'embarras du choix : Electro Tutor ou Enciclo Electric nº 1 pour apprendre tout sans effort ; Lie Detector, « mieux que le sérum de vérité », pour devenir un parfait flic du F. B. I. (French section) ; Magic Show pour s'accoutumer aux passez-muscade de la haute politique ; Monopoly, « passionnante » initiation à la « vie des affaires » ; Scrabble, pour développer en soi le vocabulaire du franglais ; Scoop, pour s'entraîner à vivre hanté par la primeur d'une nouvelle qui fasse un gros titre à la une. Comme l'esprit n'est pas tout-puissant hélas, comme il faut compter avec la force brute, je disposais du Jack et du Speedy, du Kart Lama et du Gui Kart, grâce auxquels le mouflet pourrait se barder d'un triple airain en vue du close-combat.

Attendri, je découvrais que nos bébés eux-mêmes, on les préparait ici à devenir de vrais Français, des babies par conséquent, pour lesquels on avait prévu, outre des bunnies, qui sautent, bondissent et remuent les oreilles, des baby floralies, des baby pétanques, et des baby relax, « hygiéniques » ceux ou celles-ci, avec un accent tout ce qu'il y a de grave (on se demande à quoi servirait ici l'accent aigu, sinon à perpétuer un attachement sénile pour l'orthographe française ?).

Dans un esprit de flair play — je dis bien : de flair play — on leur destinait des coccinelles musicales et des cocottes caqueteuses. Chers babies, qui vous distrairez avec Fuzzy-felt Circus, ou bien avec de jolis puzzles, à moins que ce ne soient des Microracers, des Rotocars, des Starbilles, des Lindberg Lines, ou encore des jeux

de footballs (footballs étant le singulier de *football*
selon la règle du catalogue : des interview, une interviews), sachez que, de l'Arkitex à l'Alkathène, tout est
prévu pour votre bébé-confort : tout, y compris les
Walt Disney productions.

Plus de toupies au Nain Bleu, de guignols ni de sucres
d'orge. Plus de joujoux : des toys. Je demandai à
l'enfant : « Allons ! Dis quand même ce qui te plaît. Je
te pardonne d'avoir mis un *s* au pluriel d'*interview*.
— Eh bien, si ce n'est pas trop cher : un Scalextric.
— Qu'est-ce que c'est que ce toy-là ? — Une merveilleuse
piste de course avec deux autos, des vraies, avec barrières
et lampadaires, avec des croisements, des virages qu'on
peut relever, ça fait du 300 à l'heure à l'échelle et ça
marche sur n'importe quel courant avec un transfor-
mateur. Plusieurs de mes copains... — Tu veux dire :
de tes chaps. — ... ont ce jouet-là. — Tu veux dire :
ce toy-là. — Ah ! non, c'est pas comme les Dinequettoïse,
c'est bien plus beau. — Ma foi, avec un nom pareil
(cette initiale en *ska-*, imprononçable en français, et
cette désinence en *-ic*), tu seras bien équipé, je l'admets
(voir plus haut), pour ton avenir prospectif. Va pour le
Scalextric, pour ce toy américain. — Non, non, j'ai
déjà vu des emballages, c'est un jouet français. »

J'emmenai donc le kid au Nain Bleu afin de choisir
avec lui quelques voitures de course qu'il pût mettre
sur ses pistes. Arrivés devant le window-dressing :
« Oh, arrêtons-nous, demanda-t-il ; je vois des tas de
jouets qui ne figurent pas au catalogue. Avant de me
décider pour le Scalextric, est-ce que je peux regarder
un peu ? — Va pour le window-crash. Regarde beaucoup,
boy. Il te reste encore la chance, ou le supplice du choix.
— Dites, qu'est-ce que c'est qu'un Goldenichte Ovenice ?

— Tu veux dire : le Gold Knight of Nice. Quelque chose, apparemment, comme l'autre machin, là-bas à gauche, le Blue Knight of Milan. — Oh! chic, je comprends deux mots, et même trois : Ze visibeul dogue, en haut à droite. Qu'est-ce que c'est que le chien visible ? — Quelque chose, je gage, comme the Visible V. 8, et les autres Visible toys : un genre d'Assembly Kit ; tu vois, du reste : c'est écrit en toutes lettres. — Oui, mais sauf ze visibeul dogue, je ne comprends pas. Boy, boy, by Jove! tu m'inquiètes. Tu manques à ton devoir essentiel de Français. Si tu lisais un peu plus attentivement *Big Boy*, *Creek* ou le *King of Cow-Boys*, tu saurais mieux le français. Vois-tu, cette vitrine te le prouve, ton Scalextric, ce n'est pas encore un **vrai** toy, c'est un bâtard entre le jouet et le toy, quelque chose comme un jouoy. Ce n'est pas ça qui te préparera comme il le faut à ton statut prospectif. Parmi ceux de cette vitrine, choisis plutôt un des plus beaux toys in the world : que dirais-tu d'un de ces Old timers, là-bas au fond : soit le Mercer Race-about ou le Stutz bearcat ? Dans l'intérêt de ta future patrie, les U. S. A., je te conseillerais plutôt quand même ce Marine attack fighter true to life prop action with electric kit motor. Ça te dit quelque chose ? — Ça me dirait peut-être quelque chose si ça me disait quelque chose. Mais enfin, es-tu Français, oui ou non ? Es-tu devant la grande boutique bien française de la rue Saint-Honoré ? Allons, décide-toi. Il y a des tas de kits, kid. The customizing kit, qui te crève les yeux, build to your way. Ah! mais voilà qui vaut beaucoup mieux que mon épée de bois durcie au feu : que dirais-tu de ce ou cette Jewelled Renaissance sword, an easy to build plastic hobby and craft kit ? Il est vrai que ceci, là, est plus

modern' style : un Kentucky rifle with operating hammer
and trigger assemble a full size rifle from this kit. »
L'enfant se mit à pleurer : « Pourquoi vous moquez-vous
de moi ? — Boy, je ne me moque point, tu vois bien.
Regarde, choisis. Serait-ce que tu préfères les serpents ?
Voici Reptile Science. Ou les insectes ? Je t'offre alors
the Insect science assembly kit. Si toutefois tu te sens
un faible pour l'homme, je vois là-bas un Human
skeleton assembly kit de bon aloi, anatomically accurate.
Mais pourquoi pleures-tu ? — Parce que vous vous
moquez de moi. — Ce n'est pas moi, mon enfant, qui
me moque de toi, dis-je en l'embrassant. Adresse-toi
plutôt à ceux qui te proposent dans cette vitrine un
Confederate Raider all plastic kit, le Thimble-drome
comanche, ou le Revell authentic kit plan français.
Que dis-tu de ce kit plan français ? — Pourquoi y
traduisent pas en français ? — Idiot ! mais pour qu'avant
de savoir jouer tu apprennes l'américain. Pour que tu
admettes, mon enfant, que l'American way of life est
seul digne de toi. Les toys auxquels tu auras droit
désormais viendront de plus en plus souvent de là-bas :
or, pour diminuer le prix de revient, le big business U. S.
refuse de traduire en français et d'imprimer en notre
langue les emballages dont ils inondent notre marché.
Lorsque nous exportons des jouets, nous autres imbéciles, nous imprimons au moins emballages et modes
d'emploi dans quelques-unes des langues du Marché
Commun. Voilà pourquoi notre industrie du jouet
périclite, tandis que celle du toy prospère. Nous, nous
n'avons fabriqué que 350 millions de francs de jouets
cette année. Les Yanquis, pour plus de 5 milliards de
francs. Or, cette année, nous avons dû importer pour
60 millions de francs de toys. Un gosse au moins sur

cinq n'a plus de jouets de chez nous, ni de joujoux, mais des carpenters et des bunnies. Tous les gosses, donc, ont des dinky-toys, et foin de jolis jouets (entre nous : dinky toy, c'est joli jouet). Allons, mouche-toi, mon enfant, et entrons choisir les voitures de ton Scalextric. »

Il s'agissait en effet d'un jouet fabriqué en France, qui proposait, sur l'emballage, des voitures avec feu rouge ainsi qu'éclairage de la piste, des Wagen mit Scheinwerfern und Rucklichtern ausserdem sind Rennstreckenbeleuchtungen, des Autovetture con fari e fanalini ed anche luci della pista, des Wagens met kop en achterlichten baan en pitverlichting. Pas un mot d'anglais ? Si, *made in France*, puisque c'est fait en France. Et puis ce hideux *Scalextric*, simili américain, marque déposée, marque à déposer aux ordures langagières. « Écoute-moi bien : si tu promets de ne jamais dire mon *Scalextric*, mais mon *sale truc*, ce qui est du bon français, je te l'offre. — Un sale truc, ça ? J'en voudrais bien toute ma vie, des sales trucs comme ça ! — Promets que tu diras mon *sale truc* ? — O. K. — By Jove! Je vois que tu commences à comprendre. »

Au moment de payer : « Madame, dis-je à la gérante, votre vitrine et votre catalogue étant ce qu'ils sont, et quand tout le monde va au Pressing, au Snack, aux Flippers, au Drugstore, au Bowling, croyez-moi, le Nain Bleu, ça fait mesquin. Ça ne signifie plus rien. Sans même vous demander un discount sur ce sale truc que j'achète, je vous donne gratis une idée prospective, valable et tout ce qu'il y a de payante. Changez d'enseigne. A bas le Nain Bleu! Vive O'Blue Dwarf! »

Quand nous fûmes sur le trottoir de la rue Saint-Honoré : « Dis donc, kid, tu ne lis donc pas les

journaux de ton âge, que la devanture d'O'Blue Dwarf
te propose tant d'énigmes ? — Ah mais si ! J'ai lu des
Spirou, des *Batman*, des *Mickey*, des *Big Boy*. Mais ça
m'amuse moins que les *Fables* de La Fontaine. — Mon
enfant, tu files un mauvais coton ; tu ne files pas du
longfibre. La Fontaine, ce n'est pas lecture de ton âge.
Quel âge as-tu, au juste ? — Onze ans. — Donc tu n'es
plus un baby et tu n'es pas encore un teen. — Un tine ?
kékséksa ? — Un teen, mon enfant, c'est ce que tu seras,
théoriquement, de thirteen à nineteen ans. Pourtant,
j'ai entendu parler des « teens de douze à treize ans »,
ce qui m'a paru bouffon, puisque douze se dit... —
Twelve ! — En fait, des teens, c'est à la fois ce que de
mon temps on appelait les garçonnets et les fillettes,
puis les jeunes gens et les jeunes filles. Les Yanquis
nous ont appris à corriger tout ça (« Les teenagers, ce
mot que l'on ignorait alors en France » (*Adam*, juillet-
août 1963) ; *alors*, c'est-à-dire avant le voyage aux
États-Unis de Daniel Filipacchi, lequel aurait alors
découvert « l'extraordinaire influence que les disques
et la radio exercent sur la jeunesse américaine »). Un
des journaux les plus dévoués à la patrie ouvrit donc
naguère une rubrique intitulée *Le coin des teens*. Après le
children's corner, le coin des *teens*. Do you pige ? comme
disait spirituellement mon prof d'anglais. — Je pige.
Mais puisque nous on n'a pas thirteen ou sixteen, mais
treize ou seize ans, c'est idiot de dire *teen*. A cause de
douze, treize, quatorze, quinze, seize, on devrait dire les
ze. — Si au moins le mot se mettait au féminin, ça ferait
des *teenettes*, et ça les dégoûterait peut-être... Il est
vrai que les *ze*, ça fait penser à des œufs...

    — En attendant, il n'y en a chez nous que pour les
teens. Le teen âge, comme on dit, a tous les droits. Les

teenagers ont imposé leurs idoles, Vartan, Hallyday
et leurs lois : ils dansent le twist, le rock n'roll, le
hully-gully, le madison, ils tolèrent les negro-spirituals,
mais s'avouent peu fans de blues, de swing, de middle
jazz. Ils portent l'uniforme : blue-jeans et T. shirt. Au
fait, sais-tu ce que ça veut dire en anglais, un blue-jean ?
— Non. — Treillis bleu. Or le treillis, c'était l'étoffe
dont l'armée française fabriquait les bourgerons. Alors,
laisse-moi rigoler devant ces anarchos qui, tout comme
un bidasse au temps du *Train de 8 h. 47*, se serrent les
fesses dans un pantalon de treillis. Après le blue-jean et
le Tee shirt, ou T. shirt, ou T' shirt, les marchands ont
lancé le bas *teenager* « réservé aux moins de 20 ans » et
le soutien-gorge *teenform* : « littlest angel » pour les filles
de thirteen ans ; « Dawn » pour celles de fifteen ou sixteen ; enfin, par quelle aberration ? le teenform Pirouette
pour les teenettes de nineteen ans. Quand je pense que
les Polonaises déclinent notre Dardot, elles, mais que
nos teenettes en sont aux « littlest angel »... »

De retour chez moi, je réfléchis à ces teens et teenettes
qui font le tour du monde et qui prétendent se l'asservir :
sur Ceintuurbaan, au cœur d'Amsterdam, j'avais
windowcrashé un Teenager shop. En Allemagne, dans
Das Grüne Blatt, j'avais lu un article intitulé : *Wie
teenager sich ihre Mutter wünschen* (Comment les teenagers souhaiteraient que soit leur mère). Or, je voyais
s'ouvrir à Paris, mais en plus grand, un magasin comme
celui d'Amsterdam. Il fallait étudier d'un peu près le
langage des teenagers, puisque c'était celui de la France
à venir. Ne prétendent-ils pas réaliser *Victor, ou les
enfants au pouvoir* ?

Voilà qui est fait. Un seul numéro d'un illustré catholique destiné aux teenagers me fournit plus de cent fiches

concernant soit des mots américains, soit des américanismes. A la Sorbonne, un groupe de volontaires lut *Attack, Bat Man, Big Boss, Big Boy, Creek, Foxie* et *Tex Tone.* Ces titres à eux seuls édifient! En combinant les cueillettes faites dans quelques numéros de chacun de ces périodiques, on constitua un vocabulaire de plus de *trois cents* mots américains employés tels quels. Lexique sommaire, puisqu'une autre étudiante, ayant chargé ses deux fillettes de lire attentivement quelques numéros de *Tintin* et de *Top,* je trouvai dans le dossier qu'elle m'envoya les mots suivants qui ne figuraient point parmi les trois cents mots relevés par l'équipe bénévole : air-hostess, baby-sitter, baby-sitting, blazer, bloomer, blues, bluff, bluffer, browning, bulldozer, businessman, camerawoman, cannon-ball, caterpillar, canopy, check-list, coach, comics, cool, dragster, film, flat-top, footing, gadget, gospel-song, handicap, hold-uper, hood, ice-cream, indoor, jean, job, juke-box, karting, kick-starter, middle-jazz, milk-shake, mixage, music-hall, new sound, offset, party, paying-guest, peeling, pick-up, planning, radio-reporter, quiz, relaxer, ring, rockery, round, rush, scat, scenic railway, scraper, script-girl, self-service, set, show, snack-bar, speaker, sprinter, standing, star, starlet, steward, super, surprise-partie, sweat-shirt, swing, swingman, twill, twin-set, wawe, week-end, yankee, tous mots en effet abondamment employés dans la presse en général et qui figuraient à ce titre aux fichiers du dictionnaire que je prépare du franglais. Hélas, ces mots corrompent déjà les cervelles des teenagers, qui arrivent au bachot avec un vocabulaire indigent, une syntaxe infantile.

Le cas me parut assez grave pour qu'on l'étudiât avec quelque détail. M. Bernard Chapeau composa donc, sous ma direction, un effrayant diplôme d'études supérieures : en quelques mois, il catalogua plus de cinq cents mots américains constamment employés dans les comics qui nourrissent et pourrissent nos teenagers. Plus du quart du vocabulaire dont dispose notre belle jeunesse est donc d'origine américaine, et déplace les mots français correspondants.

Par la vertu de ces atroces comics, l'espoir de la patrie sait déjà qu'on ne dit pas en français bifteque, mais steak ou steack ; pétrolier, mais tanker ; épatant, mais terrific ; quai, mais wharf ; archi-secret, mais top-secret ; limier, mais ranger ; canaille, mais rascal ; carabine, mais rifle ; aimant, mais magnet ; casemate, mais pill-box ; marche, mais footing ; hôte payant, mais paying guest ; pardi, mais by Jove ! ; bâtiment, mais building ; ravisseur, mais kidnapper ; fusée, mais rocket ; assaut, mais attack ; alerte, mais alarm ; en avant, ou allez, mais Go !, incursion, mais sweep ; puits, mais sink ; bandit, mais gangster ; hors la loi, mais outlaw ; mon vieux, mais dear boy ; au revoir, mais bye-bye ; singe, mais corned-beef ; etc., et cinq cents bons mots de la sorte qui nous changent heureusement d'expressions inintelligibles comme ouvert, quand il faut dire open, gosse pour kid, fille pour girl, chandail pour l'irremplaçable pull-over, ours en peluche pour teddy bear, se crasher pour s'écraser, vol pour flight.

Qu'on ne s'imagine même pas que nos teenagers, s'ils désapprennent le français, du moins apprennent un peu d'américain ; car enfin le pluriel de *barman* là-bas, c'est *barmen*, et non point *bar mens* (comme dans *Rafles*, 26 novembre 61) ; car enfin, un *marshall* est-ce un *marshal* (*Tex Tone*) ou un *marshall* (même journal, mais page suivante) ; car enfin, un *sheriff*, est-ce un *sherif*, un *shérif*, un *sheriff* ou un *shériff* ? Ils n'apprennent pas l'américain, nos teens, mais ils désapprennent le peu qu'ils retiennent de ce que leur serinent les amortis ou les croulants qui sont censés leur enseigner leur langue ; et que je te place l'adjectif à l'anglaise (« le très moderne runabout » ; « j'étudierai les importants événements historiques ») ; et que je te chamboule des prépositions (« soyez au wharf », alors que nous disons « soyez sur le quai » ; « vous êtes clear pour atterrir en emergency », on est donc autorisé *pour* atterrir...) ; et que je te bourre mes textes d'idiotismes bêtement calqués (« le cinéma américain reprend sa respiration seconde », c'est-à-dire *his second breath*).

Oui, voilà le langage que proposent les *comics*, c'est-à-dire imposent, à nos teenagers. J'en sais qui déclarent franchement que parler français, c'est affaire de crétins, de croulants, et que la seule langue jeune, la seule langue digne des teenettes, c'est l'américain. Je crois comprendre pourquoi. Les comics dont ils se farcissent la cervelle leur ont révélé qu'en américain tout s'exprime avec des onomatopées : a-hoo, awrr, gnap, glouck, wwooooooooooo aaiiii, honck, waou, whipee, whump, yeepee, clak, clonk, crahk, klak, klik, klok, klong, klop, kraaaa twiiiwiiiw, kraaak, twang, vooooooooûoû, vroawrr, waaawm, whoum, woosh, wroaw, ziwww...

Oui, c'est ça, le coin des teens : un coin où l'on n'a plus besoin de parler français pour se comprendre ; un coin où, pour se comprendre, on a besoin de ne plus parler français ; un coin où l'on échange des dialogues du genre de celui-ci :

— Cling ?
— Plunk ?
— ? ! ? ? !

— Gush!
— Vlock
— Ow!!!!
— ? !
— ! ! ! ! !

Comme disait Roland Cailleux dans *La Nouvelle Revue française*, le 1ᵉʳ mai 1963 : « Le môme, devenu Mickey, n'est plus qu'onomatopées. »

CHAPITRE II

MEN'S DEPARTMENT

A peine sorti du teenage, l'ex-enfant-problème, l'ex-teenager français entre aux barracks (certains attardés parlent encore de la caserne, mais Georges Buis, celui de *La Grotte,* ouvre enfin nos lettres aux barracks). Lorsqu'il change son blue-jeans contre le (ou les) training slacks, et la tee shirt ou le pull contre le battle-dress (de mon temps, il eût enfilé, quelle honte! veste, vareuse, bourgeron), notre boy ne quitte son teen-gang que pour entrer dans un commando, s'il est un marine, ou bien un stick, pour peu qu'il se soit engagé dans les para-troops. Il reste donc fidèle à cette manière française de vivre que lui ont inculquée ses comics.

Dans les nouvelles casernes, les casernes modèles comme celle de Colmar, le snack remplace la gamelle, la vieille cantine est devenue une cafeteria, où les barmen, qui sont des troufions, portent la veste blanche ; il n'y manque, pour l'instant, que les barmaids mon-tantes : on avisera. Mais le réfectoire est déjà un self-service, et les soldats construisent eux-mêmes les karts qu'ils driveront ensuite sur leur piste de karting.

Par bonheur, les marchands de comics avaient prévu cette révolution française, de sorte que l'essentiel du vocabulaire qui sera désormais indispensable à la recrue dans son corps de troupe, elle l'a déjà bien en bouche, grâce à *Mickey*, *Big Boss* et *Tintin*. Aspire-t-elle à porter l'uniforme bleu navy des pompons rouges, le ballast, les bricks, les destroyers, les dinghies, les docks, l'U. S. Navy, les Q. ships, la Royal (et la Royale) Navy, les schooners et les sloops, les steamers, les yachts et le water-ballast lui sont de vieilles connaissances. Moi aussi, quand j'étais un pauvre gosse qui ne se savait pas un teen, je connus le mot schooner, mais par un poème que j'apprenais par cœur et qui me tirait des larmes :

> *It was the schooner « Hesperus »*
> *That sailed the wintry sea...*

Minable, va !

Fasciné par le prestige de l'U. S. Air Force, entre-t-il, notre ex-teenager, dans l'aviation qui se croit et se dit française, ce ne sont pas les big shots qui lui en mettront plein la vue, à notre ex-teenager. *Top Secret* les lui révéla. Un big boss, non plus, ne lui en impose pas ; à plus forte raison un boss ou un simple captain. A peine arrivé à son corps, il salue les boys, selon la formule de Jimmy Torrent dans *Tintin sport* ; il s'en fait bientôt des chaps. Gosh ! quels lovelaces, ces guys ! Des boys avec lesquels il est terrific de se relaxer après une party du tonnerre. Il y en a, c'est vrai, qui ont une grande gueule ; mais on les boucle d'un shut up ! et, dans l'ensemble, ils sont valables.

Il faut les voir sur le taxi-way avant l'okay vous êtes clear. Forts de ce qu'ils ont appris aux briefings, après avoir fait le cockpit-check, s'ils ont fière allure derrière le hood de leur jet ! Un master-décollage sur le run-way, et ça vole steady sur son cap. Même air dégagé au retour ; ils te prennent sans faillir le glide path. Ça, c'est du homing, boys! Jamais besoin d'overshoot, avec eux. Flaps et sandow de freinage obéissent comme s'ils comprenaient. Roger. Le skipper sera content, et le wing commander, donc!

Grâce à *Tintin*, à *Kid Carson* et à *Battler Britton*, ils seront fin prêts pour la guerre, nos boys . « O. K., guys! » Ils te les knock-outeront, les mecs d'en face, tu l'as dit, old pal. Quel rodéo de rockets! Des tough guys, nos boys, sure!

Pour garder « l'Algérie française », quand il fallait sauter de jeep en half-track, et de half-car en command-car, manœuvrer le lance-rocket (ou lance-roquette, ou lance-rockettes), dégotter un air channel, répondre O. K. à l'appel de leader-hélicoptère, braquer le bazooka, procéder à des vérifications de routine, se maintenir dans un bon timing, garder son self control quand on était strafé, donner le top à la verticale, se familiariser avec la V. H. F. (ben, voyons! la very high frequency), dropper au beau milieu de la D. Z., ou drop zone, tenir une réunion de débriefing, bref, garder son âme de boy-scout pour rassembler innocemment les mâles, puis les arrêter afin de les soumettre à l'action psychologique, nos boys pouvaient en effet rendre grâces à *Tintin*. Les comics les avaient mis dans le creux. Ce vocabulaire très « Algérie française », ils le connaissaient de longue date. Comme quoi ce n'est pas rien d'avoir été un teenager!

Ça sert même après le combat, quand on est en relaxe. Qu'on aille boire un drink en jouant aux flippers, qu'on préfère exercer son adresse au bowling, ou sa force dans un gui-kart sur un parcours de karting, les inépuisables comics ont fourni le meilleur du vocabulaire et de la syntaxe.

Ou plutôt le vocabulaire de base, le basic vocabulary. Si notre boy a de la chance, des dons, ou les deux, et qu'il prépare une école d'officiers de réserve, ses souvenirs du teenage l'aideront, certes, mais ne lui suffiront plus. Je le suppose aviateur et soucieux de monter en grade. Ambitieux même. Il lira donc des revues professionnelles. Dès lors, il découvrira qu'on exige beaucoup de lui. Il sera impératif que notre boy devienne air minded, qu'il soit rompu à délivrer les armes nouvelles, en particulier les baby-bombs, fût-ce après avoir lutté contre des baby-cyclones. Quand on l'entraîne à lâcher des battleships busters, il est à craindre que *Tintin* ne lui ait pas encore appris ce bon mot-là. Faute d'avoir à sa disposition un bomb-trainer, peut-être même manquera-t-il plusieurs fois son target. Souvent, il regrettera que ces comics, écrits par des demi-croulants, ne l'aient qu'imparfaitement préparé à son rôle d'officier français ; ils en sont encore au tire-bouchon, dans ces illustrés surannés, alors que l'aviation française adopte le cork-screw ; ils s'attardent à la navigation de balise en balise, alors que l'Air command a progressé jusqu'au vol de beacon en beacon. Notre boy aura le sentiment qu'on le trahit, dans ses comics ; on l'a préparé honnêtement au close-combat, c'est vrai, mais non point à contrôler l'accrochage de ses belly tanks (il en était aux réservoirs ventraux). C'est surtout dans l'ordre de la guerre atomique que notre futur wing commander se sent sous-développé. Son teenage ne l'avait point suffisamment éclairé sur la politique de dissuasion et de déterrent. Il ne soupçonnait pas que, pour prendre le meilleur (qui vaut infiniment mieux, vous le sentez,

que l'emporter) sur l'ennemi, il lui faudrait maintenir
en soi, outre l'air mind, le tiger spirit — jadis, bêtement,
on bouffait du lion —, ce qui sans doute peut s'obtenir
par une proficiency pay (plus délicate qu'une solde
d'efficacité) et l'esprit de roll back, c'est-à-dire, en clair,
d'offensive, ou d'agression. Il ne soupçonnait pas non
plus que, dans la guerre future, le shipping connaîtrait
encore de beaux jours, et qu'en dépit du skip bombing
les task forces du N.A.T.O. joueraient un rôle décisif.

Il lui faut apprendre que, si les battleships busters
amis sont toujours efficaces contre les flagships ennemis,
les battleships busters de l'adversaire ne pourront pas
grand-chose contre les spardecks de la striking fleet des
forces atlantiques, et que nos marines, en dépit du fall
out, sauront débarquer partout. Fall out ? Ignoriez-vous
le vrai nom, le nom pudibond, des retombées atomiques ?

Je veux croire que mon ex-teenager a la tête bien
plantée entre les deux épaules et qu'il ne figure point
au nombre de ces officiers qui osèrent écrire à Thérive
pour se plaindre du « complexe d'infériorité dont sont
affectés les cerveaux de l'armée actuelle, c'est-à-dire les
brevetés d'état-major, à l'égard des Anglo-saxons, et
surtout de leurs langues », ces officiers qui « présentent
des textes où le canon s'appelle *gun* et les centres de
transmissions *message-centers* ». Je veux le croire, notre
citoyen français, inflexiblement fidèle à la formation
que lui donnèrent ses comics, est donc assuré de quitter
l'armée sans être allé voir au trou si j'y suis pour avoir
opté, au nom du patriotisme, en faveur de l'objection
de conscience. Je le suppose assez bien conditionné,
notre boy, pour que pas une fois, durant son service
militaire, il ne se soit demandé si un Français a le droit
de se faire tuer pour obtenir la faveur de ne plus parler

sa langue. Je le suppose, vous voyez, mon petit Français,
parfaitement doué pour la bonne citoyenneté et pour le
leadership. Au lieu de croupir en prison, le voilà rendu
à la vie non-militaire, celle que jadis on appelait civile.

Tous les jours il remerciera Dieu : *God save our
gracious queen!* d'avoir si bien lu ses comics. Tout ce
dont il a besoin pour vivre heureux (*life must be fun*),
ses lectures l'en ont pourvu. Du chewing-gum aux
chiclets, des digests aux dinky-toys, des bobsleighs aux
runabouts, des snow-cars aux scooter-balls, du suspense
au happy end, des call-girls aux pull-overs, des starting-
gates aux sleepings, tout lui fut prodigué à temps. Ainsi
armé dans le struggle for life, il peut se dire comme un
héros de Monty : « Va, et n'aie pas peur : la victoire est
dans nos pockets. »

Qu'il retourne à la terre, en qualité de cultivateur ou
de gentleman farmer, chaque jour il se félicitera d'avoir
bien appris sa langue. Car bulldozers et scrapers, qu'il
connaît, lui seront indispensables pour défricher ; sans
jeep, il s'embourberait l'hiver par les chemins creux ;
sans croskill et cultipacker, imaginez-vous qu'il puisse
rouler ses terres ? Quand on pense que des abrutis
travaillent au rouleau à disques! Maintenant que l'on
est exigeant sur le pedigree des teckels, des setters, des
pointers, des skye-terriers, des siamese, des persians,
des burmese (quoi! vous en seriez encore à élever des
siamois, des persans, des birmans ?), maintenant que
tout le bétail et tous les chevaux doivent figurer au
stud-book, au herd-book, maintenant que le dry-
farming se répand de plus en plus, comme on se félicite
d'avoir toujours acheté *Mickey*, *Top* et *Spirou*.

Serait-il plutôt ingénieur ?

Il lui faudra sans rechigner accepter que ses pupitres

de commande soient équipés avec turn-push, car nous
n'eûmes jamais, nous, au grand jamais, de boutons-
pression ; plutôt qu'un ascenseur ou qu'un monte-charge,
il se réjouira d'employer un cherry-picker ; il se gardera
de fréquenter les entretiens sur les eaux résiduaires,
mais il conduira volontiers son staff aux symposiums
ou symposia sur les wastes ; il adorera le cracking ; à la
chloration il saura préférer la chlorination, puisque
c'est le mot anglais, et qu'il faut être bref ; c'est
pourquoi, aux plans il préférera les plannings et aux
projets, aux études, les surveys. Enfin, il décidera que
le mot engineering est absolument intraduisible. Au
reste, il produit un argument de poids : dans aucun
domaine, c'est connu, la France ne fait quoi que ce soit
qui vaille ; nos ingénieurs et nos savants sont au-dessous
de tout, et tributaires des États-Unis. Il est donc juste
et raisonnable que notre ingénieur, s'il ignore l'anglais,
parle d'autant plus volontiers anglais qu'il connaît
moins cette langue en dépit des louables efforts de ceux
qui lui offraient en sa jeunesse tant de profitables
comics.

Qu'il ne soit pas non plus médecin, ou alors que,
chaque soir, il relise, plutôt que Laënnec ou Ambroise
Paré, les comics de ses teenagers. Car, de même que
l'ingénieur n'ose plus faire une déviation, un contour-
nement, mais se croit tenu de by-passer, le chirurgien
des vaisseaux se sentirait moins habile si, plutôt que de
faire une dérivation, il ne recourait, lui aussi, au by-pass.
Comme l'ingénieur, il fréquentera les symposia, mais
fera fi des colloques. Il ne donnera plus de soins, mais
pratiquera le nursing. Fera-t-il une implantation, plus
simplement encore, mettra-t-il une pièce à quelque
veine, ce sera un patch, qui veut dire pièce ; bien

éloigné de rapiécer, horreur! il patchera. S'occupera-
t-il des os? onlays et inlays se pratiqueront sur son
billard ; rien de commun, vous le sentez, avec une
greffe apposée, une inclusion, ou encore une incrustation.
Chez lui, le traitement classique le cédera aux théra-
peutiques « conventionnelles » (ce mot évoquera aussi
heureusement *conventional* que, dans l'armée qu'il
vient de quitter, les armes « conventionnelles »). Le
professeur enseignera les charmes de la ventricular
asystole, de la recovery phase, du by-pass, du shunt,
du pace-maker, toutes notions intraduisibles, à preuve
asystole ventriculaire, récupération ou convalescence,
régulateur, etc. Le training autogène, c'est tellement
mieux que l'entraînement, et la relaxation, ou la relaxe
(comme on dit sottement, car la relaxe, c'est tout autre
chose) que la détente, ou le relâche ? Faute de savoir et
l'anglais et le français, certains de nos médecins ont
cru devoir adopter l'expression restless legs, ou la
traduire mot à mot : « jambes sans repos ». Or, médecin
qu'il était aussi, le vieux Littré connaissait déjà les
impatiences, les consignait dans son dictionnaire.
Imaginez la tête du patient à qui l'on apprend qu'il ne
souffre que d'impatiences. Des restless legs, c'est
autrement gentlemanlike. C'est comme les varices ;
nous avons vingt raisons de les tringler ; mais non, nous
les strippons, nous, et toutes nos jolies femmes ont
ainsi l'avantage, après le peeling, de se faire faire un
stripping ; ça rappelle strip-tease, n'est-ce pas ; c'est
chou.

Même en cas de guerre atomique, nos médecins seront
archi-prêts ; entre l'effet de flash et celui de blast, ils
savent très bien distinguer. Ne croyez pas qu'ils n'y
ont que peu de mérite ; en français, cela donnait tout

platement : les effets de l'éclair et ceux du souffle.
Grâce à la recension des centaines de cas personnels
(*recension of personnal cases*) — ce qui est plus scientifique que de colliger des observations — ils ont mis au
point un programme de réhabilitation (*rehabilitation
programme*) des brûlés, c'est-à-dire prévu leur réédu-
cation et, le cas échéant, leur reclassement.

Tout est prétexte au médecin pour rubiner atlantique ,
dans les hôpitaux, on entend parfois les internes
commenter les heureux résultats du double blind test
(prononcé du reste de façon très fantaisiste). Il s'agit
tout uniment d'un « placebo » — le vilain mot —
distribué par un infirmier qui ne sait pas lui-même que
c'en est un (pilules de mie de pain, ou piqûres d'eau
distillée). Le laboratoire de pharmacodynamie de l'Université de Paris refuse à bon droit ce jargon, et voici
tout le monde à quia. Ne serait-ce pas intraduisible,
ça aussi, comme *engineering* ? Quelle chance alors !
Un chroniqueur du *Figaro* alerte ses lecteurs. Quarante-
trois lui répondent, proposant des solutions que j'ignore,
sauf celle-ci : « l'expérience pour voir », empruntée à
Claude Bernard. La transposition est piquante, puisque,
de l'idée de cécité ou d'aveuglement, on passe à celle
de voir. Il n'est venu à personne, que je sache, l'idée
d'employer la seule tournure française qui rende un
compte exact de ce dont il s'agit : la double méprise.
Chacun sait que le français, langue pauvre, ne peut rien
dire, pas même double blind test.

A-t-il plutôt choisi la dentisterie, notre boy ? Il
exercera lui aussi une profession noble, tout ennoblie,
voire anoblie, d'anglomanie. Quand il s'installe, il a le
choix entre l'unit conformatic, par exemple, et l'unit
otomatic. Équipement ou ensemble, ce serait trop long ;

mais bloc, trop court, faut-il croire ; reste unit, prononcé
unite et iounite ; -*matic*, nous le verrons, est une désinence sacrée du sabir atlantique ; ajoutez-y confor-
(qui évoque le confort), ou bien odon- qui, pour peu
que vous sachiez vos racines grecques, vous rappellera
l'idée de dent, et le tour est joué. Bloc de dentisterie ?
Foin des blocs de dentisterie ! Dût la France en crever,
vivent les iounites odonmatic ! Dans son unit conformatic, le client mâle se sentira confortable et ouvrira
toute confiante sa bouche au praticien. Celui-ci ne man-
quera pas de lui proposer un inlay, plus rarement un
onlay, une jacket, un bridge ou la carmichaël (vulgairement : une incrustation, une apposition, une jaquette,
un pont, une couronne trois quarts). On lui proposera
des dents viva-pearl ou viva-star en co-polymer cross-
linked renforcé ; du viva-skeleton co-polymer cross-
linked. Le viva-tray, c'est réservé aux porte-empreintes,
tandis que le viva-lack vernira très bien le plâtre. Ne
soyez donc pas surpris si Capitol-diamond, fabrication
française comme son nom l'indique, propose à notre
dentiste des proximal-protectors et des précision-
shoulders pour la préparation de la couronne-jacket.
Quant à Vivodent, nul en France n'ayant jamais su
cuire sous vide, elle vendra chez nous du matériel
vacuum fired.

Mais supposons qu'à peine sorti des opérations de
routine que lui confia l'armée française, avec armes
conventionnelles, mon tough guy soit rentré en faculté,
pardon, à son campus, pour y achever ses études inter-
rompues. La sociologie l'intéresse, comme tout le
monde, d'autant que, par les temps qui courent, temps
de brain-trusts, et de brain-storming, et de brain-
washing, les managers aiment s'entourer d'hommes

rompus aux psycho-tests et aux approches des sciences sociales. Voilà donc notre ancien G. I. en mesure enfin de rapprendre un peu de français.

Il ne tardera pas à lire qu'il convient d'employer, suivant l'usage des Yanquis, le terme motivation pour remplacer excitant, excitation, stimulant ou stimulation (*Bulletin de psychologie de l'Université de Paris*, décembre 1952) et qu'au lieu d'écrire : « Le drive sexuel de cet animal est excité », mieux vaut traduire : « Cet animal est sexuellement motivé. » Du coup on lui révélera : « La spécificité de ces poussées « drives » conduit au concept de « reaction specific energy »... » Mon étudiant découvrira, ô merveille! que l'animal n'a pas d'insight ou très peu sur la relation entre son comportement et ce qui pour lui en résulte. Pour aboutir à une vérité aussi neuve, aussi bouleversante, il fallait beaucoup d'insight, en vérité ; mais supposez que vous remplaciez insight par conscience... Seigneur, quel sacrilège! Finies, les sciences sociales! Cette fois, je l'avoue, notre pauvre compatriote en voudra un peu aux comics ; les quelque cinq cents mots d'américain dont il fut ainsi gavé, gratifié, gâtifié, ils ne font ni le poids ni le compte quand il s'agit d'étudier la sociologie française. Dans une spécialité up to date où « l'objet de l'enquête est défini opérationnellement *a posteriori* comme le domaine repéré par les items et dont l'unidimensionalité est testée par la scalabilité », les onomatopées de *Tintin* sont tragiquement insuffisantes.

Pour qui étudie la sociologie française, notre boy apprend assez vite, il suffit d'apprendre qu'à de rares exceptions près elle est au pouvoir d'hommes qui ne ont que répéter la soi-disant sociologie d'outre-Atlantique, et que, par conséquent, l'étudiant peut se borner, dans ce field et cette approche, à augmenter son lexique anglo-saxon ; du coup, à mesure qu'il élimine les derniers vestiges du vocabulaire français, sa valeur croît en progression géométrique. Ainsi l'exige notre doctrine de la prospective. Tournée qu'elle se veut vers un avenir paradisiaque, celui où personne enfin ne parlera plus cette langue qui a fait un peu trop parler d'elle entre le XIIIᵉ et le XXᵉ siècle, cette discipline prospecte prospectivement tout et n'importe quoi. C'est à qui adopte désormais une attitude, une optique, une expression prospectives. De mon temps, on disait : *commander c'est prévoir*. La prospective, c'est bien mieux que la prévision, puisque c'est la même chose, en jargon yanquisant, ou yanquisé.

« Prenez le mot *development*, francisez-le, si peu que ce soit, en développement ; accolez-lui l'adjectif spécifique (*specific*), non plus au sens où l'employaient naguère encore nos syphiligraphes, mais avec l'acception aussi vague que possible que lui donnent les sciences sociales d'outre-Atlantique : *le développement spécifique*, ça fait un bon début d'article. Le développement spécifique de quoi ? Eh bien, par exemple, le développement spécifique du milieu où vivaient ceux que Montesquieu appelle des troglodytes. Remplacez milieu par environnement, à cause de l'anglo-américain *environment*, et troglodytes par *cliff-dwellers* (ceux qui habitent les falaises). Le développement spécifique des cliff-dwellers dans leur environnement (ce n'est pas si mal ; ajoutez toutefois : et dans leur cadre social concret à cause de *concrete social frame*) ne sera pas étudié comme un quelconque way of life ; outre que l'ego involvment doit naturellement être et naturellemen sera exclu d'une telle approche (*such an approach*), les *patterns* de connaissance immédiate ne seront pas valables »; voilà ou peu s'en faut les directives que prodiguent à notre boy ses maîtres de sociologie. Autant l'inviter à prendre ses « premiers papiers » de citoyen yanqui, et à se faire, carrément, *social scientist*.

A quelque carrière, et même, hélas, à quelque métier qu'il se destine aujourd'hui, l'ox teenager est bon pour l'anglomanie de ceux qui mènent la France au statut colonial dont elle vient d'affranchir l'Afrique. Il ne peut ni tousser, ni se raser, ni se vêtir, ni manger, ni faire l'amour, ni s'en distraire sans que fondent sur lui, de toutes parts, les mots américains et les yanquismes les plus bêtes.

Il se lève, notre citoyen français. Vite une première cigarette. Parliament, Players ou Pall-Mall? Camel ou Winston? des filter-cigarettes king size, ce n'est pas ça qui manque chez nous, ni des filtres hi-fi. Abondamment pourvu par ses flirts de gadgets pour fumeurs, il prend son utility, souvenir de 1945, et on allume une avant même rasage. Quand il pense que son père disait avant la barbe, après la barbe! Grâce à Dieu, de savants pogonotomistes nous ont pourvus de précieuses eaux de toilette avant rasage, de shaving-soaps irréprochables, de pre-shave lotions, électriques ou non, d'after-shaves, de talcs after-shave et de cold cream frais pour les peaux délicates. Qu'il soit gentleman-farmer, manager, matchmaker ou coach d'un team de rugby, quel gentleman aujourd'hui n'a pas la peau délicate? A lui par conséquent les grands ensembles *Arden for men*, *Partner* de Millot, *Old Spice*. Un peu de whip en atomizer, et le voilà prêt, notre gentleman, pour sa journée.

Est-il en vacances? L'embarras sera de choisir le

costume approprié au premier bain. Un slip ? un short ?
ou plutôt un bermuda ? Après le bain, faut-il opter
pour le sand-jean ou le sun-jean, pour la tee-shirt
ou la poloshirt ? Le mieux ne serait-ce pas un twin
set ou encore un short jean's, avec un blazer de
yachtman ?

Va-t-il au bureau ? Son hip-slip et sa skin-shirt bleu
navy lui donneront l'air d'un sportif à l'entraînement ;
avec ça il est sûr de n'être jamais gêné de se montrer.
Mais il a les cheveux un peu longs sur la nuque, ça fait
intellectuel négligé ; il passera donc au Toilet Club
pour un rafraîchissement, et un shampooing par la
même occasion. « Un peu de Moustache for men ? —
Non, mais un rien de Monsieur de Givenchy, ou plutôt
un peu d'eau de Balenciaga for men. — Vous n'avez
besoin de rien ? un stick ? des lames nouvelles, les
adjustables ? — Non, rien, vraiment rien. Sorry. »

En sortant du Toilet Club, il s'aperçoit qu'il a
oublié sa boîte à cigarettes mémo-case, et qu'un papillon
bleu orne le pare-brise de son roadster hard-top four-
wheel drive. Bah ! puisque time is money, mieux vaut
gagner du temps et perdre quelque argent. Au reste, il
la fera sauter, cette contredanse, car en jouant l'autre
mois un mixed foursome sur les links de..., il a connu
un haut fonctionnaire de la police municipale.

A peine arrivé à son bureau, la secrétaire lui apprend
qu'elle n'a pu obtenir de table au Bougnat's Club, pour
le déjeuner d'affaires. « Avez-vous essayé International
house ? J'en aime l'ambiance très G. I.'s et j'avoue,
égoïstement, apprécier leur Texas steak, leur souther
fried chicken et leur apple-pie à la mode. — J'ai prévenu
votre désir, Monsieur. — Mademoiselle, vous mériteriez
que je vous invite là-bas un de ces soirs, à moins que,

pour votre ligne, vous ne préfériez la salade mixed de la *Cuiller en bois.* »

Tout à coup il éclate de rire : « Excusez-moi, Mademoiselle, je pensais à un bon mot que je lisais hier dans un journal, à propos du Dr Ward : « Un monsieur qui a des nurses spéciales » ; pas mal, hein ? Et maintenant, au travail ! Donnez-moi d'abord le dossier que je vous ai prié de me préparer sur la situation du dollar, les accords swap, l'emprunt stand by que Monsieur K. a obtenu du Fonds monétaire, et le dispositif qui restreint les investissements étrangers aux U. S. A. — O. K. »

L'heure arrive bientôt du déjeuner d'affaires. Ses deux businessmen l'attendent au bar devant leurs deux dries. « Pour moi, ce sera un whisky, et pas un baby, barman ! Avez-vous du Vat 69 ? — Du sixty-nine ? J'ai tous les scotches, mais je me permets de vous conseiller ce Johnny Walker black label : je ne pourrais pas vous en proposer tous les jours. On the rocks, ou avec un peu d'eau ? — On the rocks. »

Ainsi passe la journée, entre les stencils et les problèmes de marketing, entre le planning de l'export-import et les souvenirs qui remontent de la dernière soirée passée avec la cover-girl. Ce qu'elle pouvait être amusante, celle-là, avec sa façon de se trémousser en twistant, beaucoup plus suggestive que la danse du ventre. Dommage qu'elle se barbouille au sun-tan et qu'au fond elle s'ennuie en faisant passivement l'amour, tout obsédée qu'elle est d'accroître son standing et de se hausser au rang de starlette.

Qu'on me fasse grâce du reste. Lorsque je publierai mon dictionnaire du sabir atlantique, on verra que tous les métiers, tous les secteurs de la pensée et de l'action sont chez nous contaminés, et qu'en donnant aux teenagers un solide vocabulaire américain de base, les marchands de comics rendaient à la France un service que nous ne paierons jamais assez cher : grâce à eux, les ex-teenagers sont préparés à leur avenir. Bien des adultes l'ont compris, qui disputent âprement à leur progéniture les numéros de *Kid Carson*, de *Tintin* et de *Top*. Comme l'a savamment et objectivement calculé un de mes collègues américains, l'âge mental du citoyen yanqui progresse régulièrement depuis le début du xxᵉ siècle : il oscille actuellement aux alentours de thirteen ans. L'adulte U. S. est un véritable teen. Pour égaler Tarzan, Superman, Mr. Mystic et autres héros yanquis, nous savons ce qui nous reste à faire. Redevenons des teens, si nous sommes des mâles, et si, selon l'heureuse expression d'outre-Atlantique, si donc nous sommes des femelles, redevenons des teenettes.

CHAPITRE III

O'SIID-CLUB

Lu scène se passe dans un salon de coiffure-institut
de beauté. Personnages en scène: une blonde, une platinée
qui attendent leur tour en lisant des magazines: une
future mère de famille (ça se voit); une dame en proie au
modeling. Soumise au Régécolor, une auburn fixe le
plafond. Trois autres dames subissent la mise en plis.
Derrière une cloison, une teenager se fait faire un peeling.

L'AUBURN : Si les hommes savaient ce que nous
pouvons souffrir pour passer le beauté-test pour têtes
d'été! Avec ce Régécolor, je vais attraper un torticolis.

LA PRÉMAMAN : Oui, pour eux, à part le rasage...
et même, depuis qu'ils se passent après du leutric shave,
ça ne compte plus guère, le feu du rasoir.

LA MODELING : Moi, j'ai choisi le modeling; au
moins, on peut causer; et ça tient à l'humidité. Avec un
peu de spray par là-dessus, je suis toujours nette. Et
puis, s'il n'est pas content, il n'a qu'à se payer des call-
girls, comme ce Ward...

MISE EN PLIS Nº 1 : Oui, quand on pense au
tintouin qu'on se donne pour eux. Rien que pour les
yeux, hein! Je ne suis pourtant pas comme Lucky,
moi ; je ne passe pas une heure pour le makupe de chaque

œil. Mais quand mon mari m'emmène souper dans un night-club, je ne m'en tire pas à moins d'un quart d'heure par paupière. Rien que le contour makupe, pour qu'il soit sans bavure...

MISE EN PLIS Nº 2 : Je dois dire qu'avec le cotynatic charco-ale et le eye shadow turquoise, je m'en tire sans trop de peine. D'abord, moi, je sais me débrouiller. Il a bien fallu que j'apprenne à être à l'heure, parce que, lui, sitôt qu'il s'est aspergé de Go Gay — c'est son spray à lui — il devient d'une humeur massacrante si je le fais attendre quand on sort. Alors j'ai trouvé le bon gadget : un twin-set qui me dispense d'avoir à chercher dans mes rouges celui qui convient à la nuance de mes ongles ; je suis 100 % pour le twin-set de Peggy Sage.

L'AUBURN (*en riant*) : C'est plus sage !

MISE EN PLIS Nº 2 : Ya pas de quoi rire.

L'AUBURN : Mais si. Vous avez dit twin-set ; c'est du twin-red, votre gadget. Je le sais : je me sers du même.

MISE EN PLIS Nº 2 : Twin red ou twin set, c'est du pareil au même : c'est de l'assorti, c'est toujours du twin.

LA PEELING (*derrière sa cloison*) : Moi je préfère le twist. Je twiste, il twiste, nous twistons amoureusement. C'est pour ce twister-là que je me fais faire un peeling parce qu'il n'aime pas l'acné, mon flirt.

LA PRÉMAMAN : C'est du joli, votre twist. D'une indécence !

LA PEELING : En tout cas, ça au moins, c'est new look, et qu'est-ce que c'est terrible !... *Je twiste les blues*, je twiste même les blues !

MISE EN PLIS Nº 2 : Terrible, ça oui. Les twisteurs

souffrent de toutes sortes de maladies, c'est connu. Je l'ai lu dans plusieurs magazines. Je préfère le slow ; d'abord, c'est plus romantique, c'est plus intime.

LA PEELING : N'empêche que le révérend évêque de Guilford a dansé le twist. C'était dans *Paris-Match*, avec sa photo. Même que le vicaire général de Paris est pour, lui aussi.

LA PRÉMAMAN : Si je devais avoir une fille qui twiste, je lui tordrais le cou.

LA PEELING : Ce serait encore lui faire faire du twist, puisque twist c'est le mot anglais pour tordre. Notre prof de lycée nous l'a dit. (*Éclats de rires.*)

LA PRÉMAMAN : Et vous riez! Twist, madison, surprise-parties, surboums, et maintenant le hully-gully! Si j'avais une fille et qu'elle aille dans un surboum...

LA PEELING : C'est à se twister de rire! Pour moi, le boom-twist vaut mieux que le baby-boom!

LA PRÉMAMAN (*indignée*) : Et la religion? Qu'est-ce que vous en faites. Moi, telle que vous me voyez, je pratique la méthode Ogino...

LA PLATINÉE : Excusez-moi, madame, mais ça se voit! Ne croyez-vous pas que l'Église admettra un jour ou l'autre le planning familial, le birth control et les contraceptifs? Un soir, à la télé, un clergyman a parlé dans ce sens-là, oh! très discrètement encore, mais enfin...

MISE EN PLIS Nº 1 : S'il n'y avait pas le problème des nurses et du baby-sitting, je serais pour les enfants, moi, mais dans un roof minuscule de deux pièces, allez donc élever une famille nombreuse. Qu'ils nous donnent de belles suites avec spacieux livings et on en aura plus facilement, des babies.

MISE EN PLIS Nº 2 : J'adore les enfants, moi, mais je n'arrive pas à en avoir. Si j'en ai vu, pourtant, des spécialistes ! Alors je me console en tricotant des layettes pour mes amies. J'adore le loisir-tricot. C'est mon hobby. Sweaters, pull-overs, fouli moque fachion, jerseys, même des twin-sets complets, je tricote de tout.

LA PEELING : Vous devriez bien me faire un V neck en mohair à mes mesures, et fully mock fashioned. Parce que, le tricot et moi, ça fait deux. Mais je raffole du mohair en V neck.

MISE EN PLIS Nº 2 : Qu'est-ce que c'est qu'un vinèque ?

MISE EN PLIS Nº 3 : Qu'est-ce que c'est qu'un mohair fachion ?

LA PEELING : Un décolleté en vé ; et du simili entièrement diminué.

L'AUBURN : A propos de tricot, l'autre jour, en faisant mon shopping, je suis tombée sur un amour d'over-blouse en solde, mais la couleur ne matchait pas avec mes cheveux. Qu'auriez-vous fait à ma place ?

MISE EN PLIS Nº 2 : J'aurais étudié la forme et le point et je l'aurais reproduit dans une couleur qui m'aille. Rien de plus simple. Moi je suis pour tout ce qui est homemade. A propos de homemade, j'ai trouvé un boulanger formidable qui, grâce à des tranches de pain rassis, m'a permis de résoudre le problème-sand-wiches-homemade.

LA BLONDE : Le pain rassis, c'est bon pour la ligne.

L'AUBURN : Moi, je l'ai acheté quand même, cet amour d'over-blouse. Le seul ennui, c'est que la forme accuse la poitrine de façon un peu provocante.

LA PEELING : Adoptez le teenform pour cette opéra-tion-sécurité.

LA PLATINÉE : A quoi bon! Tous les hommes d'aujourd'hui préfèrent les poitrines opulentes. Voyez le succès de Lolo, de Marilyn et des autres! L'exuber bust rafermer l'emporte aujourd'hui sur l'exuber bust reducer.

LA BLONDE : C'est bien vrai. Écoutez ce que je lis dans *Elle* : « Je le sentais bien : mon mari avait honte de mes seins trop petits. Il était malgré lui attiré par les poitrines plus pleines qui sont l'une des armes des vraies femmes. Désespérée, j'ai essayé exuber bust developer. Ce fut fantastique : en huit jours, un résultat surprenant. »

LA PEELING : Mais alors, même l'accrochage fasten ne maintient plus le soutien-gorge.

L'AUBURN : Moi, je suis pour la ligne slim. J'ai horreur des hommes qui ont besoin de trouver une mère dans leur flirt ou leur femme.

LA BLONDE : D'accord. Mais c'est facile à dire, quand on est comme vous du genre... j'allais dire une bêtise... enfin moi, telle que vous me voyez, j'ai tout essayé, y compris le bermuda boom-mince. Ils assuraient qu'on perd un kilo par semaine avec cette lingerie amincissante ; eh bien! en trois semaines, j'ai pris 600 grammes. Comme je pars en vacances à Saint-Trop' dans quelques jours, je suis bien embêtée à cause de ces maudits coussins de cellulite.

LA PEELING : Deux heures par jour de hula-hoop et, boom-mince ou non, vous le perdrez, votre kilo par semaine.

LA PRÉMAMAN : Mais c'est complètement démodé, le hula-hoop, ça ne se porte plus.

LA PEELING (*éclate de rire*) : Ce n'est pas une marque de lingerie, le hula-hoop, ce n'est donc ni sanforized, ni sanitized. C'est un sport aussi amusant, mais plus

difficile que le twist. Twist! Let's twist again, Twist...
twist... twist again!...

LA BLONDE : Le pire avec ces boom-mince, c'est
qu'on doit mettre après beaucoup de déodorant. Et
puis ça fatigue tant qu'il faut une heure au moins de
relaxe entre chaque opération. Et puis il y en a trop
à notre choix, des bermudas amaigrissants. On s'y
perd.

MISE EN PLIS Nº 2 : A propos de vacances, j'ai
déniché un barbecue miniature épatant, l'hostess-grill,
avec un moteur qui permet au rôti de tourner, comme
à la broche dans le temps. Moi je suis 100 % pour la
cuisine cow-boy, et je dis O. K. à tous les gadgets-plein-
air, à tous les do it yourself.

L'AUBURN : Moi, c'est plutôt les poils qui me gênent
pour porter mon petit deux-pièces à la plage. My epil'
n'est pas mal, je le préfère au Taky, mais je voudrais
bien m'en débarrasser une fois pour toutes, de ce duvet
superflu. Jusqu'à présent...

MISE EN PLIS Nº 1 : Le duvet, ce n'est rien. D'abord
on peut le faire blondir à l'eau oxygénée. Mais les varices !
J'ai eu beau me faire faire un stripping, je vois déjà
que ça menace ailleurs.

LA PEELING : Bah! le costume de plage, c'est pas
exactement du vrai strip-tease! Ya tant de vedettes à
Saint-Trop' que bien malin celui qui peut se rappeler
que tels poils sont de celle-ci, ou telles varices de celle-
là.

MISE EN PLIS Nº 3 (*à la blonde*) : Avez-vous essayé
Amincyl ? On dit que c'est spécifique pour les adiposités
en sandwiches. C'est unique, vraiment différent. J'ai
vu ça dans *Marie-Claire*, il y a un an ou deux.

LA BLONDE : J'essaie plutôt buimassor-clinic, le soi-

disant mangeur de mauvaises graisses. Mais en ce
moment je voudrais que la mode-vacances exige que les
femmes portent des jeans très longs et des sweaters ras-
du-cou à manches, parce que ce problème-cellulite me
gâche ma relaxation. Ah! je donnerais cher pour une
cure-beauté vraiment efficiente et qui me permette
de rattraper en capital-soleil ce que j'aurais dépensé.
Justement, une amie m'avait indiqué flash-sol pour
bronzer sans coups de soleil. Et voilà que je n'arrive pas
à faire fondre d'abord ma cellulite.

LA PEELING : Eh bien! on peut dire que vous êtes
drôles, là-bas derrière! Le régime cellulitaire...

MISE EN PLIS N° 3 : En effet, on n'est pas drôles,
nous, mademoiselle! On ne twiste pas, on ne madisone
pas, nous. On n'est pas des pin-ups ou des call-girls pour
un Dr Ward, nous! On n'est pas drôles, nous, cela se
peut, mais vous là-bas derrière, vous me paraissez une
drôle de petite drôlesse, et impertinente avec ça! Les
teenagers, aujourd'hui, ça se croit tout permis : la place
de la Nation n'est pas assez grande pour eux et pour
elles. Après avoir brisé les chaises dans les soirées du
jazz, on commence par tout casser sur la voie publique,
on viole des religieuses, et on finit comme Liz Taylor ou
Soraya, avec des play-boys à ses trousses. Ça, elles ne
l'ont pas volé, les Christine Keeler...

LA MODELING : Remarquez : jusqu'à présent, c'est
plutôt Ward qui a tout pris, et ça ne leur réussit pas
si mal, aux call-girls, leurs petites parties. Et que je te
leur offre vingt mille sterling pour raconter leurs
aventures. Tandis que le Dr Ward, peut-être pas si
docteur que ça (ça, c'est une autre affaire), il y a des
gens qui disent que l'intelligence service n'est pas pour
rien dans sa tentative de suicide. Il en savait trop, cet

homme, sur les gentélemanes et les gentélevomanes, sur la gentry et les chasse-parties à la grouse.

LA PRÉMAMAN : Au fait, je lis souvent ce mot-là : qu'est-ce que c'est qu'une grouse ?

LA MODELING : Je ne sais pas au juste ; en tout cas c'est un oiseau très chic ; j'ai lu quelque part que tous les gens de l'établissement chassent la grouse en Écosse.

LA PRÉMAMAN : Quel établissement ? Enfin, peu importe : grouse ou pas grouse, Ward est reconnu coupable d'offenses sexuelles. Ça lui fera une belle jambe d'avoir chassé la grouse avec des gentlewoman-farmers. D'abord il a admis lui-même qu'il est un être immoral. « Je suis complètement immoral », il l'a dit lui-même.

LA PEELING : Ce play-boy-là, il aura pris du bon temps, au moins. La seule chose qui me choque vraiment, dans son affaire, c'est que tous ses amis huppés l'ont lâché, tous : lord Astor, Profumo, les autres. Tandis que certaines call-girls, comme vous dites, elles au moins le défendent.

LA PRÉMAMAN : Parce que vous les appelez call-girls, ces filles, est-ce que vous croyez en faire autre chose que de vulgaires prostituées ? Il n'y en a que pour elles en ce moment : call-girl par-ci, call-girl par-là. Ma parole, il faudra bientôt qu'elles figurent aux honneurs de la Reine et leur créer une décoration.

LA PEELING : Elle existe déjà en Angleterre : l'ordre de la jarretière !

(*Rires.*)

LA PRÉMAMAN : Rira bien qui rira la dernière. En attendant, il n'y en a que pour elles, des flash, des reporters, des interviews.

LA BLONDE : Allons, mesdames, relaxez-vous ! Admet-

tons que ce ne soient pas des filles de grand
standing, ces Keeler et Cie ; mais alors, il me semble
que vous leur donnez beaucoup trop d'importance.
Moi, voyez-vous, je ne lis jamais les journaux, sauf
la publicité pour la cellulite, les soins de beauté et les
appareils ménagers : ça, c'est du sérieux. Parlez-moi de
facil' huître, de houss vit, de bul'four, des gadgets
genre mixer, solfa finings ou self-adhésits. Tenez, je
viens d'essayer la première cafetière électrique en
faïence : pulsating system. Ça, on peut savoir si ça
marche ou non. Mais votre Dr Ward, qui saura jamais
s'il a vraiment commis ces offenses sexuelles dont tout
le monde parle ? Alors moi, je me dis : « Ma fille, plutôt
que l'intelligence service, le self-service ! » J'avoue
que j'hésite encore entre la cona new model et mon
pulsating system ; mais en ce qui me concerne, les
fauteuils et les matelas, aucun doute : moi je suis
100 % pour les no sag.

LA PEELING (*d'un air faussement innocent*) : Qu'est-ce
que c'est, siouplaît, un fauteuil no sag ?

LA BLONDE : Non mais alors, celle-là ! (*A la prémaman :*) Vous aviez raison, madame, c'est une drôlesse.
Et si ça me convient, à moi, le no sag ! Ce qu'il y a de
sûr, c'est que je suis 100 % pour les no sag, et que ce
n'est pas une petite impertinente qui m'en fera démordre.
(*A la prémaman, en imitant la peeling :*) Qu'est-ce que
c'est, siouplaît, un fauteuil no sag ?

(*Quelqu'un grimpe l'escalier à toute vitesse ; haletante,
une shampooineuse fait irruption.*)

LA SHAMPOOINEUSE : Il est mort ; c'est le suminupe
qui l'a tué.

VOIX DIVERSES : Qui ? de quoi ? le quoi ? le fumiquoi ?
qui, mort ?

LA SHAMPOOINEUSE : Warde, pour sûr. Y a eu un flash à la radio. Et un monsieur qui parlait avec le patron pendant la coupe a dit que c'était un coup de l'intelligence service.

(*Un temps de silence.*)

MISE EN PLIS Nº 2 : En tout cas, l'intelligence service n'est pas aussi intelligente qu'elle dit, parce que cette mort, c'est cousu de fil blanc.

L'AUBURN : Alors il s'est tué au suminupe ? Je ne connaissais pas ce somnifère-là ; c'est sûrement une marque anglaise ou américaine. Combien de pilules il a prises, pratiquement ?

LA SHAMPOOINEUSE : Trente, ils disent, et trois c'est le maximum qu'on peut avaler sans danger. En tout cas, moi, j'en aurai jamais chez moi, du suminupe. Vous pensez, avec les gosses ! C'est si vite avalé, un bonbon. Le mien surtout, c'est un vrai diable, un brise-fer ; ses baskets, en quinze jours il en vient à bout ; même les box-calf du dimanche ne lui tiennent pas six mois : il joue au foot avec, il shoote dans les pierres. Et puis il grimpe partout, fouille les placards de la kitchenette et du livine. Je suis obligée de cacher tous mes produits d'entretien ; cet enfant-problème, je l'ai surpris en train de mâchonner du scotch-brite. Une autre fois, il léchait le polish de sécurité, le seul heureusement que j'achète parce qu'il est de sécurité : le tanil-créame. Quand même, moi je ne crois pas qu'il serait coupable...

LA PRÉMAMAN : Un innocent ne se serait pas auto-détruit, il aurait jugé qu'il était impératif de se blanchir de cette offense...

LA PEELING : Je voudrais bien voir vos têtes devant un M. Justice avec sa perruque poudrée ! A propos, le

suminupe, c'est pas un somnifère, c'est un résumé.
Alors ça m'étonnerait qu'un résumé l'ait tué, à moins
que ce ne soit celui du juge, avant la délibération.

LA BLONDE : Oh moi, toutes ces histoires de covér-
gueules, je commence à en avoir par-dessus la tête. A
propos de par-dessus la tête, dites, mademoiselle, vous
qui êtes shampooineuse, qu'est-ce que vous pensez du
princess-curler et du ril'bross, les nouveaux bigoudis
cosmo ? Ma fille a des cheveux en baguettes de
tambour. J'ai essayé babyliss : zéro. Princess'curler, ça
doit être bien, puisque c'est une bonne adresse de
Monique.

LA SHAMPOOINEUSE (*riant*) : Vous n'espérez quand
même pas que je m'ôterai le pain de la bouche en vous
disant ce qui la coiffera le mieux, votre fillette. Mais on
m'attend. Je file. Pauvre Warde !

LA BLONDE : Moi, je fais confiance aux bonnes
adresses de Monique, et je m'en trouve bien, sauf en ce
qui concerne ma cellulite. Justement, j'ai essayé le
chiquennepie que recommandait l'*Ello* de l'autre
semaine. Pas mal du tout. (*Bref silence.*) Tiens, ça aussi,
ça n'a pas l'air mal : pour la plage, le cabas bon magique
en toile de lin avec une fermeture à glissière arrêtée
par un tuck... Un tuck ? ah ! ils ont voulu dire un truc,
un gadget, quoi, et plastifié. (*Silence.*) Oh ! ça c'est bien
dit : *le Japon en flash-choc.*

(*Elle feuillette, les autres se taisent. Pensent-elles au*
play-boy qui vient de mourir de suminupe ?)

Maa sutekine, savez-vous ce que ça veut dire en
japonais ? (*Silence.*) *Quel chic !* voilà ce que ça veut
dire ; c'est amusant, le japonais ! *Mochimochi,* ça veut
dire *allô !* C'est bien plus joli, *mochimochi.*

LA PEELING : Moi je dirais que *mochi-mochi,* c'est

un peu moche-moche. Non mais! vous m'entendez dire *mochi-mochi* à mon flirt, ou à mon boy-friend!

LA PRÉMAMAN : Faites-la taire. C'est shocking!

L'AUBURN : Moi, je trouve que c'est plutôt rigolo, *mishi-mishi*. C'est caressant ; c'est mignon, le japonais ; plus que le français. Admettez qu'*allô !* n'est pas original.

LA PLATINÉE : Oui, et puis ils sont bien plus polis que nous, les Japonais : tout est toujours honorable. Comme les Anglais, du reste. C'est peut-être parce qu'ils vivent tous les deux dans des îles. L'honorable parlementaire par-ci, l'honorable partie de campagne par-là ; ça fait très gentleument!

LA BLONDE : Justement. *Elle* dit que dix mille Japonais font chaque année l'ascension de « l'honorable monsieur Fuji », le Fuji-yama.

LA PLATINÉE : Alors, *yama* veut dire honorable monsieur en japonais?

LA BLONDE : Faut croire, puisque Fouji veut dire fouji.

LA PLATINÉE : Comme Foujita?

MISE EN PLIS Nº 2 : C'est vrai judo, jiu-jitsu, c'est joli. Moi, j'ai connu un judoka. Mais avec un catcheur, alors non, je ne pourrais pas!

LA PEELING : Vous ne pourriez pas quoi? Faire du pressing? du sleeping? ou du catch as catch can ?

LA PRÉMAMAN (*entre ses dents*) : Oh! celle-là! celle-là!

LA PLATINÉE : Les chiens aboient, les caravanings passent. Vous ne trouvez pas que ce serait plus chou de parler japonais : judo, mousmé, geisha, c'est plus doux que le français. Seulement, c'est un peu loin pour apprendre à le parler. Si au moins on savait tous l'anglais. On devrait rendre l'anglais obligatoire à l'école primaire. D'abord les gentleuments parlent anglais, eux. Et on a

beau dire « la galanterie française », moi je ne les trouve
pas si galants que ça, nos hommes ; tandis que les G. I.,
les gentleuments ! D'abord, on ne peut presque rien
dire en français : le tweed, le lambswool, le cashmere,
le mohair, les panties, les bermuda, les twin-sets, les
over-blouses, les pulls, les sweaters, les cardigans, le
volley, les sun-tans, le basket, le water-polo, les waters,
les tartan plaids, les coverfluids, les makups, les hold-
upe, les uppercutes, les blues, les swings, le swing, les
sprinters, les taxi-girls, les grill-rooms, les jeans, les
ice-creams, le blizzard, les bloomers, les tests, les leaders,
les bowlings, les startors, le madison, le hully-gully,
les gangsters, le footing, les vikings, allez donc dire ça
en français ! Je ne suis pourtant pas snob ; je ne suis
qu'une modeste secrétaire de direction, une self-made-
woman et pas du tout bigame, je veux dire bilingue...

LA PEELING : Et si c'était la même chose...

LA PLATINÉE : ... mais je comprends ceux qui disent,
les jeunes surtout, que pour bien comprendre le ciné,
la radio, les journaux, c'est l'anglais qui serait le plus
utile. Une fois, je me rappelle, mon petit neveu lisait
Spirou ; il m'a posé deux ou trois quiz de mots que je
ne connaissais pas. *Buonas tardes*, ça je me rappelle,
il y avait *buonas tardes* ; et *tching*, j'ai d'abord cru que
c'était du chinois, et puis il paraît que c'était quelque
chose comme plouf !, ou crac ! Et puis il y avait :
ça c'est une jam. Moi, j'ai pas pu lui expliquer ce que
c'est qu'une jam.

LA PEELING : Une jam-session, tout simplement un
truc de jazz.

LA PLATINÉE : Et puis il y avait des trafiquants du
buche. Vous sauriez, vous, ce que c'est que les trafiquants
du buche ? Je ne me rappelle plus comment ça s'écrivait ;

mais ça se prononçait *buche*, ça je m'en rappelle. Les
trafiquants de bûches, bon, mais les trafiquants du
buche ? Si on nous apprenait mieux l'anglais à l'école,
on pourrait lire *Spirou*. Il faut avouer, entre nous,
qu'on est dépassées par les événements. Si ma vie était
à refaire, j'apprendrais d'abord l'anglais [1].

LA PLATINÉE : Et si on demandait au *Elle-club*, qui
prend tant d'initiatives-chocs, d'organiser dans chaque
numéro d'*Elle* un cours d'*English-spoken*. En deux ou
trois ans on serait à la page.

MISE EN PLIS Nº 2 : Ça, c'est une idée-*Elle*, une idée-
rama, ça solutionnerait nos problèmes-lectures. Que
diriez-vous si on écrivait ensemble une lettre au *Elle-
club*, pour proposer notre idée-anglais. Si ça réussissait,
vous parlez d'un international succès. Qu'est-ce qu'on
pourrait dire, par exemple ?

L'AUBURN : D'abord, il faudrait se mettre d'accord
pour savoir si on écrirait à Jean Duché, ou à *les lectrices
bavardent*. Qu'est-ce qui serait le plus efficient ?

MISE EN PLIS Nº 3 : Il me semble que Jean Duché...

LA PRÉMAMAN : Et si on se mettait d'abord d'accord
sur le texte. Voyons, comment commencer ? Quelque
chose comme : parce que nous disons oui...

MISE EN PLIS Nº 3 : Non, parce que nous disons O. K...
à la cuisine western...

LA PRÉMAMAN : Et non au planning familial...

LA PLATINÉE : Ah! non, pas de politique!

LA BLONDE : Parce que nous disons O. K. à la ligne
slim, aux sandejeans sanforized, aux sandwiches homemade, aux cadeaux-auto... ma foi, oui, ça ferait un bon
début, bien dans la note...

---

1. Il s'agissait sans doute des trafiquants du *bush*. En français
désuet : du maquis, de la savane.

L'AUBURN : Parce que nous disons O. K. au patch-work-partout, au new look californian, au bermuda, aux tee-shirts, au baby-sitting, au chewing-gum entre les repas quand on est seule, parce que nous crions O. K. aux meubles-murs...

MISE EN PLIS N° 1 : Pas d'accord pour les meubles-murs. Je dirais plutôt aux shampooings-sourires (c'est impératif puisqu'on en est au modeling).

LA MODELING : Ça, c'est une idée-*Elle*, c'est idéelle. Tiens, ce serait gentil : parce que nous crions O. K. aux idéelles...

LA PEELING : Et zut aux idéaux !

LA BLONDE : Parce que nous admettons que Tampax est vraiment différent, et que le drugstore, c'est encore mieux que les snack-bars.

LA PRÉMAMAN : Ah non ! par exemple. A Jean Duché, parler de ces...

LA PEELING : ... on n'a pas encore décidé qu'on écrirait à Jean Duché, et puis on va rewriter tout ça.

LA PRÉMAMAN : Moi je dirais : parce que nous disons O. K. au baby-boom de M. Debré...

LA PLATINÉE : Je ne veux pas faire de politique. Ce serait déplacé, puisqu'il s'agit seulement d'apprendre l'anglais.

LA PRÉMAMAN : Alors, ne précisons pas qu'il s'agit du baby-boom de M. Debré ; mais moi, j'ai mes convictions, j'ai ma religion. On peut être new look et pour le baby-boom, la preuve c'est que B. B. et Françoise Sagan en ont, des babies.

LA PEELING : Si vous exigez le baby-boom, moi je voudrais qu'on dise aussi : parce que nous disons O. K. au baby-boom et au boom-twist...

MISE EN PLIS N° 2 : Ah non ! je ne dis pas O. K. au twist, moi. Moi, je suis pour le slow...

LA PLATINÉE : Reprenons. Parce que nous disons O. K. à la mode cow-boy...

MISE EN PLIS Nº 3 : Mais non : à la cuisine western...

LA PRÉMAMAN : Pour contenter tout le monde, disons : à la mode cow-girl et à la cuisine southern, au baby-boom et à la ligne slim...

LA PEELING : Aux panties sanitized et aux bermudas-jeans.

MISE EN PLIS Nº 2 : On n'y arrivera jamais sans écrire ce qu'on dit, et puis d'abord, après les parce que, qu'est-ce qu'on dira ?

(*Voix en brouhaha.*)

LA PEELING : Quand je vous disais qu'on n'y arrivera jamais sans rewriting !

LA PLATINÉE : Moi je dirais quelque chose comme ceci : puisqu'il est organisé des leçons gratuites de crawl pour les *Elle-club*, il a été conçu l'idée-*Elle* d'organiser pour les *Elle-club* des leçons gratuites d'anglais pour maîtriser cette langue nouvelle vague, cette langue new look...

MISE EN PLIS Nº 3 : Moi je dirais plutôt : cette langue prospective, parce que l'anglais, c'est l'avenir du français, c'est prospectif, quoi ! C'est un mot ravissant, prospectif : ça a du chic, ce n'est pas banal.

LA PRÉMAMAN : Il faudrait dire aussi quelque chose comme quoi les problèmes-lectures sont spécifiques, et dominés par un fait majeur : la nécessaire révolution-langage, due à l'accélération de l'histoire et à l'environnement, à preuve le vosevo.

MISE EN PLIS Nº 2 : Qu'est-ce que c'est le vosevo ?

LA PRÉMAMAN : Le nouveau bottin de la high société ; il a une couverture rouge, le vosevo ; avant, c'était le saint Gothard ; c'est là que les gentlemanes donnent leur adresse, maintenant, celle de leur cottage, ou de leur manoir, la marque de leur yôte, enfin c'est le vosevo de la gentry française.

LA PEELING : Hou! hou! le househou, hou! hou! le househou... parce que nous disons O. K. au househou et *niet* au bottin mondain...

LA PRÉMAMAN : Écoutez, si vous continuez, là bas, moi je n'écris plus à Jean Duché. Enfin, n'est ce pas shocking de voir une gamine, où lui tordrait le nez, il en sortirait encore du lait...

LA PEELING : *The milk of human kindness*, comme dit Shakespeare, miladi. *The milk of human kindness*, voilà ce qui me sortirait du nez. Mais comme, malgré les apparences, je suis une brave petite teenette et que je sais un peu d'anglais, moi, qui passai trois ans dans une école du Sussex, je vais vous donner une idée-*Elle*, une idée formid', une idée chic-choc, et pas du tout shocking : quand vous l'aurez enfin rédigée, votre petite *column*, il faudra bien trouver une signature commune. Cette signature, je vous l'ai trouvée, moi, et je vous l'offre, à vous toutes les *Elle-club*, parce que le *milk of human kindness*, il me dégouline du nez, le *lait de la tendresse humaine*. Alors, mes ladies, vous signerez : O apostrophe-esse-hache-e-trait d'union (ne pas oublier le trait d'union! très important dans un club), trait d'union cé-elle-u-bé : *O'She-Club*. Le tout est de prononcer la chose proprement.

(*Par pudeur, le rideau tombe tout seul.*)

TROISIÈME PARTIE

Grammaire provisoire et abrégée du sabir atlantique

ou mieux :

Une actuelle et prospective grammaire digest du subir atlantic

ou le mieux du monde :

Un' actuell' et prospectiv grammuir' digest du sabir atlantyck

N. B. Tous les mots, tous les exemples cités dans cette grammaire figurent, avec leur référence, dans les fichiers destinés au *Dictionnaire philosophique et critique du sabir atlantique*.

Alphabet, orthographe, prononciation, accentuation.

ALPHABET

L'alphabet du sabir atlantic (cette variante du franglais) utilise 26 lettres :

a, b, c, d, e, f, g, h, i, j, k, l, m, n, o, p, q, r, s, t, u, v, w, x, y, z.

On voit que, provisoirement, il coïncide avec celui du français. Toutefois, la fréquence de certaines lettres a changé du tout au tout. Ne serait-ce que dans l'intérêt de la défense qu'on appelait jadis nationale, il importe que nos futurs G. I., ou G. I. s., quand ils auront à faire un travail de chiffrement ou de décryptement, en tiennent le plus grand compte. En effet, l'*e* du français qu'on appelle *muet* l'est si exactement devenu en sabir atlantic qu'il a tendance à disparaître. Deux lettres en revanche, très rares en français, deviennent les plus fréquentes en sabir atlantic : le *k* et le *y*. Elles ont une valeur magique ; nous pouvons donc les appeler les deux consonnes *magic* (voir, ci-dessous, le chapitre concernant l'accord de l'adjectif en sabir atlantic).

Parlez-vous franglais ?

Exemples :

Le vin *K*arafon ; le climamas*k*e ; le nouveau bain
*K*améléon ; *K* et *K*. ; mais qu'a *K*. ? ; *K*aïque ; *K*ristine ;
Club coiffure Maur*ys* ; Relay de Montmajour ; nougat
Diane de Po*y*tiers (Montélimar) ; Mon*y* ; Sim*y* ; Od*ys* ;
N*y*del ; *K*l*y*tia ; Linj*y*l ; dites oui à W*y*l ; l'homme qui
sait ce qu'il veut a choisi *Y*ardley... définitivement
conquis par la nouvelle gamme « *Y* ».

Remarque :

Lorsqu'un mot français vient d'un mot grec qui
s'écrit avec iota (*isos, oligos*) ou d'une diphtongue iota-
cisée (*cheir*), il s'écrit avec la voyelle *i*. Exemples :
isocèle, chiromancie. En sabir atlantic, on transforme
cet *i* en *y* selon la règle :

Laboratoires *Y*soptic ; la *Chyromantie* (*sic*) naturelle ;
recette *olygos* pour maigrir.

Corollaire :

Puisque le sabir atlantic se reconnaît à la fréquence
des consonnes *magic k* et *y*, un mot sera d'autant plus
sabiral, d'autant plus *magic* qu'il comportera plus de *k*
et de *y*. On ne saurait trop recommander, à cet égard,
le coton Pol*y*pr*y*m, le traitement S*y*nte*k*o, et surtout
le jus de pommes Nor*k*y, le tailleur *K*r*y*stian, qui ont
fort bien pressenti les règles de la grammaire prospective.

Vœux :

  a) Que qui s'écrive *ky* ; exquis, *exky* ; conquis, *conky*,
etc. ;

  b) Que tous les mots en *-té* deviennent des mots en *-ty ;*

  c) Que la lettre *h*, morte en français, devienne ce
dont elle est virtuellement capable, une lettre *magic*,
comme le *k* et le *y*. Des substantifs comme Jhane,

Jehanne, A'Seborrʰ, thricologue, cithyrama, rhovyl
sont prometteurs.

Exercices :

1) *Remplacer les points de suspension par la consonne*
magic *qui s'impose :*

...a...a — ...o...o — ...o...u — ...u...u — ha... —
fa... — sa... — bi... — ti... so... — to... bro... —
fro... — tro,, — Entends-tu le ti... ta...? — Oui,
répliqua-t-il du ta... au ta... — Eh bien! c'est
un drôle de mi... ma...! il y a des ...oups de pied
au ...ul qui se perdent.

2) *Transcrire en français la devise sabirale suivante :*
Liberty, Égality, Fraternity.

3) *Conformément à la règle: français* Normandie,
Picardie = *sabir* Normandy, Picardy; *français* Savoie
= *sabir* Savoy, *transposer en sabir atlantic :*

La place d'Italie — quand j'étais en Roumelle —
une chemise de soie — le cheval de Troie — le jeu
de l'oie — *La Voie royale* — un gâteau de Savoie.

4) *Conformément à la règle: français* Christian
= *sabir* Krystian, *transposer en sabir atlantic :*

Le christianisme — la christologie — christique.
*Michel et Christine, — et Christ! — Fin de l'Idylle.
Christ! ô Christ, éternel voleur des énergies* (Rimbaud).

ORTHOGRAPHE

Un des principaux avantages du sabir atlantic, c'est
qu'il supprime la notion périmée d'orthographe. Soit

le mot *shérif*, qui figure au basic vocabulaire du sabir atlantic. Les textes classiques (*Toto, Tintin, Mickey, Tex Tone, Kid Carson*, etc.) l'attestent sous les formes suivantes : *sherif, shérif, sheriff, shériff*, et même *chérif*. Il y aurait avantage à extrapoler pour obtenir, à partir de la variante *chérif*, les formes parallèles *cherif, cheriff, chériff*. Conformément à la variante orthographique *starlett=starlett'*, on aurait avantage à combiner les formes ci-dessus attestées ou déduites, et les formes sur-sabirales avec apostrophe : *sherif', sheriff', shériff', chériff', cheriff'*, qui n'existent que timidement jusqu'ici.

On remarquera notamment que le *biftèque*, si cher à nos ménagères, et qu'elles abrègent parfois en *bife*, est en français d'une insigne pauvreté orthographique : on ne lui connaît que les deux formes ci-dessus. Trans-posé en sabir atlantic, le *bife* s'enrichit de mainte et mainte variante, chacune plus alléchante que l'autre : *steack, steck, beefsteck, beefsteack, bifsteack, bifsteeck, beafsteck, beafsteak*, etc. Observons ici à quel point cette langue a déjà conquis son autonomie, et ses titres de noblesse : en anglais, une tranche de bœuf s'appelle à la rigueur du *beefsteak*, mais non point du *beef steak*.

Cette remarque nous conduit au corollaire suivant : le groupe consonantique *-ck*, soit en position médiane, soit surtout en position finale, est particulièrement agréable au sabir. Au point que, sur *bock, dock, stock, stick*, on a réussi à sabiratlantiquer le nom russe de *Vladivostok* (mot à mot *le maître de l'orient*) pour en faire *Vladivostock*.

Parmi les plus belles promesses et prouesses de l'ortho-graphe sabirale, il convient de consigner les versions du mot anglais ou yanqui *skunk*. Par ordre alphabétique, on obtient : *sconce, scons, sconse, skons, skung, skungs,*

skunk, skunks, enfin *skuns,* toutes formes indifféremment
attestées dans notre presse ou nos dictionnaires d'usage
courant. Ainsi, grâce au sabir atlantic, nos teens et
teenettes disposeront de neuf façons d'écrire le nom de
l'animal que les Anglo-saxons appellent un *skunk.*
On mesure d'autant mieux l'avantage du système si
on le compare à l'indigence ridicule du français en l'espèce : pour *skunk,* il ne dispose que de quatre graphies :
mofette, moufette, moffette et *mouffette.* Voilà qui, une
fois pour toutes, ridiculise la présomption de ceux des
Français qui osent prétendre que leur langue est aussi
riche que le sabir atlantic.

Exercices :

1) *En vous inspirant des versions sabirales du mot :*
steck, *trouver toutes les graphies possibles des mots suivants :*
    bec — desk — tock — mec — deck — neck — sec
    — gecko.

2) *D'après la règle* Vladivostok = Vladivostock, *transcrire en sabir les mots français ci-dessous :*
    broc — coq — estoc — foc — loque — roc — soc —
    toque — de bric et de broc

3) *En vous inspirant des principes énoncés ci-dessus,
imaginer toutes les orthographes possibles de tous les
mots possibles du sabir atlantic.*

4) *A partir des graphies sabirales ci-dessous, reconstituer le mot anglais ou français correspondant :*
    leggins (*Le Figaro,* 27-28 juillet 1963) — knicker-
    brocker (*Le Progrès,* 3 août 1963) — souther fried
    chicken (*Adam,* juillet-août 1963) — coktail
    (*France-Soir,* 2 juillet 1961) — cours des halls

(rue de la Glacière, 1963) — welsche rarebit (Brasserie La Lorraine, 1963) — cinechek Heudebert (1963).

PRONONCIATION

Un traité, même provisoire, qui examinerait dans son détail la prononciation du sabir atlantic ne serait pas compatible avec les dimensions du pocket-book, ou pocket, ou pockett, ou pockett', ou poche. Il me faut à regret ne donner ici que des indications sommaires.

A. Voyelles

a	se prononce	a	comme dans *starter, task-force, U. S. A.*
		é	comme dans *cake, starting-gate, steeple-chase.*
		ô	comme dans *call-girl, football, volley-ball.*
e	se prononce	è	(très ouvert) comme dans *set, pepsi-cola, open.*
		i	comme dans *to be or not to be, be-bop.*
ea	se prononce	è	comme dans *sweater, egg-head.*
		i	comme dans *team-tag-match, five oclock tea à toute heure.*
ee	se prononce	i	comme dans *tee-shirt, jeep, steeple-chase, sweepstake.*

i	se prononce	i	comme dans *hip hip hip hurrah!* *slip, rewriting.*
		aï	comme dans *pipe-line, time is money, rewriting.*
ie	se prononce	aï	comme dans *pie, apple-pie.*
o	se prononce	o	comme dans *box-office, bob-sleigh, cop, Saint-Trop'.*
oe	se prononce	ou	comme dans *shoe-eze.*
oo	se prononce	ou	comme dans *football, baby-boom, living-room.*
u	se prononce	u	comme dans l'*US Airforce, U.S.A.,* *rush.*
		eu	comme dans *My curling, anti-sludge, hurdler, rush.*
		ou	comme dans *pudding, sure.*
		iou	comme dans *New York Herald Tribune.*
ue	se prononce	iou	comme dans *barbecue* (la prononciation *barbecul* est très grossière en sabir).
		ou	comme dans *Blue Bell Girls, navy blue, blues.*
y	se prononce	i	comme dans *Liberty ship, nylon, crylor, nytrum.*
		è	comme dans *Liberty ship.*
		aïlle	comme dans un *dry.*
ye	se prononce	i	comme dans *rallye.*

Nasalisation des voyelles :

En sabir atlantic, les voyelles ont tendance à se dénasaliser : quoiqu'on entende parfois *suspense* (comme : il *pense*) et *suspince* (comme : une *pince*), la prononciation correcte oscille entre *suspennece* et *seuspennece* ;

de même, et bien qu'on perçoive souvent *dancinge*
(comme : un *singe*), *forcing* (comme : un autre *singe*),
la prononciation élégante évolue entre *dancine*, *forcine*,
et *dancinegue*, *forcinegue*.

B. Consonnes

Les consonnes du sabir atlantic sont très faciles à
prononcer pour un Français. En général, leur point
d'application est le même qu'en français — ce qui, une
fois encore, prouve à quel point le sabir méritait d'être
étudié à part et du français et de l'anglais. Notons toutefois les particularités suivantes : le *j* se prononce *dj*,
très nettement, surtout à l'initiale (*job, joker, jet, jack-
pot, jumper, jumping*) ; le *g* se prononce tantôt *g* dur,
même devant *e* ou *i* (*bombing ! go !, gag, money-getter,
girl*), tantôt *dj*, devant *e* et *i* (comme dans *gin-tonic,
gin-fizz, gentlewoman-farmer, gentry*). Le *w* se prononce *v*
ou, mieux, *ou* (*water-polo, water-closet, winch, winchester* ;
vatère ou *ouatère*, *vineche* ou *ouineche*, etc.).

Notons au passage la prononciation de certaines
finales consonantiques. Les substantifs d'agent ou de
patient en *-er* ou *-ter*, si caractéristiques de la dérivation
en sabir atlantic, se prononcent entre le son français
-ère, *-tère* et le son français *-eur*, *-teur* (un *supporter :
supportère* ou *supporteur* ; un *debater : débatère* ou *débat-
teur* ; un *reporter : reportère* ou *reporteur* ; un *leader :
lidère* ou *lideure* [1].)

Une dernière remarque : les finales du genre *-ble,
-gle, -ple, -tle* se prononcent respectivement en sabir

---

1. La prononciation *léadé*, attestée dans le peuple français, doit être
considérée comme irrémédiablement vicieuse.

atlantic : *beul, gueul, peul, teul.* Ainsi, au tennis, au sleeping-car, *single* rime avec *ta gueule !* et *apple* (comme *apple-pie*) avec les *Peuls* ; *bottle,* qu'on trouve dans *bottle-partie* ou, mieux, *bottle-party,* rime avec *Choiseul* ou *Saint-Acheul.*

Vœux :

Déplorons que beaucoup de mots qui devraient figurer et qui, nous le souhaitons, figureront dans le dictionnaire du sabir atlantic, aient perdu leur prononciation correcte. Peut-on espérer voir bientôt les *jockeys* redevenir des *djockeys* et le *wagon* recouvrer une dignité de *ouagon ?* Il y aurait intérêt à réformer l'orthographe française en tenant compte de la prononciation du sabir atlantic. Pourquoi écrire *oui,* ce qui prend trois lettres, alors que *we,* avec deux lettres, dit beaucoup mieux la même chose ; en extrapolant, on obtiendra *weesteetee,* au lieu de *ouistiti* qui représente une forme désuète. Il y aurait lieu, également, d'aligner la prononciation du français sur celle, bien plus *efficiente,* du frunglais. En vue de préparer l'opinion aux aménagements qui s'imposent, quelques exercices proposeront maintenant à l'usager de résoudre ce problème vital (en *prospective* : de solutionner ce vital problèm', puis : to solve this vital problem).

Exercices :

1) *Prononcer selon les lois du sabir atlantic les mots suivants :*

   sur *bottle = botteule :*

   Bible — bigle — passable — triple — visible ;

   sur *job = djobe :*

   jaquette — un jet d'eau — le papier Job — pauvre comme Job — un jobard ;

sur *western* = *ouesterne :*
  wagon-lit — wagon-salon — wagon frigori-
  fique — wagon-citerne — walkyrie — wallon —
  wagnérisme — la Sainte Wehme ;
sur *blues* = *blouse :*
  les rues — tu pues — tu rues — tu sues — tu tues.

2) *A partir de leur prononciation, figurée en sabir
atlantic, reconstituer les mots ou expressions ci-dessous
dans leur ancienne prononciation française :*
  Materniti — paterniti — générositi — bonti —
  vériti — le compositeur Bitovane — le peintre Kli ;
  la païe borgne — la païe voleuse — un cheval païe
  — un tioutiou — une femme niou — dans la cohiou
  — t'as la berliou — il m'en a mis plein la viou —
  il a bonne maïne — la maïne de plomb — maïne de
  rien — il a cassé sa païpe ;
  c'est mon fil, ou c'est mon fél — le mit ou le
  mét urinaire ;
  je pince, donc je suis ;
  Baisers, baves d'amour, basses bititudes (ou :
  bétitudes) (Valéry).

3) *Donner, selon les lois du sabir atlantic, toutes les
prononciations des mots suivants :*
  swing — timing — week-end — wait and see —
  smoking — suspense — manpowerisation.

Remarque finale.
  Une fois exécuté l'exercice de prononciation nᵒ 3,
il devient évident à l'usager que la prononciation du
sabir atlantic n'est pas moins riche de variantes que son
orthographe. Aux neuf graphies de *skunk* en sabir
contre quatre seulement de *mofette* en français, le sabir
offre victorieusement *cinq* prononciations de *week-end :*

vécande, vékinde, ouikinde, ouikennede et même : *week-end*, contre une seule, en français, pour *fin de semaine*. Une fois de plus s'affirme ainsi la richesse, la variété d'une langue que la prospective nous assure promise à un avenir impérial. De même pour *suspense* : entre *sucepanse* et *suspense*, que de nuances heureuses ! *suo-pince, seucepanse, seuçepince, seuxepennesse*. Or, que peut opposer le français ? un *suspens*, si bref qu'il exprime fort mal la durée de la chose, et non moins pauvrement la variété des directions qui nous sollicitent pour sortir alors de l'angoisse. Tout cela, formulé à merveille par les prononciations diverses de *suspense*, classe évidemment le sabir atlantic au premier rang des langues expressives.

Ajoutons que c'est une langue *de classe*. Selon que vous appartenez aux V. I. P., à la gentry, à la high society, aux fans du new look, vous prononcerez de telle façon chacun des mots du sabir que nul ne pourra se méprendre sur vous. Un *choé-service*, un *léadé*, vous rend à votre néant, mais un *leader*, bien accentué sur la première syllabe, vous surclasse. Accentué sur la dernière syllabe, un *lideur* vous situe dans la middle class, les white collars, vulgairement cols blancs ; un *lidère* marque la limite au-dessous de laquelle il ne faut pas s'aventurer.

Ainsi notamment pour tous les mots en -*ing*. Selon que vous prononcerez *smokinge, smokine, smokinegue, smôkinegue* ou *smôoukingue*, vous serez classé : déclassé, peuple, petit bourgeois, grand bourgeois ou gentry. Mais c'est à la prononciation de *yachting* qu'on vous attend. Un certain nombre de grammairiens et de lexicographes aussi croulants que Littré vous diront qu'en français le mot se prononce *yak* ou *jack*, à preuve une lettre de Colbert qui parle d'un « *jack* du roi d'Angleterre », une autre de Pellisson, où il s'agit du même « *yak* », du même souverain. Mais Voltaire, qui appréciait les Anglais, en quoi il se manifeste comme un précurseur du sabir atlantic, écrit *yacht*, à l'anglaise. Nous ne savons pas comment il prononçait ; mais nous savons que les Anglais le prononcent quelque chose entre *yette* et *yotte*. Les marins français ont tort par conséquent de prononcer *yak*, et Merre, le spécialiste de la marine, a plus grand tort de leur donner raison et d'écrire *yack*. Plus coupable encore, M. Jacques Perret puisque, francisant à outrance, il écrit dans *Rôle et plaisance*: « un *yac* honnête ». Le fisc a donc raison lorsqu'il demande à ce contribuable si mal embouché combien de matelots il emploie à bord de son *yôte* ; et le *Petit Larousse* a tort, pour une fois, qui donne sous *yacht*: (*iak* et non *iôt*), et sous *yachting*: (*yak-in'g* et non *iôt-in'g*). C'est à l'aisance avec laquelle vous saurez, contre vents et marées, prononcer délicatement *iôtinnegue* avec un accent sur la première syllabe que vous serez classé sabireur hors classe. Une fois de plus, il faut ici confondre Jacques Perret, qui affecte de donner le mauvais exemple : « Pour ce qui est de la prononciation de yachting, si nous éliminons tout de suite le stupide yôting et son contraire yachetingue, vulgaire convention de lettré qui n'aura jamais le modulé, le fini et le malicieux des transpositions auriculaires de l'analphabète, il reste quelque chose de cafouilleux entre yakting et yacheting, soit une bouillie apatride inconvenante à la cuisine française. » Il faut également dénoncer M. Merre qui, dans son lexique des termes de marine, se permet d'écrire, sous *plaisance*: « le mot plaisance est à la fois fort joli, très marin et officiel (fait rare) ; pourquoi

alors le remplacer par le mot anglais « yachting »,
imprononçable en français puisque « yacht » se prononce
yack, et que nous n'avons aucune raison de dire plus
« yôtinegue » que « yacktingue »; le moins mal serait
yattigue. « Faire du yachting » implique, soit du snobisme, soit uniquement une notion sportive, acceptable
pour la régate, dangereuse pour la croisière. » Imprononçable en français, *yachting*, il se peut! Raison de
plus pour utiliser le sabir atlantic, où ça mot se prononce
très facilement : *iôtinnegue*. Et foin de la plaisance!
Entre le *yachting* et la *plaisance*, les Français, sans hésiter, sauront choisir le mot jeune, le mot new look.

ACCENTUATION

Alors que le français obéit à des règles strictes, tra-
ditionnelles, et accentue presque toujours les mots sur
la dernière syllabe, sauf quand elle est terminée par un *e*
qu'on dit à juste titre muet (et qui par conséquent ne
survit dans l'orthographe qu'à titre de lettre-témoin),
le sabir atlantic, langue jeune, langue nouvelle vague,
langue new look, pose l'accent où il veut, où il peut,
selon la saison, l'heure du jour ou de la nuit, le nombre
de drys, de dries, de whiskys ou de whiskies qui furent
absorbés avant l'articulation. Un très bon mot à cet
égard est le substantif *manpowerisation* : étant donné
qu'on peut le découper en six syllabes, il dispose de six
accents toniques. Même les dissyllabes sont plus riches
que leurs homologues français, puisque *tennis*, par
exemple, qui est accentué en français sur *-nis*, l'est en

sabir aussi bien sur *ten-* que sur *-nis*. Les monosyllabes,
hélas, ne s'accentuent que sur leur syllabe : *girl*, par
exemple, *gin* ou *set*. Heureusement, ils s'accouplent
volontiers à d'autres monosyllabes : *call-girl*, *twin-set*,
gin-fizz, ce qui permet du coup de varier l'accentuation
et de chanter vraiment la langue.

Exercices :

1) *Accentuer sur toutes les syllabes qui peuvent porter l'accent les mots suivants du sabir atlantic (voir ci-dessus, p. 53) :*
    Internationalistic — standardizationalised — en-
    codificationalization.

2) *Accentuer et prononcer sabiralement les mots français que voici :*
    Administration — réhabilitation — probation
    — mensuration — innovation — formation —
    constipation — disposition — contribution —
    répartition — profession — contamination — re-
    port — record — reporter — charlatan — char-à-
    banc — supporter — major — magnitude — con-
    sonance — conspire — constant — content —
    contestable — chamois — maladroit — connais-
    seur — médian — médium — melon — micro-
    scope — télescope.

Pour varier l'exercice, on prendra n'importe quel
dictionnaire d'anglais ou d'américain avec prononciation et accentuation figurées, et l'on traitera de la
sorte tous les mots anglais dont la graphie coïncide
avec celle d'un mot français. L'exercice sera d'autant
plus profitable qu'il portera sur des mots de nature
différente : ainsi le verbe français *supporter* et le
substantif anglais *supporter*, l'adjectif français *content*
et le substantif américain *content*, le verbe français
charmer et le substantif anglais *charmer*, etc.

LE NOM

Genre des noms.

Alors qu'en français, langue sclérosée, les substantifs
ont presque toujours un seul genre, le sabir atlantic,
langue jeune, langue nouvelle vague, langue new look,
laisse aux substantifs une aimable liberté. Si le mot
« party » par exemple, employé seul, est normalement
féminin en sabir, quoiqu'il soit neutre en américain,
il change agréablement de genre selon qu'il s'agira
d'*un* bottle-party ou d'*une* cheese-party, d'*une* ménage-
party ou d'*un* karting-party. Si le substantif *rocking-
chair* est officiellement masculin en sabir, la même raison qui fait de *party*, neutre en anglo-américain, un
substantif presque toujours féminin en sabir (par le
jeu d'une attraction, d'une sympathie, d'une affinité
entre l'américain et le français, où *partie* et *chaise* sont
du genre féminin) justifie mille fois l'heureuse liberté
prise par Laurent Tailhade dans ses *Poèmes aristopha-
nesques :*

Et dans sa rocking-chair, *en veston de flanelle*[.]

On dira donc *un battle-dress*, ce qui est viril, mais *une fatigue-dress*, ce qui fait souillon. Ainsi le substantif *junior*, qui, en sabir, se substitue si avantageusement au français *fils* (Fernandel junior, Bourguiba junior) et au français *cadet*, *jeune homme*, sera indifféremment masculin ou féminin. Exemple : « La junior ingénue a fait sa robe elle-même. » Il peut arriver, du reste, que le substantif *junior* au féminin singulier prenne le signe du pluriel. Exemple : « La Juniors II ».

Ce qui nous propose une toute naturelle transition vers l'étude du nombre des noms en sabir.

II. *Nombre des noms.*

Principes prospectifs. — Sous l'influence heureuse du babélien généralisé qui se parle aujourd'hui par le monde, les Français ont fini par comprendre que les signes du pluriel sont purement conventionnels. Songez aux pluriels brisés de l'arabe, aux pluriels en *-i* ou en *-a* du russe, aux pluriels en *-men* du chinois!

Quand on a lu dans un journal français les *spoutniki* et les *luniki*, on a compris que le *-s* du pluriel est une survivance un tantinet ridicule. Aussi lit-on avec plaisir dans un hebdomadaire : les *matriochka* (pourquoi mettre un *s* puisque ce mot en russe fait son pluriel en *-i*?).

Fort de ces précédents, le sabir atlantic favorise et encourage l'indifférence *absolue* à l'égard de la vieille notion de pluriel. On écrit à bon droit : les *welter* (sur les *welter* : les *mouche*). Approuvons les journalistes new look qui ont l'audace de proposer : « je mets un temps fou à sortir de mes starting-block », « il sort cette semaine un 45 tours avec trois hully gully », « deux hold-up, hier, à Marseille », « il a essuyé trois knock-down », « les samba qu'on peut entendre dans les dancing », « la série des Andy Williams show », « les autres pocket book », etc.

Certains substantifs du sabir manifestent clairement cette indifférence en mettant au petit bonheur le -s périmé du pluriel. On dira donc très correctement : *mon knickerbocker ou mon knickerbockers, mes knicker-bockers ou mes knickerbocker ; une partie de footballs et des interview.*

Vœu :

Qu'à l'avenir, s'inspirant des exemples ci-dessus, *tous* les substantifs du sabir atlantic soient indifféremment du singulier et du pluriel. Cela facilitera l'enseignement du calcul et permettra de simplifier les magasins des machines à traduire.

Exercices :

1) *Trouver le ou les auteurs des œuvres suivantes dont le titre est traduit en sabir atlantic (règle: Fernandel junior) :*

Fromont junior et Risler senior — Le Retour du junior prodigue — Dombey et junior — Les junior Louverné — Le junior naturel — La juniors aux yeux d'or — Junior de Personne — La junior Élisa — Le senior Goriot.

2) *Traduire en sabir atlantic les expressions suivantes :*
Fils indigne! — Tel père, tel fils — A père avare, fils prodigue — Allez en paix, mon fils! — Au nom du Père et du Fils et du Saint-Esprit!

Règles provisoires du pluriel. — En attendant que se généralisent les principes prospectifs définis au paragraphe précédent, le sabir atlantic conserve provisoirement un certain nombre de pluriels ; mais il veille constamment à obtenir que nul d'entre eux ne prévale sur les autres.

a) Substantifs en *-y* :

Ils forment régulièrement leur pluriel de trois façons, au choix de l'usager, selon le paradigme : un *baby*, des *baby*, des *babies* ou des *babys* ; un *whisky*, des *whisky*, des *whiskys* ou des *whiskies*. Seuls pluriels incorrects : *bébés* et *babis*.

Exemple : « Mrs Perle Mesta, qui représente les États-Unis au Luxembourg, s'amuse toujours énormément à ses propres parties. » (*Le Monde*, 10 novembre 1959.)

b) Substantifs en *-s* et en *-x* :

Invariables en français, selon la règle : un *chas*, des *chas*, un *phlox*, des *phlox*, les substantifs du sabir qui se terminent par les mêmes consonnes, lorsque par hasard ils prennent la marque du pluriel, forment ce pluriel en *-es*. Exemple : alors qu'en français on dit : une *bosse*, des *bosses*, on écrit en sabir : un *boss*, des *bosses*. Autres exemples : puisqu'en français le pluriel de *box* est *box*, on dira : un *box*, des *boxes* en sabir atlantic.

c) Substantifs en *-sh* et en *-ch* :

Le pluriel des substantifs en *-sh* et en *-ch* varie en sabir selon la valeur de l'objet considéré. Lorsque le substantif *sandwich* forme son pluriel en *-s*, le sandwich ne se vendra guère plus de 2 francs 50 ; avec le pluriel en *-es*, les sandwiches peuvent aller jusqu'à 5 ou 6 francs. Les *lunchs* se paient dans les 15 francs ; mais il faut lâcher 25 à 30 francs pour prétendre à des *lunches*. Conformément à cette règle, on devrait appliquer des tarifs dégressifs aux *matchs* de football, et progressifs aux *matches* de hockey. Les organisateurs de réunions sportives n'ont pas aussi bien assimilé que les restaurateurs la *valeur* du pluriel en sabir atlantic. Même remarque pour certains électriciens qui vendent au même prix leurs *flashs* et leurs *flashes*.

d) Pluriel des noms en -*man* et en *woman* :

Les désinences -*man* et -*woman* tendant à remplacer en sabir atlantic (voir ci-dessous : *dérivation et composition*) les désinences d'agent du type -*eur*, -*euse*, -*ier*, -*ière*, -*tier*, -*tière*, -*on*, -*onne*, etc., il importe d'en bien connaître le pluriel. Sous l'influence des langues anglo-saxonnes, on soutient parfois que les mots en -*man* et en -*woman* font leur pluriel en -*men* et -*women*. Il importe d'en finir avec cette illusion. Le sabir atlantic est une langue jeune, une langue nouvelle vague, une langue new look. Il a pour souci premier de ne causer aucun souci à ses fans, les teenagers, les pin-ups, les play-boys et les call-girls. En conséquence, et conformément à un usage solidement établi, il admet pour les mots en -*man* et en -*woman* quatre pluriels -*man*, *mans* -*men*, -*mens*, et les formes -*woman*, *womans* -*women* et -*womens*. Exemples : « Les tennisman européens ont été hospitalisés au Memorial Hospital » (*Tintin*) ; mais : « Sur le pont, un mélange de jeunes américains : hommes de loi, commerçants, bar mens » (*Rafales*). Langue riche, langue généreuse, le sabir atlantic propose donc, pour les substantifs en -*man* et en -*woman*, plus encore de pluriels que pour les substantifs en -*y*.

e) Pluriel des noms composés :

Conformément aux principes généraux qui le régissent selon un aimable fair play (et même un fantaisiste

flair-play), le sabir atlantic attribue aux mots composés
tous les pluriels imaginables. Conformément aux principes prospectifs, on dira donc des *hold-up*, mais, conformément à l'actuelle règle (voir ci-dessous, *place de l'adjectif qualificatif*), on acceptera aussi des *hold-ups* : « Quatre hold-up » (*Le Figaro*, 9 février 1962) ; « Hold-ups
à toutes les sauces » (*Le Figaro littéraire*, 18 août 1962).
On dira donc, indifféremment, des *music-halls*, des *mu-
sics-halls*, ou des *music-hall* (*X*. 13), des *hot-dogs*, des
hots-dogs, ou des *hots-dog*, etc. *Knock-down* admet, lui
aussi, trois pluriels sabiraux : *knock-down, knock-downs*
et (par une intéressante extension du pluriel des noms
en -*y*, -*sh* et -*ch*) *knock-downes*. On aura d'une part
« des black-maria » (*Le Monde*, 11 juillet 1963), de l'autre,
« des tests matches » (*Le Figaro*, 1er juillet 1963) et
des « test-matches » (*Le Figaro*, 19 juillet 1961). On
peut avoir, en outre, des *test-match*, des *tests-matchs*,
des *test-matchs*, des *tests-match*, soit six pluriels pour
un seul substantif !

Exercices :

1) *Sur le modèle des six pluriels sabiraux de test-match,
composer tous les pluriels possibles des mots ci-dessous :*
homme-sandwich — team-tag-match — rocking-
chair — roll-back — teen-ager — ex-teen-ager —
up-to-date ;

2) *Donner les pluriels sabiraux des mots français
suivants, terminés par -s ou -x (règle : un box, des boxes ;
un boss, des bosses) :*
un as — un os — les us et coutumes — un lys — un
flux — un X (polytechnicien) — un S. S. — un
S. O. S. ;

3) *Compte tenu de la règle qui commande la chute de l'e muet en sabir atlantic et de celle qui définit les pluriels des mots en -man et -woman, donner tous les pluriels sabiraux des mots français suivants :*

kleptomane — mythomane — quadrumane — bimane — anglomane — brahmane — bibliomane — musulmane — ottomane — hippomane — l'api- mane — mégalomane — birmane — dipsomane — pédomane — nymphomane.

(*Exemple : monomane :* monoman, pl. monoman, monomans, monomen, monomens, monowoman, monowomans, monowomen, monowomens).

4) *Donner l'équivalent anglais des pluriels suivants du sabir atlantic :*

tennisman — tenniswomen — tennniswoman — tennismen — tennismens — tenniswomens.

III. *Dérivation en sabir atlantic.*

Quoique M. Jean Dubois ait publié chez Larousse, en 1962, une *Étude sur la dérivation suffixale en français moderne et contemporain*, cet ouvrage à beaucoup d'égards digne d'égards pèche grièvement contre le sabir atlantic, dont il semble contester (ne serait-ce que par omission) l'importance à notre époque.

M. Dubois reconnaît l'existence du suffixe *-ing*, mais il en appauvrit singulièrement la foisonnante richesse. Il ne cite en effet que *tramping, doping, footing, dancing, forcing* et *caravaning*. Or ce suffixe, promis au plus fécond avenir, a donné en outre, parmi tant d'autres, les substantifs suivants : *alternating, bombing, cracking, curling, darling, dropping, dry-farming, holding, learning, matching, modeling, ooching, packaging, padding,* *peeling, pressing, printing, pushing, putting, rating, softing, sporting, storming, stripping, touring, training, trotting, yachting,* sans parler de *parking, rewriting* et *standing,* ces trois mamelles de la France sabirale. Pareille omission ressemble fort à du *saboting,* car on doit poser en axiome sabiral que *tout mot français signifiant une action, le résultat de cette action et le lieu où elle s'accomplit doit disparaître devant tout mot en -ing, anglais ou non, qui prétend à sa succession.*

Parmi les plus heureuses innovations du sabir atlantic, il faut compter la dérivation en *-er*, qui indique l'agent, l'ouvrier, etc., ou encore l'instrument, la machine, etc. M. Dubois le mentionne, mais ne lui rend pas meilleure justice qu'au suffixe *-ing*. Il cite, chichement : *challenger, container, docker, feeder, mixer, reporter, supporter.* Comme ce suffixe, aussi vivace au moins que le suffixe en *-ing*, remplacera fatalement, en sabir atlantic, tous les substantifs d'agent ou d'ouvrier en *-eux, -euse, -ier, -ière, -tier, -tière, -on, -onne, -ien, -ienne,* il aurait fallu mieux marquer son empire : *sprinter, hurdler, stayer, jumper, hold-uper, clipper, computer, scraper, starter, bulldozer, tender, bust-rafermer, debater,* etc., nous en sont déjà témoins. Puisque, sur *débat,* le sabir a su dériver un *débater,* le jour est proche où l'on saura corriger en *combater* le désuet *combattant.* M. Jean Dubois a négligé de signaler cette ligne de force. Vivent les anciens *combaters* !

Un des plus évidents avantages de la dérivation en *-er*, c'est que les noms d'agent prennent du coup la même désinence que les verbes français du premier groupe ; comme ces verbes sont les seuls vivaces, on peut espérer que, sous l'influence heureuse du sabir, tous les verbes français en *-ir, -oir* et *-re* rejoindront le premier groupe et pourront ainsi s'assimiler à l'équivalence : *supporter*, un *supporter*; *sprinter*, un *sprinter*. Le verbe *tendre* tendrait ainsi à *tender* et pourrait, dès lors, composer avec un *tender* une paire sabirale. L'exemple de *conclure*, constamment conjugué sur *concluer* en sabir (il *concluera*) *concluera* heureusement et prospectivement ce paragraphe.

La plus grave faiblesse de la thèse de M. Jean Dubois, c'est l'ignorance ou le mépris qu'il manifeste de l'un des suffixes les plus originaux du sabir : *-rama*. Le sabir atlantic étant une langue jeune, une langue nouvelle vague, une langue new look, se devait de développer le suffixe *-rama*, que l'un des plus émouvants teenagers des années '60, Arthur Rimbaud, savait déjà utiliser à propos du « cosmorama arduan ». Prophétisant comme il a fait toutes choses, il prophétisa et même promut le sabir atlantic (ne parle-t-il point de *pier*, de *wharf*?). Celui qui n'hésitait pas à signer *John Arthur Rimbaud* une lettre qu'il écrivit en parfait sabir atlantic pour essayer de s'engager dans la Navy U. S., a prévu la vogue du suffixe *-rama*. De fait, une revue chinoise publiée à Hong-Kong, *Tehong wai*, vient de tirer parti du suffixe sabiral si ingénieusement employé par le divin jeune homme et s'intitule en français *Cosmorama illustré*.

Sur ces illustres modèles, le sabir a mis au point, en quelques années, toute une série d'élégants substantifs, valables et rentables (ce qui n'est pas à négliger) : l'*amusorama*, le *babyrama*, le *bazarama*, le *cartechnorama*, le *catchorama*, le *chansonnierama*, le *cinérama*, le *cinépanorama* (plus discutable), le *circorama*, le *cityrama* (et son heureuse variante, le *cithyrama*), le *colorama*, le *crédirama*, le *cuisinierama*, le *cuisinorama*, le *cyclorama*, le *diorama*, le *discorama*, le *drapeaurama*, le *filérama*, le *foodarama*, le *grosjeanrama*, l'*héraklorama*, l'*historama*, le *kinopanorama* (plus discutable), le *linguarama*, le *meublorama*, le *musirama*, le *musicorama*, le *parirama*, le *photorama*, le *restaurama*, le *sandorama*, le *sexyrama*, le *sonorama*, le *stick'rama* (voir *Ponctuation, l'apostrophe*), le *striperama* et le *stripperama*, le *tangorama*, le *télérama*, le *théâtrorama*, etc., etc. Si grande la vitalité du suffixe *-rama* qu'on le voit déjà produire ses adjectifs : ainsi le *Building Esders Econoramique*. A quand le baby-sitter babyramique, le parirama sexyramique, le tangorama musiramique, ou le musirama tangoramique ? L'intérêt du suffixe *-rama* réside en ceci qu'on ne lui peut attribuer aucune valeur sémantique. C'est, en dérivation, l'heureux équivalent des lettres *y* et *k* (voir *Alphabet*). S'agissant par conséquent d'un suffixe *magic*, tous les espoirs lui sont permis.

Exercices :

1) *Sur le modèle :* supporter, *un* supporter, *composer le plus grand nombre possible de couples sabiraux, en utilisant des verbes français du premier groupe.* (*Exemples* sprinter, *un* sprinter ; mixer, *un* mixer ; reporter, *un* reporter.)

2) *Sur le modèle sabiral :* un débat, *un* débater, *composer le plus grand nombre possible de substantifs en* -er. (*Exemples :* un combat, *un* combater ; un ébat, *un* ébater ; un rabat, *un* rabater ; un célibat, *un* célibater ; un grabat, *un* grabater, etc.)

3) *Étant donné la règle qui prévoit la chute de l'*e *muet final en sabir atlantic, restaurer en forme sabirale les mots français suivants ; en donner le ou les pluriels*

(exemple : phorminge — sabir : phorming, pluriel : phor-
ming ou phormings) :

linge — singe — méninge — sphinge.

4) *Étant donné la valeur magic du suffixe* -rama,
apprécier d'un mot anglais de trois lettres, commençant
par r et finissant par t, le texte suivant.

« Les demi savants sont ceux qui forgent les mots
en -*rama* ou qui se figurent qu'il suffit de couper
un mot d'une apostrophe pour lui donner l'aspect
anglais : ainsi « Lut'tia bar » (*sic*!). »

Défense de la langue française, nº 10.

Apprendre par cœur, pour ne jamais l'oublier, cette
proposition hérétique et blasphématoire. En qualifier
l'auteur d'un autre mot anglais commençant par r et
finissant par t.

5) *Étant donné la valeur magic du suffixe* -rama,
étudier avec soin la dérivation dans le texte suivant:

« La récente invention du Diorama, qui portait
l'illusion de l'optique à un plus haut degré que
dans les Panoramas, avait amené dans quelques
ateliers de peinture la plaisanterie de parler en
rama, espèce de charge qu'un jeune peintre, ha-
bitué de la pension Vauquer, y avait inoculée.

— Eh bien! *monsieurre* Poiret, dit l'employé
au Muséum, comment va cette petite *santérama* ?

. . . .

— Il fait un fameux *froitorama* ! dit Vautrin.
Dérangez-vous donc, père Goriot! Que diable,
votre pied prend toute la gueule du poêle.

— Illustre monsieur Vautrin, dit Bianchon,
pourquoi dites-vous *froitorama* ? il y a une faute,
c'est *froidorama*.

— Non, dit l'employé du Muséum, c'est *froito-rama*, par la règle : j'ai froid aux pieds.

. . . .

— Ah! ah! voici une fameuse *soupeaurama*, dit Poiret en voyant Christophe qui entrait en tenant respectueusement le potage. »

Bien que ce texte de Balzac, dans Le Père Goriot, *soit inqualifiable du point de vue prospectif et sabiral, vous le qualifierez aussi abondamment que possible, avec des adjectifs du type:* gagaramique, zozoramique, cucuramique, etc.

Autres dérivations suffixales.

Décidément inférieure à sa tâche, la thèse de M. Dubois néglige certains suffixes qui, moins conquérants que les suffixes ci-dessus examinés, commencent à prendre une judicieuse importance :

-ex. — Suffixe heureux en ceci qu'il peut donner deux pluriels, l'un en *-es*, l'autre identique au singulier. Après un départ prudent, ce suffixe gagne du terrain ; toutes les nouveautés y aspirent ; ainsi, en vrac, et dans tous les domaines : *spontex, gerflex, duplex, movex, reflex, moulinex, platex, focaflex, pelex, marketex, contex, glassex, noveltex, rangex, cutex, pyrex, amarex, dynaflex, sanitex, seralatex, zoomex, toe-flex, golflex.*

-or. — Suffixe qui rappelle à la fois l'anglais *-our*, l'américain *-or* (*colour, color*), le comparatif latin (*melior*), et qui évoque en plus, par son aura française, l'*or*, métal précieux. Quoi d'étonnant s'il rivalise ingénieusement avec *-ex* ? Outre le *senior* et le *junior*, dont nous avons déjà parlé, notons : *primior, visor, melior, pluvior, merigor, sanfor, favor, flamor, motor, crylor, timor, anchor, o'flor,* etc.

Degré zéro. — Last but not least, disons deux mots de la dérivation par le passage au degré zéro, c'est-à-dire par suppression de l'*e* muet final du français, auquel, par un louable souci d'économie, répugne le sabir atlantic. De même que sur le français *Odette*, le sabir dérive soit *Odett'*, soit, plus sabireusement, *O'dett'*, on peut espérer que prospéreront de plus en plus les formes du genre : *cadonett, fournett', chauff'assiett'* ; ou encore *scandinav, nyltram* (trame de nylon), *bubyliss, plastiss,* etc.

IV. *Composition en sabir atlantic.*

A. *Composition par préfixe.*

Moins riche peut-être que la dérivation suffixale, la composition préfixale du sabir met en vedette trois formations prometteuses :

a) *Super-* : un supergéant, supermarket, trois super boot sellers, les supergadgets américains, « Nancy a pris Paris pour thème de son super-mois », le super-total, le super-boy, la supersûreté, le superman, le superfan (qui voile sans contrainte), le super-avantage spécial, un super-hôtel européen (*Top*), les super-jouets (*Tintin*), les super-pâtes La Lune, la supérette, super-remise, super-show à l'américaine, la super-quinzaine galeries, les super-grands du cinéma, une super-surprise, etc.

Remarque : le préfixe *super-* a déjà produit une super-dérivation : le trisuper Antar, le carburant trois fois supérieur.

b) *Auto-* : au siècle de l'automatisme, de l'automobile et de l'automation (seul mot sabiralement tolérable),

quoi d'étonnant si le préfixe *auto-* forme un très grand
nombre de substantifs. Il est d'autant plus utile qu'il
peut signifier aussi bien *relatif à l'automobile* et *relatif
au sujet*. *Autodidacte*, en français, désigne celui qui
s'instruit soi-même ; *automobile*, une voiture qui se
meut par ses propres moyens. En sabir, l'*auto-route*
est une route pour autos ; l'*auto-école* est l'école où l'on
apprend à conduire une auto ; un *auto-hall* n'est pas
un hall qui se construit lui-même, mais un marché, une
halle où l'on vend des autos ; un *auto-permis* n'est nullement un permis qu'on se décerne soi-même, mais un
permis de conduire les autos ; l'*auto-stop* n'est pas l'art de
s'arrêter soi-même, mais celui d'arrêter l'auto d'autrui ;
les *autophobes* ne sont point ceux qui ont peur de soi,
mais ceux qui détestent maladivement l'auto et les
automobilistes ; l'*auto-démolition* n'est pas le suicide,
mais un cimetière d'autos. De la sorte, un préfixe de
sens figé comme *auto-* reprend un second souffle,
confirmant que le sabir atlantic est une langue
jeune, une langue nouvelle vague, une langue new
look.

c) *Self-* : le sens réfléchi de *auto-* tendant à se perdre
en sabir atlantic (voir ci-dessus), la notion de ce que
véhiculait *auto-* tend à s'exprimer en sabir par une
forme neuve : *self-*. Outre *la self*, digest ingénieux
pour bobine de self-induction, le franglais compte désormais *le self*, beaucoup plus vivace, digest non moins
habile de *self-service*. D'où cet excellent raccourci :
« Le self des selfs » (restaurant le Rallye, boulevard des
Capucines). Sur *self-*, on a construit notamment : self-
adap, self-assertiveness, self-beauté, self-contrôle et
self-control, self-estime, self-feeling, self-fixing, selfleurs,
self-gouvernement et self-government, self-made-man,

self-made-woman, self performing prediction, self-
pity, self-rating, etc.

Par une tendance digne d'être notée, le *self-* est
parfois employé en sabir comme suffixe. Ainsi *batiself*,
qui signifie self-service de bricolage.

Exercices :

1) *Réduire au degré zéro, pour les sabiriser, les mots
ou expressions suivantes — l'apostrophe, facultative,
est recommandée (exemple :* homme, homm ou homm') :
Ma pomme — faire un somme — c'est une somme !
— un mec à la gomme — Joseph Prudhomme —
le conseil des prudhommes — foi de gentilhomme !
— Sully Prudhomme — Jacques Bonhomme —
la bataille de la Somme — je te prends par la
barbichette — elle a taillé une bonne bavette —
conter fleurette — c'est de la piquette — *l'as-tu
vue, la casquette, la casquette, l'as-tu vue, la casquette au père Bugeaud ?*

2) *Trouver en sabir atlantic trois traductions de :*
« Surhomme vaut bien superman. »

3) *Commenter sabiralement le texte suivant relatif
à la composition par le préfixe* super- :
« Partout le super est roi. Que ce soit dans le
domaine sportif ou dans le domaine économique,
nous sommes écrasés par la surpuissance ou la
surproduction. Nous avons des superpaquebots
et des superavions, pilotés par des super-as, de
même que nous avons des superproduits, depuis
le supercarburant jusqu'au superdentifrice. Nous
avons aussi des supergarnements mués en super-
gangsters, puis des superpatriotes devenus super-

activistes, qui nous promettent un supergouver-
nement avec des superbombes dispensatrices
d'un supersommeil. » (François Baillot, *Le Monde*,
24 avril 1962.)

B. *Composition par scissiparité et agglutination homogène.*

Sous l'impulsion de la seconde guerre mondiale, le
vocabulaire américain, soucieux de brièveté et d'efficience, composa un très grand nombre de mots par
scissiparité et agglutination : *visibrella* (un parapluie :
umBRELLA, à travers lequel on a une bonne VISIon) ;
warphan (un orphelin, orPHAN, de guerre, WAR) ;
swimando (un comMANDO de soldats qui savent tous
nager, SWIMm) ; un *whaleburger* (un hamBURGER
à la viande de baleine, WHALE ; ou, selon une interprétation erronée, un hamBURGER énorme, gros
comme une baleine, WHALE). Les *motels* (hôTEL pour
automobilistes, MOTorists) se sont développés durant
et après la guerre.

Outre qu'il adopta tels quels le *motel* et le *cheeseburger* (hamBURGER au fromage, CHEESE), le sabir
atlantic s'efforce d'en accroître l'heureuse famille. Ce
procédé de composition convient parfaitement aux
teenagers et même aux babies, puisque les enfants
fabriquent spontanément ce genre de mots-valises.
Certains babys appellent en effet *melletates* les seins
de leur mère (maMELLES + TATer ou TÉTer).
C'est ainsi qu'on a pu inventer l'*univerchelle* (une
éCHELLE UNIVERselle). Les *télébrités* (céléBRITÉS
de la TÉLÉvision) font les beaux jours de *Paris-Jour*;
c'est une rubrique fort recherchée. *Chocorêve* est évi-

demment le CHOCOlat dont RÊVEnt les enfants. Particulièrement réussi, *récurbross* combine la composition par scissiparité et agglutination homogène (RÉCURer + BROSSe) avec la dérivation par degré zéro pour mettre en valeur la double consonne finale, si richement sabirale. Enfin, on ne saurait trop louer le cercle philatéliste des A. F. C. qui conseille à ses adhérents d'envoyer leurs *mancolistes*, au sens évident.

Parmi les plus jolies réussites de cette composition homogène à partir non plus de thèmes français, mais anglo-américains, je ne citerai que le *horstel* (hoTEL qui loge à HORSe, c'est-à-dire à cheval) et le *catalo* que nous promettent certains restaurants up to date ; il s'agira, évidemment, d'un steack, steeck ou steck haché, contenant de la viande de vache (CATtle) et de buffle (buffALO).

C. *Composition par scissiparité et agglutination hétérogène.*

Promis à un bel avenir en sabir atlantic, ce mode de composition n'en est qu'à ses premiers succès, fort encourageants du reste. En même temps que le *horstel*, on lançait en effet le *kippel* (grec HIPPos, cheval + anglais hot EL). Pour les promesses qu'ils tiennent déjà, saluons le *minicar* (latin MINImus, tout petit + anglais CAR, voiture), le *microcar* (grec MICROs, petit + anglais CAR), le *minicare* (latin MINImus + anglais CARE, souci), le *microflash* (grec MICROs + anglais FLASH), le *bodygraph* (anglais BODY, corps + grec GRAPH), le *cinétimer* (grec CINÉ + anglais TIMER), etc.

Vœu :

Veuillent les hommes et le ciel qu'une mode si jeune, si nouvelle vague, si new look, enrichisse désormais, et systématiquement, le sabir atlantic! Quelle rapidité d'expression elle permettra! Au lieu de *pare-soleil*, on dira un *pareil*; le *self-service* s'exprimera aussi bien, sinon mieux, avec économie d'une syllabe : *self-vice* (or *time is money*), etc.

D. *Composition par gémellation ou juxtaposition.*

Langue jeune, langue nouvelle vague, langue new look, le sabir atlantic se devait d'adopter le mode de composition si caractéristique de l'allemand, de l'anglais et de l'américain, et que le système français, qui abuse des prépositions, n'accepte qu'avec répugnance, dans un nombre restreint de mots du type : *timbre-poste*, *hôtel-dieu*.

Or, de même que les substantifs anglo-saxons composés par scissiparité et agglutination homogène (type *spasur :* SPAce + SURveillance) ont produit en sabir les résultats que j'ai dits, les mots anglo-saxons du type *peace offering* ou *peace-pipe*, c'est-à-dire, respectivement : offrandes propitiatoires, calumet de paix, deviennent en sabir, plus concisément, plus expressivement : *offrandes propitiation* ou, mieux, *offrandes-paix*, et *calumet-paix* ou *paix-calumet*.

L'avantage essentiel de cette composition sabirale, c'est que non seulement elle exprime sémantiquement et syntaxiquement la solidarité politique, culturelle et militaire qui unit la France aux pays anglo-saxons, mais que, du même coup, elle manifeste la réconciliation de ce pays avec son ex-ennemie héréditaire, l'Allemagne ; en effet, les tours du genre *peace offering* ou *peace-pipe* ont en allemand leur équivalent exact : *Gœthe-Institut, Frauenzimmer, Soldatenlied* (en français : l'Institut Gœthe), la chambre (*Zimmer*) des femmes (*Frauen*), la chanson (*Lied*) martiale (*Soldaten*).

En quelques années, le sabir atlantic a exploité les possibilités prospectives de ce mode ingénieux de composition. Parmi des centaines, voire des milliers d'autres, voici quelques exemples :

Actualité-enquêtes, appétit-tricot, arts-informations, boîte-essai, cape-cabine, crédit-vacances, chapeau route-plein air, coin éponge, confort-fraîcheur, crédit travaux, détails-mode, efficacité nouveauté, élégance-chapeau, élégance-pluie, élégance-soleil, équation manteau, équipement-vacances, examen-fenêtre, examen vacances, expulse-sport service, garantie mode, garde-robe-pilule, guide raisin, latin disques, latin papier, leçon-cuisine, relax-tilloul, match-beauté, messages-vacances, modes-soleil, mode toile, pause-café, pluie-confort, pschitt-bonbons, réseau Jet, rouge-soins, succès-chanson, sélection-vacances, shopping cadeaux et shopping-cadeaux, surface-rangement, etc., etc.

On observera, non sans profit :

1º Que chacun de ces mots peut s'écrire avec ou sans trait d'union (voir ci-dessous : *Ponctuation, trait d'union*); ainsi *shopping-cadeaux* et *shopping cadeaux, examen-fenêtre* et *examen vacances;*

2º Que l'ordre des mots est presque toujours interchangeable, comme l'indiquent les exemples : *confort-fraîcheur*, qui se dirait aussi bien *fraîcheur-confort*, ou *chanson-succès*, qui pourrait fort bien doubler *succès-chanson;*

3º Que rien, le plus souvent, ne permet de préciser

le rapport logique des deux mots accolés, encore que parfois on puisse supposer que, fidèle à la composition allemande et anglo-saxonne, le sabir ait tendance à antéposer le complément : *actualité-enquêtes* pouvant signifier enquêtes *d'*actualité, ou *sur* l'actualité ; à l'*élégance-soleil* s'oppose le *pluie-confort*, confort par temps de pluie. Malheureusement, un certain nombre de mots ainsi composés gardent l'ordre des mots en français et se bornent à supprimer la préposition ou les mots qui exprimeraient en clair le rapport logique : *messages-vacances*, en français : messages *de* vacances ; *guide raisin* signifiant guide *pour* la consommation du raisin, soit au naturel, soit en jus ;

4° Que, par une innovation heureuse, les mots sabiralement composés n'ont parfois aucun rapport logiquement décelable : *équation manteau* paraît en ce sens un chef-d'œuvre ;

5° Que, fidèle au système de composition par scissiparité et agglutination hétérogène, la composition par gémellation et juxtaposition aime à combiner un élément anglo-saxon et un élément français : *shopping-cadeaux*, *réseau Jet*, *relax-tilleul*, *expulse-sport service*. Parmi les plus méritoires créations de ce type, honorons d'une mention particulière l'*Orly-system* (système bien français, qui bénéficie à la fois : 1° de la valeur magic de l'*y* ; 2° de la composition sabirale avec antéposition du complément ; 3° de l'hétérogénéité anglo-française, *Orly* étant un mot français, et *system* un terme anglo-saxon), ou encore la composition sabirale en trois temps du type : *problèmes équipement-vacances*, ou *problèmes-équipement vacances*, ou *problèmes-équipement-vacances* ; enfin, et surtout, la composition par juxtaposition à trois temps combinée avec la compo-

sition par scissiparité et agglutination homogène ou
bien hétérogène : *Bloc-constats-accidautos* (ingénieusement abrégé en *B. C. A.*).

Exercices :

1) *Selon le modèle chocolat* + *rêve qui pourrait donner,*
outre chocorêve: chove, rècho, lave, etc., composer par
scissiparité et agglutination homogène le plus grand
nombre possible de mots-valises sabiraux à partir de:
un chapeau de paille d'Italie.

(*Soit: hôtel de villo: vitel, hoville, telvil, elle, etc.*)

2) *Selon le modèle horstel ou motel, composer par scissi-*
parité et agglutination hétérogène autant que possible
de mots-valises sabiraux à partir de:
manpowerisation et industrialisation — city-
shopping-center et visite.

(*Exemple: pick-pocket et arrestation, qui donnent :*
pickpockar, ou pickpocktion, ou pickpockstation, ou
pickpockarrest, ou pickarrest, ou pickstation, ou pickta-
tion, ou picktion, ou pickar, dont on louera la brièveté.)

3) *Sur B. C. A. qui signifie en sabir le bloc-constats-*
accidautos, composer tous les mots possibles du même type,
qui combinent la composition par juxtaposition et quel-
ques variétés de composition par scissiparité et aggluti-
nation homogène ou hétérogène:

(*Exemples : bloc-constats-accidavion, bloc-constat-acci-*
moto, bloc-constats-accydravion, bloc-constat-adultère [bloc-
constadultère], base-contrôle-avions, baby-confort-avion,
etc.)

Des substantifs magic.

Le sabir qui dispose de deux lettres *magic: k* et *y,*
et d'un suffixe *magic, -rama,* jouit dès maintenant de

plusieurs substantifs *magic*, dont il convient de dire quelques mots.

SCOTCH. — Mot *magic*. En français, mais *sans aucune valeur magique*, ce mot signifie écossais. Demandez à un ami : « un Bourbon ou un Écossais ? » ; par bonheur, il ne vous comprendra point. Si, par malheur, il vous comprenait, il aurait sujet de vous mépriser : *magiquement*, un *scotch* est sans commune mesure avec un *écossais*. Comme d'autre part Minnesota de France fabrique les rubans adhésifs *scotch*, qui bénéficient du prestige des *whiskies scotch*, et que les usines européennes n'ont commencé que tout dernièrement à fabriquer des rubans adhésifs : *rubafix* ou *tesa*, capables de concurrencer la production américaine, le mot *scotch* a doublé sa valeur *magic*. Voyez du reste *L'Express*, 21 décembre 1961 : « J'entrepris de fixer les bouquets de houx sur les portes. Avec des nœuds de satin rouge. — Maman, comment vas-tu les faire tenir ? — Mais avec du scotch ! » Ou encore Simone de Beauvoir dans *Le Monde* du 3 juin 1960 : « On lui fixa des électrodes au bout des seins avec du papier collant Scotch. »

Désormais, non seulement un alcool et un ruban adhésif bénéficient de ce caractère *magic* du substantif *scotch*, mais la bière, l'eau, les tampons à récurer ont compris la puissance merveilleuse de *scotch* : le *scotch* est désormais une eau qui accompagne le scotch ; on boira donc bientôt du *scotch* au *scotch* ; comme il existe une bière Véga-*scotch*, on pourra demander bientôt, dans nos cafés : « Garçon, une scotch, un scotch et du scotch pour scotcher une enveloppe qui ferme mal. » Enfin, telle est la valeur de *scotch* que le tampon à récurer *scotch brite* « dure dix fois plus » ; c'est la publicité qui le dit, et l'on sait qu'elle ne ment jamais. Par

quelle négligence, qui confine à l'aberration, se trouve-
t-il encore des commerçants pour vendre de l'*écossais* ?
Étant donné la vogue des *plaids* et des *tartans*, n'importe
quel *scotch* se vendrait beaucoup plus cher que du tissu
écossais. Je ne vends pas l'idée ; je la donne, par dévotion au sabir atlantic.

RELAXATION. — « Le problème de la « détente » (de la
« relaxation » comme disent les Anglo Saxons et les
gens à la page) est au centre du problème de la survie. »
(*Candide*, 29 mars-5 avril 1962.) Le Dr Sournia aura
beau prétendre que la relaxation n'est rien d'autre
que la détente, et M. Etiemble nous oppose un vers de
Molière :

> *L'esprit veut du relâche et succombe parfois*
> *Par trop d'attachement aux sérieux emplois*

il est patent que, magiquement, la *détente*, ou le *relâche*,
n'ont rien, mais rien à voir avec la relaxation, sport
jeune, sport nouvelle vague, sport new look, qui s'exprime oabiralement par toutes sortes de mots bénéficiant
de la valeur *magic* de *relaxation*. Essayez donc de vendre un *fauteuil de détente*, ou *de relâche* ! mais baptisez-le
rocking-chair de relaxation, aussitôt on se l'arrachera.
Le seul inconvénient de *relaxation*, c'est que, selon
Piéron (*Vocabulaire de la psychologie*), il s'agit d'un
mot français ancien qui signifie *relâchement* et qui fut
repris de l'anglais. Comme d'autre part, du fait de sa
valeur *magic*, il avait été « galvaudé, paraît-il, par les
marchands de disques, de fauteuils et les instituts de
beauté » (*L'Express*, 13 août 1959), il s'est heureusement
abrégé en *relaxe* (masculin ou féminin) et en *relax*.
Depuis lors, sous ces formes syncopées, il a pris un

puissant essor : si, dans n'importe quel *department store* (nom sabiral des grands magasins), vous commandez un *relax*, ou un *rilax*, on vous offrira une chaise, un sommier, un fauteuil, des chaussures, du café, un appareil à transistors qui vous permet d'entendre votre téléphone en haut-parleur, etc.

Telle en vérité la puissance *magic* de *relaxation*, et de *relax* ou *relaxe*, que ce substantif a déjà donné par dérivation sabirale (simple ou complexe) toutes sortes de mots intéressants : des *relaxants*, des *relaxeurs*, des *relaxators*, des *relax boots*, des *relaxa-tabs*, etc., sans parler de l'adjectif et de l'adverbe *relax, relaxe, rilax*, et du verbe *relaxer*.

Exercices récapitulatifs sur le nom :

1) *Donner toutes les prononciations, toutes les accentuations et tous les pluriels possibles des mots sabiraux suivants :*

    cow-boy, — team-tag-match — starting-block — swingman — self-made-woman.

2) *Sur le principe de scissiparité et agglutination homogène (hôtel de passe = pastel ; bordereau d'hôtel = bordel), composer vingt mots-valises sabiraux et savoureux.*

3) *Rechercher les mots sabiraux commençant par la lettre s et qui, prospectivement, ont valeur magic ; en faire l'étude sommaire.*

4) *Sur le modèle pressing, renoving, composer à partir des verbes suivants des substantifs en -ing, et dire quel ou quels substantifs français ils doivent désormais remplacer (exemple : bouffer donnera le* bouffing, *au lieu de la bouffe) :*

puer — suer — muer — tuer — ruer — entrer — gaffer — gonfler — gifler — duper — tromper — roter.

5) *Établir la liste de tous les substantifs du sabir atlantic qui peuvent et donc doivent se terminer en -ing et en -rama.*

6) *Résoudre l'expression :*
« L'équation manteau. »

7) *Répondre sabiralement à cette question d'un grand hebdomadaire :*
« Avez-vous fait l'épreuve-salade ? »

8) *Traduire en français les expressions sabirales ci-dessous, attestées dans les comics de nos teens et teenettes :*
Super-boy survole le motel — Europressjunior communique — j'appartiens au Club S. L. auto-flash — à bord de son pédajet — les texas-rangers font irruption dans les chambres rustiques des Sheriff's office — chaque radeau est monté par un équipage de six raftmen — les space-nefs font du space-sport — le cow-puncher préparait son breakfast au barbecue — quelques décès par crackifications — l'uppercut du rancher ploya le comingman — en sweater au far-west !

9) *Traduire en sabir atlantic :*
Le Magasin pittoresque — il se repose, il se détend — *Idée sur le roman* — *Vues générales sur les fonctions fuchsiennes.*

10) *Traduire en français :*
train-pantalon — auto-jupe — scooter-coat.

LES PRONOMS PERSONNELS

Reine du monde libre, du monde de la libre entreprise, la publicité, support principal de cette langue
jeune, de cette langue nouvelle vague, de cette langue
new look qu'est le sabir, a fort bien compris qu'il n'y a
de publicité payante que celle qui personnalise l'individu
inconnu en client, en acheteur éventuel.

Elle a donc transfiguré deux pronoms, sans valeur
en français, celui de la première personne du singulier,
et celui de la seconde personne du pluriel. Chacun obtient du coup l'importance qu'avait su se décerner
Arthur Rimbaud : *Miracle de cet être-ci : moi !*

Comme enfin le sabir atlantic ne l'emportera sur le
français que grâce aux teenagers, le pronom de la première personne du singulier accuse le caractère jeune,
vraiment baby, de cette langue. En effet, voyez les
poupées qui s'annoncent dans les magasins pour une
affichette du genre : « Je m'appelle Maryse », ou « My-
lène », ou « Ghyslène ». *Marabout-Flash*, collection
sabirale à souhait, propose des titres qui préfigurent prospectivement l'avenir du pronom *je*: *Je cuisine vite,
Je nettoie tout, J'élève mon chat, Je me maquille, Je connais
tous les vins, Je conduis mieux.* En un siècle où il importe,
sous peine de mort, de penser comme tout le monde, de
s'habiller comme tout le monde (*Faites comme tout le
monde : Lisez France-Soir ; Faites comme tout le monde,
Mademoiselle, utilisez une fermeture Éclair*), la valori-
sation du pronom de la première personne du singulier
était *impérative,* comme dit fortement le sabir (alors

que le français dit mollement : *nécessaire, indispensable, inéluctable, fatale,* ou encore : *s'imposait*).

Les spécialistes US du marketing ont depuis longtemps compris que, pour vendre à un particulier un produit standard tiré à des millions d'exemplaires, il faut que le vendeur valorise le pronom de la seconde personne et, ce faisant, personnalise l'acheteur du point de vue du vendeur ; *English is good for you*. C'est pourquoi un journal soucieux de beauté, de produits de beauté, doit s'appeler *Votre Beauté*; une rubrique publicitaire de *Marie-France* s'intitulera donc *Choisi pour vous*. « Waterman a créé, spécialement pour vous, la plus grande cartouche du monde. »

En personnalisant, par l'emploi systématique du *je* et du *vous*, chacun des objets identiques jetés sur le marché, le sabir atlantic contribue, et non médiocrement, à rendre au monde actuel, robotisé qu'il est, nivelé, bulldozérisé, le « supplément d'âme » qui lui manque en français.

Corollaire :

Les adjectifs possessifs de la première et de la seconde personne acquièrent du coup, en sabir, une valeur *personnalisante* qui leur manque en français. C'est ainsi qu'on dira en sabir : *sur vos mesures,* alors que le français disait : *sur mesures.*

Exercice :

Traduire en sabir atlantic et personnaliser les pronoms personnels ou les adjectifs possessifs :

C'est mon homme ! — Ma pomme. — Beauté, mon beau souci — Notre Père qui êtes aux cieux. — Mon Légionnaire — Tristesse d'Olympio. — Je suis le ténébreux, le veuf, l'inconsolé. — Mon âme est une infante en robe de parade. — Je suis un cimetière

*abhorré de la lune. — Mon âme est un trois-mâts
cherchant son Icarie. —* Mon Dieu, mon Dieu, pourquoi m'avez-vous abandonné ? — *Morceaux choisis.
— Poème choisis.* — Veuillez agréer, Monsieur,
l'assurance de mes sentiments choisis. —

> *Vous êtes si jolie,*
> *O mon bel ange blond,*
> *Que ma lèvre amoureuse,*
> *En baisant votre front,*
> *Semble perdre la vie !*
> *Ma jeunesse, mon luth*
> *Et mes rêves ailés,*
> *Mes seuls trésors hélas,*
> *Je les mets à vos pieds.*
> *Vous êtes si jolie !* —

> *J'suis ta nénesse*
> *Je suis ta gonzesse*
> *Tu es mon Julot.* —

J'ai versé cette goutte de sang pour toi. — La bise
de Grignan me fait mal à votre poitrine (Madame
de Sévigné). — Car celui-ci est mon fils bien-aimé
en qui j'ai mis toutes mes complaisances. —

> *Oui, oui ! c'est mon amant,*
> *Quand je le vois, j'ai le cœur bien aise !*
> *Oui, oui ! c'est mon amant,*
> *Quand je le vois, j'ai le cœur content !*

L'ARTICLE

1) Conformément à la théorie du substantif en sabir,
l'article masculin singulier *le* et l'article féminin singulier

la sont très souvent interchangeables, le genre des substantifs tendant à varier selon que l'on pense au genre
du mot anglais ou à celui du mot français. *Exemples* :
Le Southside School (dans *Le Troisième Goal*) et *la*
School for social Research ; *le* ou *la* rocking-chair, *le*
ou *la* grouse, etc.

2) Confirmant le symbolisme politique de sa grammaire, le sabir pose en principe, selon l'usage anglais,
américain et allemand, que l'apposition est signalée par
un article indéfini. *Exemples* : Sir Winston Churchill,
a jolly good fellow ; Mac Carthy, *a* great American
patriot ; *eine* grosse Schauspielerin. Au lieu de : *Grammaire abrégée du sabir atlantique, thèse complémentaire
pour le doctorat d'État*, on dira donc en sabir : *Grammaire
digest du sabir atlantic, une thèse complémentaire*. Au lieu
de : *Le sabir atlantique, essai de langue dernier cri*, on
traduira : *Le sabir atlantic, un essai de langue new look*.
Ainsi : « Fumer la pipe, un art masculin ; écrivez à Tabac
Clan » ; *Les poésies de Blondel de Nesle, une étude du
lexique* ; *Cinq colonnes à la une, une émission de*
P. Lazareff.

3) Par une façon de compensation, alors que le sabir
atlantic exige l'acticle *indéfini* devant le substantif en
apposition — *une* innovation qui nous change heureusement du français —, il supprime l'article *défini* dans
plus d'un cas où le français l'exigerait : « Avez-vous
déjà entendu parler de Target Zero ? », « Il faut que
j'avertisse Señor Uno », etc.

La syntaxe de la publicité a déjà compris que, sabiralement parlant, l'article ne paie pas ; il n'est donc pas
valable. On dira désormais : *après-shampooing, après-
vente, anti-pluie de poche, anti-taches*, alors que le français s'attarde à écrire *contre les taches*, etc.

On peut donc espérer voir bientôt disparaître en sabir cet accessoire inutile, qui n'a rien d'un gadget new look : l'article.

Exercice :
  Traduire en sabir les appositions suivantes :
    Paris, reine du monde — Paris, capitale de la France — Dieu, être suprême —
    Rome, l'unique objet de mon ressentiment (Corneille).

L'ADJECTIF

I. MORPHOLOGIE

1) Du point de vue morphologique, le fait dominant est sans doute la substitution à la désinence *-ique* d'une désinence sabirale en *-ic*. Non seulement toutes les salles parisiennes de cinéma ont suivi la nouvelle vague, le new look, et portent comme enseigne : Artistic, Atlantic, Atomic, Celtic, Magic, Majestic, Olympic, Pacific, mais on peut tenir que le jour est proche où la désinence *-ic* aura complétement éliminé la désinence *-ique*. Tout le monde boit de la *tonic*-water, porte la ceinture *anatomic*, utilise une glacière *frimatic*, se rase au *rollectric* ou au *lektronic*, porte des créations *nautic*, utilise une huile visco-*static*, joue de la guitare *supersonic*, couche sur une literie *micromatic*, adopte l'allure *dynamic*, etc.

Le prestige des objets auto*matiques* explique aussi que, parmi les adjectifs sabiraux en *-ic*, ceux qui se terminent en *-matic* progressent très rapidement, si

rapidement qu'on peut leur attribuer la valeur *magic*
dont sont affectées les lettres *k* et *y*, le suffixe *-rama*, les
mots *scotch*, *relax* et *relaxe*, etc. Parmi les adjectifs *magic*
en *-matic*, notons seulement, à titre d'information :
aquamatic, baby-matic, conformatic, la montre dayma-
tic, la caméra B 8-duamatic, l'essuimatic, la caméra
instamatic, la bille crayomatic, la tête giromatic, la technique mascaramatic, la lentille métermatic, l'ensemble
odonmatic, la technique memo-matic ou plimatic, la
boucle reglomatic, la Chambord rushmatic et le
Rojanet Top'matic, où l'apostrophe ajoute un caractère
sabiral (voir *Ponctuation, l'apostrophe*).

Une autre désinence de l'adjectif aspire au caractère
magic et pourrait fort bien l'obtenir : *-omatic, -o-matic*
ou *-o'matic*. Exemples : le rasoir Pal injectomatic, la
brosse magique novelta-o-matic, l'embarcation Shark-
o-matic qui doit avoir adopté cette valeur *magic* pour
détourner les requins (*sharks*).

Mention spéciale pour « le bar Otomatic » d'Alger,
qui avait su rénover le préfixe *auto* en le confondant
ingénieusement avec le grec *oto* (oreille), qu'on retrouve
dans ce joli mot : *otorhinolaryngologie*. Pierre Lagail-
larde et Ortiz l'honoraient de leur présence.

Signalons enfin une tendance timide encore, mais
heureuse, qui consiste à amputer de la première syllabe,
quand elle n'est pas prononcée en anglais, les adjectifs
de ce type : *lectric shave* (au lieu de : *electric*), *lektronic*
(au lieu de : *electronic*).

La présence du *k* dans *lektronic* nous invite à mentionner l'initiative de certains pionniers. Poussant à son
extrême conséquence la morphologie générale du sabir,
ils ont proposé de modifier en *-ik*, *-matik* et *-o-matik* les
désinences en *-ic*, *-matic* et *-o-matic*. L'*India Tonic* un

jour paraîtra démodé si le costume *Tonik* l'emporte sur
les costumes qui ne sont que *tonic*, et si la coiffure *Attik*
de Rebe (voilette avec perlage cristal et rose de satin
rouge) efface le souvenir du sel *attique* et même du sel
attic.

Vœux :

Pourquoi ne pas faire bénéficier la désinence par excellence *magic* de l'appoint que ne manquerait pas de lui
apporter l'*y* au lieu du *i*? La prospective commande de
l'espérer : l'avenir sera *tonyk* ou ne sera pas.

Certains puristes m'ayant fait remarquer que la
désinence ou séquence -*ck* ayant sabiralement valeur
plus efficace encore que la finale -*k* — toute *magic* que
soit celle-ci (ainsi Vladivosto*ck* pour Vladivosto*k*) —,
il serait opportun de prendre modèle sur le vers de
Laurent Tailhade :

> *Hélas, et je manque de mise*
> *Pour bluffer au* pocker *le soir.*

Le poëte y manifeste que la séquence -*ck* lui semble
plus magicienne encore que sa seule consonne -*k* (cf.
air-wi*ck*). Dès lors ne pourrait-on former un second
vœu :

Pour mettre en pleine valeur les désinences *magic* -*ic*,
-*matic*, -*o-matic* et autres, apparentées morphologique-
ment, souhaitons que les usagers du sabir adoptent
désormais la graphie la plus chargée de magie, celle qui
remplacerait la désinence française -*ique* par la désinence
sabireuse -*yck*.

(*Remarque :* On a suggéré que non seulement les
adjectifs, mais les substantifs en -*ic* puissent bénéficier

de cette majoration, ce qui se conçoit d'autant plus aisément qu'en sabir atlantic, en atlantyck, les substantifs sont employés souvent comme adjectifs, et vice versa.)

Exercice :

Transposer en sabir atlantic idéal, c'est-à-dire en sabir atlantyck, les mots ou expressions suivantes :

A la trique — une pointe Bic — un tic de langage — la bombe atomique — *sic* — air-wick — gin-tonic — un alambic — instamatic — ultramatic — aboule ton fric! — sekonic dualmatic — un joyeux loustic — mystique.

2) L'autre fait qui domine la morphologie de l'adjectif, c'est l'emploi délibéré de sigles : un marine U. S. ; la navy U. S. ; les call-girls U. S. ; les gangsters U. S. ; ou encore le K. K. K. US ; l'US air-force ; les cover-girls US ; les marshalls US. Grâce à la graphie US, de plus en plus fréquente, l'adjectif qualificatif se confond avec le pronom personnel de la première personne du pluriel en fonction objet : « come with *us*! » (par malheur, celui-ci se prononce *eusse*, et l'adjectif *uèsse*).

Sur cet illustre exemple, le sabir atlantyck a mis au point toute une série de sigles qui jouent le rôle d'adjectifs qualificatifs. *Exemples :* les délégués C. G. T., C. F. T. C. et F. O. ; le voleur du Mans était un agent O. A. S. ; le crédit bj ; les drapeaux OAS ; les maires U. N. R. (sur lequel on a construit un adjectif *zuénère*) ; les journalistes R. T. F. ; la seconde chaîne T. V. ; le Gibbs S. R. (non pas service de renseignements, mais super-rafraîchissant) ; le Bar B. Q., etc.

GENRE ET NOMBRE DES ADJECTIFS QUALIFICATIFS

Les lois de la morphologie sabirale nous orientent vers celles qui régissent le genre et le nombre des adjectifs qualificatifs. L'adjectif le plus prestigieux de tous, *U. S.* ou *US*, étant invariable, ne pouvait pas ne pas agir par son exemple spécifique.

Dès maintenant, on peut poser en règles :

a) Les adjectifs qualificatifs sigleux (OAS, UNR, TV) sont invariables, sur le modèle de US.

b) Les adjectifs en *-ic*, *-matic* et *-o-matic* ont tendance à devenir invariables.

c) Un fort pourcentage des substantifs composés selon la règle de gémellation ou de juxtaposition ayant fonction d'adjectifs qualificatifs (le stick *double-fraîcheur*, l'assurance *sécurité-santé*), ces expressions, évidemment invariables, jouent le rôle d'adjectifs.

Enfin, la plupart des adjectifs de couleur étant anglo-saxons en sabir atlantyck : Romany red, African violet, mandarin orange, black, pink, rosy, blue, ils agissent eux aussi, invariables qu'ils sont, sur la morphologie prospective de l'adjectif sabiral.

Il en résulte un juste mépris du sabir pour les variations de l'adjectif selon le genre et le nombre. On dira donc, pour parler correctement : « tous les Korrigan junior » ; les « sweaters junior Crylor » ; « Manby vous présente cette saison une mode junior » ; « une jupe culotte très bermuda ».

Mais comme le sabir atlantyck est une langue jeune, une langue nouvelle vague, une langue new look, il n'hésite pas à conférer le *-s* du pluriel aux adjectifs anglais, théoriquement invariables, quand ils sont employés sabireusement. On lira donc : des *hots*-dogs (quartier latin), des gangsters « *groggies* » (*Le Parisien libéré*, 27 juillet 1963), des crédits *swaps*, les chapeaux *gags*, les tailles *standards* et, par conséquent, dans *Le Monde* (14 juillet 1963) : « les journalistes ouest-allemand ».

CE FAISANT, LE SABIR S'ALIGNE SUR CETTE LIGNE QUE NOUS AVONS DÉJA SOULIGNÉE DANS LE CHAPITRE QUI TRAITAIT DU SUBSTANTIF. IL SE PLACE DÉLIBÉRÉMENT SOUS LE SIGNE ET DANS LE CADRE DE LA LIBERTÉ, CAR, NE L'OUBLIONS PAS, LE SABIR ATLANTYCK, C'EST LA LANGUE DU CAMP DE LA LIBERTÉ, CELUI DE FRANCO, DE SALAZAR, DE TCHANG KAI-CHEK.

Exercices destinés aux lecteurs femelles (female readers) :

1) *Définir en quatre mots français (au maximum) la nuance exacte du fard que vous choisirez sur la liste suivante, établie d'après deux sabiraux catalogues :*

African Violet — Beige Tone — Bimini Coral — Black — Black Pearl — BocaBoca Red — Brown — Cape Canteloupe — Castilian Gold — Crackerjack — Darling Red — Doll Pink — Exotic — French Blue — Gold Peach — Gold Rose — Gold Tan Etrusque — Golden Cognac — Green — Hot Red — Mango Pink — Morning Pink — N. Y. Pink — Palmy Pink — Paris Red — Peachbloom — Pink Flare — Port-au-Pink — Romany Red — Rosewood — Teahouse Rose — Tender Pink — Turkish Coffee — Velvet Red.

2) *Traduire en sabir atlantyck les noms suivants de couleur :*

Azalée — azur — aubépine — clair soleil — ciel — ambre nacré — capucine — coq-de-roche — cuisse

de nymphe émue — dahlia — romarin — réséda —
rose — rose franc — rose cendré — turquoise.

FORMATION DES ADJECTIFS RELATIFS A LA GÉOGRAPHIE PHYSIQUE ET POLITIQUE

Le français disait : l'Afrique occidentale, et même
l'Afrique occidentale française, l'Afrique orientale
anglaise, le sud-est de l'Afrique, l'Afrique française du
Nord, mais : le nord de l'Espagne, le sud de l'Espagne,
le sud-est de l'Afrique, le nord de la Syrie, le sud de la
Syrie, distinguait l'Allemagne de l'Ouest de l'ouest de
l'Allemagne, et l'Allemagne de l'Est de l'est de l'Allemagne, la Corée du Nord et la Corée du Sud étant pour
lui tout autre chose que le nord de la Corée et le sud de
la Corée. Par *nord de la Corée, sud de la Corée*, on désigne,
en géographique physique, la portion de la presqu'île de
Corée qui se trouve au nord, en gros, ou au sud, en gros,
de cette presqu'île, et ainsi pour le nord, le sud, l'est ou
l'ouest d'une nation. En géographie politique, on appelle
Corée du Nord, Corée du Sud deux États, politiquement
divisés par certain parallèle, au nord duquel prévaut
le communisme, au sud duquel gouvernent les États-
Unis.

Langue jeune, langue nouvelle vague, langue new
look, le sabir atlantyck a changé tout cela. Il parle du
Sud-Cameroun, il étudie les populations païennes du
Nord-Cameroun, l'évolution sociale des montagnards
du Nord-Indochine. Dans ces complexes, c'est le point
cardinal qui détermine le genre, de sorte que tous les
noms de pays, qu'ils soient masculins ou féminins,
deviennent alors masculins. Le Nord-Corée, le Nord-

Cameroun, le Nord-Laos, le Nord-Indochine peuvent
désigner à la fois une notion de géographie physique
et une situation politique, même et surtout si elles ne
coïncident pas : langue jeune, langue nouvelle vague,
langue new look, le sabir atlantyck se devait de confondre ce que, dans sa manie analysante, le français s'obstinait à sottement distinguer. Sur le modèle de l'*Est-sud
africain* (*Le Figaro littéraire*, 27 février 1960), peut-on
espérer entendre bientôt parler sabiralement de l'*Est-Sud
français* et de l'*Ouest-Nord français*, qui remplaceraient
avantageusement le sud-est et le nord-ouest de la France
(avec la majuscule de rigueur en anglais pour les points
cardinaux). Puisqu'on parle des montagnards du Nord-
Indochine, il est navrant de lire : « Les mineurs du Nord
de la France sont en grève. » Osons parler des mineurs
du Nord-France, et la question sociale sera en partie
résolue.

LES DEGRÉS DE COMPARAISON

Langue jeune, langue généreuse, langue prodige,
langue prodigue, le sabir atlantyck considère que le
degré positif de l'adjectif qualificatif a fait son temps.
Il a quelque chose de mesquin, de sordide et d'avaricieux.
Essayez donc, en 1963, de lancer un restaurant avec
pour devise « Chez Dupont tout est bon », ou encore une
marque d'apéritif en jouant sur les mots « Dubo, Dubon,
Dubonnet! » On vous rira au nez, à juste titre. En sabir
atlantyck, tout est *mieux*, ou *le meilleur* ; mais ici, une
capitale remarque est impérative.

En français, il existe trois degrés de l'adjectif qualificatif : la positif, le comparatif, le superlatif, celui-ci

subdivisé en superlatif relatif et superlatif absolu. Non content d'avoir aboli le degré positif, le sabir atlantyck estime que le comparatif vaut mieux et plus que le superlatif. En effet, si vous prétendez qu'une cigarette, un tissu, un relaxator, un mixer sont *très bons*, superlatif absolu, vous ne dites pas qu'ils soient les meilleurs du monde ; mais quand vous affirmez d'une marchandise quelconque qu'elle est *mieux*, comme vous vous gardez scrupuleusement de préciser : *mieux que ceci*, ou *que cela*, vous signifiez implicitement qu'elle est meilleure que tout, y compris le *très bon*, et que *le meilleur du monde*.

En conséquence, le sabir atlantyck considère qu'il n'existe, dans une perspective prospective, que deux degrés de l'adjectif qualificatif : le superlatif, degré équivalent au positif du français, et le comparatif, qui absorbe toutes les valeurs du superlatif, et pour ainsi dire les transcende.

Lorsque l'adjectif positif est employé en sabir atlantyck, il convient de le revigorer, de lui restituer son sens au moyen de l'adverbe *vraiment*, souligné de préférence. Exemples : *vraiment* blanc, *vraiment* économique. On écrira donc en sabir : à dire *vraiment* vrai ; pour de *vraiment* vrai ; il est *vraiment* vrai que, etc.

Le superlatif relatif est la forme courante de l'appréciation, surtout quand il est suivi de l'expression *du monde*. En vertu de l'adage américain que tout ce qui est US est « le plus quelque chose *in the world* », Waterman propose « la plus grande cartouche du monde », le slip-nylon hélios devient « le plus parfait du monde », votre bébé « le plus beau baby du monde », et Maurois « l'écrivain français le plus traduit du monde » (*Paris-Match*, 21-28 août 1954). Encore que la compagnie Air France prétende utiliser « les deux meilleurs jets sur le plus grand réseau du monde », et que nulle autre jusqu'ici n'ait contesté ce superlatif, toute compagnie aérienne peut se dire « la plus expérimentée du monde » ; toute marque de cigarettes, pour même la raison, sera « la meilleure du monde » pour la gorge et le cancer. Bref, grâce à l'adjonction de *du monde*, tout superlatif relatif devient un superlatif absolu. Le superlatif *le plus total* offre un autre ingénieux superlatif relatif absolu.

Le sabir possède néanmoins un superlatif absolu, signalé le plus souvent par le préfixe *super-*, qui valorise tant de substantifs. Quand on parle des *super-grands*, par exemple, pour désigner les États-Unis et l'Union soviétique, il s'agit d'un adjectif superlatif employé substantivement. *Super-familial* et *super-économique* vont de soi ; mais le sabir innove audacieusement quand il porte au degré superlatif, grâce à ce préfixe, des adjectifs qui, autrement, ne l'admettraient pas : *super-hermétique*, *super-permanent*, *super-continu*, *super-total*.

Remarque :

En créant *supérette*, c'est-à-dire en combinant le préfixe du superlatif absolu et le suffixe par excellence diminutif, le sabir défriche une voie neuve, déjà frayée à Chicago : « Le plus grand petit théâtre ».

Exercice :

Porter au superlatif absolu les adjectifs français soulignés ; leur attribuer ainsi une valeur sabirale:
École normale *supérieure*. — Le Père *éternel*. — Un nombre *infini* est-il pair ou impair ? — Un ovaire *supère*. — « Entre nous, ce sont choses que j'ai toujours vues de singulier accord, les opinions *supercélestes* et les mœurs *souterraines* » (Montaigne). — « La langue française n'aime point

les exagérations, parce qu'elles altèrent la vérité ;
et c'est pour cela sans doute qu'elle n'a point
de ces termes qu'on appelle *superlatifs*, non plus
que la langue hébraïque » (Le P. Bouhours).

En dépit du précédent US, il faut reconnaître que
l'expression du superlatif est devenue en sabir de plus
en plus difficile, car les clients le sont de plus en plus.
On a donc inventé d'autres formules : *100 %*, *total*,
intégral, *absolu*. Encore convient-il de les multiplier pour
ainsi dire l'un par l'autre. Nyl-neige sera *total* lui (ou
elle) aussi ; l'automaticité sera évidemment *absolue* ;
mieux vaudra pourtant, comme PYL, se dire *100 % actif
efficacité totale*, ou garantir une *vraie garantie totale*.
   Devant cette difficulté d'exprimer le superlatif, qui
s'use à une rapidité vraiment 100 % totale — à preuve
cette publicité dans le métro de Paris : « le lait instantané
le plus rapide » (il faut avouer qu'il est malaisé de porter
au superlatif la notion d'*instantané*) —, le sabir atlantyck
a décidé judicieusement d'utiliser de préférence à cette
fin le degré comparatif, à cause de ce vague précisément de la notion qu'il comporte. On dira donc, *en
évitant toujours de préciser à quoi on compare :* vendre
plus beau à meilleur prix ; la lampe crypton éclaire
mieux et plus blanc ; une pastille pour une digestion
meilleure ; voulez-vous thermocopier mieux et à meilleur
marché ? ; pour une meilleure compréhension ; chauffez-
vous mieux, dépensez moins ; les recettes pour mieux vivre
de la femme à la page ; la meilleure intelligence des problèmes actuels ; la meilleure connaissance de la criminalité.
   Lorsque le comparatif précise ce à quoi il compare
quelque chose, ce ne peut être qu'à *tout* : « Tide bout
plus blanc que *tout* », ou, par un tour qui évoque habile-

ment le comparatif d'une part et, de l'autre, la totalité :
« *Marie-France* vous en dit *plus* sur *tout*. »

Remarquons, pour finir, que le comparatif lui-même
tend à perdre de sa valeur superlative, de sorte que,
sur le modèle des comparatifs renforcés ou *supercomparatifs* de la grammaire publicitaire US, le sabir
atlantyck s'est forgé des *supercomparatifs* du genre :
Tide get clothes *even* cleaner. Exemples : *encore* plus de
confort ; Superpersil lave *encore* plus blanc (on souli-
gnera le plus souvent possible l'élément de renfort). L'autre procédé sabiral : *l'huile Lesieur, 3 fois meilleure*,
offre quelque danger car nul ni rien ne peut empêcher
une marque rivale de se déclarer, et du coup de se prouver, 4, 5 ou 10 fois *meilleure*.

Le mot *mieux* tend donc à obtenir en sabir atlantyck
une valeur *magic*. Témoin, le fait suivant : pour l'emporter sur un café qui affichait *Bar ya bon*, un astucieux
concurrent de Montpellier, qui vivait porte à porte,
afficha *Bar ya mieux*. Alors qu'en français *ya mieux*
signifie *moins bon que ya bon*, la valeur *magic* du mot
mieux joue en sabir, secondant le magicotropisme
positif de tous ceux qui emploient cette langue jeune,
cette langue nouvelle vague, cette langue new look :
Supp-hose, bas miracle ; le jet magique de la bombe américaine spray-net ; tissus magiques ; la magie Scherk ;
l'ouvre-boîte miracle ; les remèdes-miracles ; le sceau
à ordures électro-magic ; Silibrille 2 fois magique.

Exercices :

1) *Montrer le caractère atlantyck du comparatif sabiral
en commentant le texte suivant de J.-P. Vinay et J. Darbelnet, dans leur* Stylistique comparée du français et
de l'anglais :

« L'anglais [...] met l'adjectif au comparatif alors que le français le laisse au positif. [...] La réclame anglaise ou américaine fait un large usage de ces comparatifs — ou superlatifs — implicites :
— The best coffee in town.
— Stays clean longer.
— They (the cigarettes) are milder, smoother, taste better.
Évidemment, on pourrait traduire chacune de ces annonces littéralement, mais il semble plus naturel de dire sans comparatif :
— café de toute première qualité ;
— n'est pas salissant ;
— elles sont douces, n'irritent pas la gorge et sont fort agréables au goût.
Dans la publicité française, on lit désormais :
— Reynolds c'est mieux ;
— une voiture qui fait encore plus plaisir ;
— Omo fait mieux encore qu'Omo ! »

2) *Traduire en sabir atlantyck :*
Un bon point — une mauvaise note — *Au bon beurre* — bon à tirer — bon an mal an — le mieux est l'ennemi du bien, et le pire, l'ennemi du mal — c'est assez bon — c'est bon — c'est très bon — c'est parfait — une bonne sœur — sa sœur est bonne — le bon Dieu, ce n'est pas un mauvais diable.

3) *Classer, selon leur efficicence atlantyck, les comparatifs sabiraux suivants :*
20 % plus élastique — 40 % d'écriture en plus — frites Végétaline 2 fois plus faciles à digérer — les frites Lesieur, 6 fois meilleures — Charrier, 12 fois plus pure — l'ail médicinal est 500 fois plus actif

que la plante — Spic nettoie tout 3 fois plus vite —
le stylo 303 contient 4 fois plus d'encre — tout
est meilleur (devise de Codec).

4) *Classer selon leur efficience sabirale les superlatifs*
atlantyck suivants :

Cornuel, 100 % pure laine — 100 % français —
Taraflex 100 % plastique — rangez 100 % pratique — 100 % moderne — Spontex 100 % nouvelle
— Moi, je suis Prémaman à 100 % — Full Epil
épilation définitive 100 % scientifique — 100 %
pur cachemire — 100 % pur cashmere — 100 %
pur Kashmere — 100 % pure Kashmere.

II. SYNTAXE

PLACE DE L'ADJECTIF QUALIFICATIF ÉPITHÈTE.

Règle générale. — Parce qu'en français l'adjectif
qualificatif épithète se place généralement après le
substantif qu'il qualifie, l'antéposition éventuelle de
l'adjectif épithète permet au français des distinctions
fâcheuses, et compliquées, du genre : un grand homme,
un homme grand ; un méchant homme, un homme
méchant ; une sale garce, une garce sale ; un foutu
cochon, un cochon foutu. Sagement inspiré par l'usage
anglo-saxon, le sabir affirme au contraire que l'adjectif
épithète doit précéder le substantif qu'il qualifie.
Exemples : *a nice guy, a tough guy.* Les comics destinés
aux teenagers ont très bien compris cette orientation

prospective. On y lit donc : « une urgente mission »
(*Sidéral*) ; « ces bêtes bonshommes » (*Météor*) ; « le très
moderne runabout » (*Tintin*). La publicité elle aussi
fait son devoir : « Chic Bar » ; « le propre caractère [...]
des dents naturelles » (*Vivodent*) ; Familial sac (blanchisserie de Saint-Omer) ; International service (*Flaminaire*);
la grande presse enfin sabirise à plaisir : « l'entière po-
pulation française » (Guy Mollet, *Le Figaro*, 2 juillet
1962) ; « cette hebdomadaire sollicitude » (*L'Express*,
5 juillet 1962) ; « aucun qui n'essaie, à sa personnelle
façon, de refaire le monde » (*L'Express*, 17 novembre
1960). Voyez aussi : « amicale action », les « romantiques
ballets ». *France-Observateur* nous présenta prospectivement, le 10 septembre 1959, « la scientifique composition de l'idéal équipage » qui devait raconter, aux
U. S. A., ses « cosmiques impressions ».

   Actuel est à cet égard une épithète-pilote, un adjectif
témoin. Conformément à l'usage anglais : « the present
administration », il n'est pour ainsi dire plus jamais
placé après le substantif. On dira donc, obligatoirement :
« l'actuelle situation », « l'actuelle session », « l'actuel
ajournement », « l'actuel régime », « l'actuel gouvernement », « l'actuel comité central », « l'actuelle législation»,
« l'actuel droit canon ».

Vœu :

   Que tous les actuels adjectifs suivent l'actuelle
ligne de l'adjectif actuel, ligne de force à ce point irrésistible que le général de Gaulle qui, malheureusement,
ne passe point pour favoriser le sabir atlantyck, a pu
dire, à dû dire, pour se faire comprendre de ses auditeurs : « J'ai proposé au pays l'actuelle constitution »
(20 septembre 1962).

Cas particulier de deux adjectifs qualificatifs :

Une difficulté se propose pour exprimer en sabir atlantyck les tours anglo-saxons du type : *the British supersonic jet.* Le sabir toutefois y réussit, et parfaitement, en plaçant toujours l'adjectif épithète à côté du mot qu'il ne qualifie pas. Pour traduire « le ministre norvégien des Affaires Étrangères », on dira donc, en sabir atlantyck : « le ministre des A. E. norvégien », puisque *norvégien* qualifie *ministre* et non pas *Affaires Étrangères* (sigleusement et sabiralement abrégé en A. E.) ; on dira, de même : « les constructeurs automobiles internationaux » (puisque, de toute évidence, *internationaux* qualifie *constructeurs*), et « l'avion à réaction supersonique H. P. 115 anglais » (alors que *supersonique* qualifie *avion* et non pas *réaction*) ; mieux encore : « les fards à paupières liquides » (*Marie-Claire,* avril 1960), puisque *liquides* ne s'applique probablement point à *paupières.*

C'est un des cas où l'adjectif épithète peut se placer en sabir après le substantif. Un cas analogue se produit lorsqu'il s'agit d'exprimer les tours anglais du genre : *American liberal Christian Trade-Unions.* Pour n'avoir pas encore su imposer *les Américains libéraux chrétiens syndicats,* le sabir tolère provisoirement qu'on dise et même écrive : *les syndicats chrétiens libéraux américains ;* mais on prendra grand soin d'inverser l'ordre anglo-saxon des adjectifs afin que le lecteur ou l'auditeur puisse reconstituer sans faute le schéma de la phrase originelle.

ADJECTIFS NUMÉRAUX

En sabir atlantyck, la syntaxe de l'adjectif numéral, ordinal ou cardinal, s'inspire directement de la grammaire anglo-saxonne, selon le tableau suivant :

FRANÇAIS	ANGLAIS	SABIR
les *cent derniers* mètres	the *last hundred* yards	les *derniers cent* mètres
les *deux derniers* jours	the *last two* days	les *derniers deux* jours
les *quinze dernières* années	the *last fifteen* years	les *derniers quinze* ans
la *troisième* firme américaine	the *third greater* U. S. firm	la *troisième plus grande* firme U. S.
la *quatrième* performance du monde	the *fourth best world* performance	la *quatrième meilleure* performance *mondiale*
le *quarantième* anniversaire de *leur* mariage	*their fourtieth* anniversary	*leur quarantième* anniversaire de mariage (il s'agissait du général et de Mme de Gaulle)

Ainsi de suite. « Le Trou du vent » deviendra donc « le quatrième gouffre mondial » (où *mondial* exprime sabiralement l'expression US *in the world*).

Exercices :

1) *Traduire en sabir atlantyck les expressions suivantes (en mettant l'adjectif qualificatif devant le nom) :*
Un sire triste — une tête forte — un poète méchant — un repas maigre — un homme brave — un homme grand — le clair obscur — la femme sage

— l'homme prude — l'homme gentil — une canaille
fière — un lapin chaud — une femme chic — un
salaud beau — un succès certain — un homme
seul — un homme galant — un sein blanc.

2) *Noter (de 0 à 20) une première fois à la française,
une seconde fois sabiralement, ce sujet proposé en juillet
1963 à l'écrit de l'examen probatoire (ex-bachot 1ʳᵉ partie) ;
justifier en moins de dix mots l'une et l'autre de vos notes :*

La télévision occupe une place de plus en plus
importante dans la vie familiale française.

Dites ce que vous en pensez, en précisant les
mérites et les dangers de ce moderne instrument
d'information et de culture.

L'ADVERBE

Généralités. — Langue jeune, langue nouvelle vague,
langue new look, le sabir atlantyck se devait de rénover
la forme et la syntaxe de l'adverbe, comme il fait celle
de l'adjectif, et d'une façon analogue. De même que,
dans les expressions sabirales du type « messages-vacances », « coloris-pilote », « tabliers cuisine », les noms
vacances, pilote, cuisine ont valeur et fonction d'adjectif
qualificatif, ainsi le sabir emploie en fonction adverbiale l'adjectif du français. Ce faisant, il s'affirme courageusement atlantyck : en anglais et en américain, l'adjectif s'emploie souvent tel quel en fonction adverbiale.
Exemples : « poudrez-vous transparent » ; « habillez-
vous pratique » ; « traité irrétrécissable » ; « il écrit
économique ».

Le sabir a su transformer en adverbe jusqu'au subs-

tantif. *Exemples :* « pensez conserves » ; « pensez ferme-
ture-éclair » ; « pensez qualité » ; « pensez gaz » ; « buvez
Coca-cola ».

Assurément, le fameux « boire frais » du français préparait le *mangez frais*, le *vivez gai* du sabir, mais le
français n'a pas mieux su tirer parti de ce tour que de
l'emploi adverbial des sigles. *Exemples :* « voyagez PLM » ;
« volez KLM » ; « crashez TWA ».

Autre dominante de l'adverbe sabiral : son caractère
impérativement ou confirmatif ou superlatif :

a) *Adverbe de valeur confirmative :*

« Castrol suractivée économise *réellement* votre
essence, permet *vraiment* des démarrages éclair, protège
intégralement votre moteur. » Dans ce cas, le verbe
n'acquiert son sens que par la vertu de l'adverbe. On
soutiendrait sans paradoxe qu'en sabir, lorsque l'adverbe
a valeur confirmative, c'est lui qui, d'un *négatif* (le
verbe), développe un *positif* (le complexe *verbe + réellement*, *verbe + vraiment*, etc.).

On trouverait l'analogue dans certains emplois
sabiraux de l'adjectif qualificatif, du genre : « dose
complète pour un litre », alors qu'en français *dose pour
un litre* signifie *dose complète*.

b) *Adverbe de valeur superlative :*

En plus de sa valeur confirmative, *intégralement*
a de toute évidence valeur superlative dans « Castrol
suractivée protège *intégralement* votre moteur ». Les
adverbes superlativants les plus efficaces sont aujour-
d'hui : *étonnamment, incroyablement, incomparablement*.

Remarque :

Notons le succès de l'adverbe *pratiquement* (déduit
de l'anglais *practically*) : il a définitivement supplanté

le français *quasiment, assez, à peu près, comme qui dirait,* etc.

Exercices :

1) *Remplacer l'adverbe français souligné par l'adverbe sabiral qui s'impose :*

Il est *assez* grand pour être sage — il est *très* grand pour son âge — je vous remercie infiniment. Dieu est *infiniment* bon, *infiniment* aimable, *infiniment* parfait — ce dispositif est *assez* pratique — il pratique *quasiment* tous les sports.

2) *Sur le paradigme* mangez frais, buvez Coca-Cola, *traduire en sabir les expressions soulignées :*

Vous ferez peu défaut, *mourez sans vous en faire* (B. Brecht) — Socrate fut condamné à *boire la ciguë* — Ils n'ont pas de pain ? qu'ils *mangent de la brioche.*

LE VERBE

Principes généraux. — Alors qu'on peut poser en principe qu'en français une phrase était d'autant plus belle qu'elle comportait un plus grand nombre de verbes employés à un mode personnel, le sabir atlantyck, langue jeune, langue nouvelle vague, langue new look, inverse la constante et invertit cette valeur. Une phrase sabirale sera d'autant plus sabirale qu'elle comportera moins de verbes à un mode personnel, et plus d'infinitifs ou de participes présents. *Exemples :* « Sevabust (seins parfaits) formule raffermissante » ; « Dulcine, si bien assaisonnante » (en français, on dirait : Sevabust *affermit* les seins ; Dulcine *assaisonne* agréablement).

Quant à l'infinitif présent actif, il s'emploie sabireusement avec toutes sortes de sens, implicites : sur l'anglais *ready to wear*, la mode française a multiplié les expressions du genre : *prêt-à-porter* (où *porter* signifie *être porté*) ; *Vénilia prêt-à-poser* (où *poser* signifie *être posé*). *Génie, la lessive qui lave sans bouillir* propose un infinitif plus intéressant encore puisqu'il signifie *qu'on ait besoin* (*qu'il soit nécessaire*) *de faire bouillir le linge.* Admirons ici l'extrême concision du sabir!

Certains seront tentés de rapprocher cet emploi de *poser* et de *porter* avec un sens passif de certains participes présents du français qui ont le sens passif : du lait *trayant* (pour : du lait qui vient d'*être trait*). Ils auront tort car il s'agit, en français, de vestiges désuets, stériles. Et surtout les emplois en sabir de l'infinitif et du participe ont pour fin évidente l'élimination de tous les temps et de tous les modes du verbe au profit des seules formes impersonnelles.

Cela vaut mieux, du reste, car le sabir, langue jeune, langue new look, ne peut exiger de ses fans, les teenagers et les pin-ups, les play-boys et les call-girls, qu'ils gaspillent leur précieux temps à étudier les conjugaisons des modes personnels. Quand on pense que, si l'on doit conjuguer le verbe *twister* à l'indicatif présent, on peut hésiter entre *je twist* et *je twiste*, *tu twist* et *tu twistes*, *on twist* et *on twiste*, et que le verbe *to hully-gully* commence à subir l'influence pernicieuse du français au point qu'on devait lui concéder quelques formes bâtardes dans *Elle*, le 24 juillet 1963 : « je hully-gully, tu hully-gullys, il et elle AMOUREUSEMENT hullient-gullient » (alors que la tendance du sabir eût été de

conjuguer : je, tu, il, ils hully-gully), qui n'approuverait
la méfiance des fans, teens et teenettes pour les formes
personnelles ?

Applications. — Dans leur *Stylistique comparée du
français et de l'anglais*, J.-P. Vinay et J. Darbelnet
constatent que « par contraste avec l'affinité du français pour la forme pronominale, nous constatons celle
de l'anglais pour la voix passive. De ce fait, bon nombre
de passifs anglais ne peuvent se rendre en français sans
transposition ». En effet, le passif de l'anglais se rend
très souvent en français par un *verbe pronominal* ou
par le pronom indéfini *on*, sujet d'un verbe actif. Soit :
*He was denied the American visa ; on dirait en français :
il se vit refuser* (ou bien : *on lui refusa*) *le visa yanqui.*
La fréquence du passif en anglais s'explique en partie
par ce fait qu'un verbe intransitif peut, dans cette
langue, être employé passivement. Soucieux comme toujours d'imiter la grammaire anglo-saxonne afin de
mieux obéir aux impératifs de la défense commune
(« trouvez une expression commune et bientôt vous
penserez de même », exige le colonel J. Ricard), le sabir
atlantyck a donc renoncé aux formes pronominales
du verbe, et de surcroît au gallicisme que représente
l'emploi de *on*. Félicitons la presse, la radio et l'administration françaises qui n'emploient presque plus
ni le *on*, ni les formes pronominales. *Exemples :* « les
savants atomistes soviétiques n'étaient pas intéressés
par les essais atomiques souterrains », *Le Monde,* 9 novembre 1961 (le français aurait dit : *ne s'intéressaient
pas à*) ; « il a été aussi récupéré dans la vase », *France-
Soir,* 21-22 avril 1963 (en français : *on a également récupéré*) ; « il était demandé aux candidats d'étudier avec
soin cette définition », *Le Monde,* 11 juillet 1962 (au

lieu de : *on demandait aux candidats*, d'un français déjà dépassé) ; « la direction de l'hôpital Saint-Louis a déclaré à la police qu'il avait été dérobé », *Le Monde*, 29-30 janvier 1961 ; « il est conseillé également de ne vacciner qu'avec les plus grandes précautions », *France-Soir*, 10 mars 1962 ; « a été particulièrement remarquée une robe de lainage citrouille », *Le Monde*, 21 juin 1962 ; « ils ont emporté la décision du général Franco quand il fut montré que l'accord... », *Le Monde*, 11-12 février 1962 ; « il peut aussi y être emprunté [...] et il peut également y être acheté », *Le Monde*, 18 septembre 1962 ; « il a été créé depuis longtemps, au sein de l'administration,... », *Le Monde*, 2 novembre 1961 ; « le ministère des Affaires Étrangères communique : Il est possible aux familles des ressortissants français internés en Tunisie de faire parvenir à ces derniers des nouvelles à caractère strictement familial. Il devra être utilisé à cet effet la formule réglementaire », *Le Figaro*, 19-20 août 1961 ; « ce que deviendra ce héros [...] bafoué par la vie, il est laissé au lecteur le plaisir de la découverte », *Bulletin de la nrf*, février 1961 ; « il sera procédé de manière identique dans les affaires criminelles », *Revue française de sociologie*, janvier-mars 1961 ; etc.

Si nous avons cité, outre le journal de France le plus lu, certains journaux ou périodiques qui atteignent les Français les plus cultivés, c'est pour manifester aux fans du sabir quelles sont déjà la puissance et la vogue de leur conception du verbe, et à quel point de décomposition en est enfin le système français des conjugaisons, principal obstacle à la *sabirisation intégrale*. Le gouvernement français a compris qu'il ne pouvait pas manifester plus activement son esprit atlantyck qu'en s'exprimant passivement. Ainsi : « l'ambassadeur de

l'U. R. S. S. à Paris était convoqué par le ministre des
Affaires Étrangères. Il lui était fait observer que le
cessez-le-feu n'avait pas modifié la situation juridique
de l'Algérie », *Le Monde*, 27 mars 1962 ; ou encore, ce
beau doublé officiel publié par *Le Monde* du 27 octobre
1961 : « Le gouvernement est assuré que les personnels
des entreprises publiques, qui ont donné bien des preuves de leur sens de l'intérêt national et de leur dévoue-
ment au service public, ne feront rien qui puisse compromettre la solution d'un problème dont il n'est pas
contesté qu'il est aujourd'hui posé. » Supposez en effet
que le gouvernement ait dit, à la française : « la solution
d'un problème dont lui-même (à savoir le gouvernement)
ne conteste pas qu'il se pose », cela signifierait clairement et distinctement que le *gouvernement* reconnaît
que la grève des services publics pose un problème de
salaires ; le tour passif *il n'est pas contesté* ne précise
nullement que c'est le *gouvernement* qui ne conteste pas ;
ce peuvent aussi bien être les syndicats, les usagers,
qui sait qui ? Comme quoi, outre qu'il exprime admirablement l'esprit atlantyck depuis 1945, le passif épargne
au gouvernement et à l'administration de jamais se
compromettre ; le *il* de ces passifs constitue un sujet
neutre, indéfini, abstrait, élusif, et par conséquent *inatta-
quable.*

Exercices :

1) *Traduire en français le passif sabiral suivant :*
   « Il est beaucoup parlé du fait que la France
   rajeunit » (*Le Midi libre*).

2) *Critiquer, du point de vue sabiral, l'analyse gramma-
ticale suivante, tirée de* Rôle de plaisance, *par Jacques
Perret :*

« Presque aussitôt la décision fut prise de mettre
à la cape. C'est à dessein que j'emploie la forme
passive qui traduit mieux le caractère unanime
de cette décision. Elle n'a peut-être pas jailli à
l'instant de notre bouche comme un chœur à
deux voix spontanément accordées, mais cela
revient au même. »

3) *Analyser les éléments sabiraux de la phrase ci-
dessous, afin de montrer que le tour passif convient admirablement au contexte :*

« Il avait été promis aux monteurs de films, en
février 1960, que leurs traitements seraient bientôt
au même niveau que ceux des caméramen,
des assistants-réalisateurs et des script-girls. »
(*L'Express*, 12 juillet 1962.)

4) *Montrer en quoi le texte suivant prouve que l'emploi
du passif en sabir répond aux exigences du patriotisme
atlantyck, et par conséquent de la manière française de
vivre :*

« La fréquence du passif en anglais [...] s'explique
aussi par une attitude de la langue vis-à-vis de la
réalité. Il y a une certaine objectivité anglaise qui
se plaît à constater un phénomène sans l'attribuer
à une cause précise, ou qui ne mentionne la cause
ou l'agent qu'accessoirement. On ne peut s'empêcher d'établir un rapport entre cette construction
et la répugnance des Anglo-saxons à formuler tout
de suite un jugement ou même une opinion. »
(Vinay et Darbelnet, *Stylistique comparée du
français et de l'anglais*.)

LA PRÉPOSITION

Le français, qui perdit au cours des siècles les rares vestiges de déclinaisons qu'il avait hérités du latin, avait mis au point, pour compenser, un système complexe de prépositions, grâce auquel il exprimait aisément toutes les fonctions exprimées par les *cas* dans les langues à déclinaisons. On peut donc tenir pour acquis que le bon usage des prépositions contribuait à donner au français cette précision tatillonne qui lui valut — on se demande par quelle aberration! — de rester longtemps la langue diplomatique de l'Europe.

Langue jeune, langue dynamique, langue nouvelle vague, langue new look, le sabir atlantyck a fort bien compris qu'il importait par conséquent de briser ce système figé, qui ne correspond plus aux exigences d'un monde fluide, d'un monde en évolution permanente, d'un monde où les incertitudes existentielles, s'ajoutant aux exigences de la politique et au libre arbitre de l'électron, démontrent péremptoirement que rien n'est plus obscur qu'une langue claire, plus imprécis qu'une syntaxe précise. Avec une obstination méritoire, le sabir a donc décidé que, chaque fois qu'une préposition française n'est pas celle qui, en anglais ou en américain, régit le complément dont il s'agit, on optera pour la préposition anglo-saxonne.

Le sabir atlantyck pose donc deux principes généraux qui gouvernent l'emploi de la préposition :

1º Autant que possible (or impossible n'est pas sabiral), on supprimera purement et simplement la

préposition, laissant ainsi à nos teens et teenettes toute
licence d'interprétation.

On dira donc, sabiralement : un problème encombrement ; un problème rangement ; une boîte-essai ;
un sachet-potage ; une chemise ville ; une station
vacances ; des messages-vacances ; la mode-toile ;
l'examen-fenêtre, alors que le français, diffus et méti-
culeux, s'égarait à écrire : l'examen *devant* la fenêtre ;
la toile est *à* la mode ; les messages *de* vacances ; une
station *pour* les vacances ; une chemise *de* ville ; un
sachet *de* potage, ou bien : *à* potage (selon qu'il s'agit
du contenu ou du contenant, complication superflue
pour nos call-girls et cover-girls) ; une boîte *d'*essai ;
des difficultés *de* rangement (ou : *pour* ranger), enfin : de
l'encombrement (ou : du désordre). Bref, l'idéal sera :
« notre service travaux ciné ».

2º Autant que possible (or impossible n'est pas
sabiral), on remplacera la préposition du français par
un préfixe employé en qualité de préposition, de locution
prépositive ou de substantif précédé d'une préposition.
D'un produit *contre* le dérapage, ou *contre* le glissement,
on fera en sabir un *produit antislip*, une *Diamantine*
« *anti-gliss* ». Alors que le français proposait des produits
à employer avant la barbe, après la barbe, ou encore :
avant de se raser, après s'être rasé, le sabir, fidèle à la
sensibilité atlantyck (*pre-shave, after-shave*), transforme
en préfixes les prépositions *avant, après.* Ainsi : *avant-
rasage, après-rasage, après-shampooing démêlateur.* Un
produit français contre les odeurs déplaisantes deviendra
en sabir du *contre-odeur,* etc.

3º Lorsque le sabir n'a pas réussi à supprimer la
préposition ou à la réduire à la fonction de préfixe, il
pose en règle absolue que toute préposition française,

quand elle diffère de la préposition qu'emploierait
l'anglais pour exprimer la même idée, sera remplacée
en sabir par la *traduction* la plus approchée de cette
préposition anglaise. On aura donc le tableau suivant :

FRANÇAIS	ANGLAIS	SABIR
sur commande ⎱ sur demande ⎰	at request	à la demande
sous contrat	under contract	contrat avec
sur l'invitation	at s.o.'s invitation	à l'invitation
sur mesures	to measure	à vos mesures
à temps	in time	en temps
sous la main	at hand	à la main
Conseil des Re-lations étrangères	Council on Fo-reign Relations	Conseil sur les Relations exté-rieures
échanger contre	to change for	changer pour

« Ne quittez pas la table *avec* votre faim », titrera
donc *France-Soir* le 6 juin 1962 (le français disait :
« ne quittez pas la table *sur* votre faim »). Lors même
que le sabir ne calque pas ses prépositions sur celles de
l'anglais, il évite avec le plus grand soin la préposition
française. Fût-elle étrangère à l'usage anglo-saxon,
toute préposition vaut mieux que la française traditionnelle. Enfin, lorsque le français n'emploie pas de
préposition et que les langues anglo-saxonnes en exigent une, le sabir, fidèle avant tout aux exigences de
l'alliance atlantique, adopte la préposition anglaise :
« Une conférence officielle s'ouvrirait *dans* les prochains
jours », titre fort bien *Le Monde* du 2 mars 1962, alors
que le français eût écrit « les jours prochains » ou, mieux,
« ces jours-ci » ; mais l'anglais dirait « *within* the next few
days », c'est-à-dire, en mot à mot sabiral : « dans les
prochains jours ».

Notons enfin la valeur *magic*, ou pratiquement telle, de la préposition *sous* (*under*) en sabir. *Exemples :* « un appartement de haut standing s'achète *sous* la marque Residential » ; « Fumez... mais *sous* hydergine ». « Je suis *sous* contrat pour sept ans » (*under contract*) remplacera donc le français : « j'ai un contrat de sept ans avec... ». Le sabir avoue enfin un faible très puissant pour l'expression « *sous* contrôle » et ne saurait trop approuver *Le Monde* qui, sur le modèle de l'anglo-saxon *under the control of*, ou *under control*, écrivait le 2 octobre 1962 : « La situation est loin d'être sous contrôle en ce moment. » L'expression sabirale est d'autant plus satisfaisante que l'anglais *to control* a un sens très différent du français *contrôler*. Ne dit-on pas d'un homme qui se trouve sous la coupe de sa femme : « he is under the control of his wife ». Dans la mesure où elle ne veut rien dire de précis en français, l'expression « *sous* contrôle » est d'autant plus précieuse en politique atlantique : on comprend que le sabir l'ait adoptée. On peut se demander si la vogue actuelle de l'expression « sous la selle » dans les comptes rendus des courses de chevaux n'est pas un effet de cette valeur *magic* de *sous* en sabir : le français distinguait en effet du trot *attelé* le trot *monté* ; on lit aujourd'hui : « jument [...] qui pourrait encore triompher tant à l'attelage que *sous la selle* » (et non plus *attelée* ou *montée*).

Remarque :

N'oublions pas de signaler ici un emploi extrêmement heureux, encore que trop rare, des locutions prépositives : « c'est *pour* et *à cause de* lui qu'elle est partie » ; « elle a donné, *grâce* et peut-être *malgré* les mathématiques, des esprits supérieurs » ; « *à cause* — ou

malgré — ses qualités littéraires ». M. Le Bidois eut
d'autant plus grand tort de condamner les tours de ce
genre dans sa chronique du *Monde* (4 octobre 1961) qu'il
explique judicieusement que ce sont emprunts à la
syntaxe anglo-saxonne : « Je me bornerai à citer cette
phrase qui semble traduite de l'anglais : *Sur le plan de
la politique, le double refus de l'obsession exclusive du, et
de l'indifférence au, progrès économique caractérise notre
situation.* » Pourquoi diable ajouter hargneusement :
« L'éminent sociologue qui a écrit cette phrase m'excu-
sera de ne point la qualifier comme elle le mériterait »,
alors qu'il s'agit tout simplement d'un judicieux
emprunt aux lois qui régissent en anglais le bon usage
de ces locutions. On est fondé à se demander si M. Le Bidois ne serait pas un crypto-communiste.

Soucieux que nous sommes de supporter le camp de la
liberté, nous affirmons au contraire qu'il importe de
généraliser cet emploi de la double locution prépositive, surtout lorsque le français le réprouve, car le
sabir, cette langue jeune, cette langue nouvelle vague,
cette langue new look, doit se méfier des bolchevicks
croulants, à la Le Bidois.

Exercice :

*Apprécier sabiralement les hypothèses hérétiques ci-
dessous :*

> « Le grand vaincu de l'américanisation du langage,
> c'est donc le verbe, autour duquel s'organisait
> autrefois la phrase française. En anglais, il n'existe
> souvent qu'à l'état de copule : les substantifs, les
> prépositions et les participes se partagent le rôle
> qu'il joue dans une langue analytique. [...] Ainsi
> privée de verbes et de mots de liaison, la phrase

française perd ce souci de logique et de précision qui la caractérisait. Elle devient donc « *super-concentrée, efficace et facile* » puisqu'elle est réduite au seul nom et au seul adjectif, étroitement soumis l'un à l'autre, jusqu'à ne former qu'un seul concept, jusqu'à n'exprimer plus que l'objet lui-même. » (Nelly Shklar, *L'américanisation de la publicité*, 1945-1961).

« Je refuse de prendre part au « concours Renault Pschitt bonbons. » Je refuse de lire les *livres vacances* que me conseille *Record*. Je refuse de lui renvoyer ses « réponses Tour de France » et de participer à son « concours photo ». Ceux qui écrivent ces injures contre la syntaxe du français ont tellement perdu l'habitude d'employer des prépositions qu'ils en viennent à écrire en charabia. » (Bernard Chapeau, *L'américanisation de la presse illustrée en France*).

L'INTERJECTION ET L'ONOMATOPÉE

Mot invariable fréquent surtout en style parlé, sans aucun rôle de liaison dans la phrase, l'interjection est parfois une onomatopée, parfois un substantif ou une expression, divertis de leur emploi ordinaire : Ah! O! Oh! Hé! Ohé! Pst! Aïe! Fi! Pouah! Ouf! Holà! Hue! Allons! Diable! Ciel! Mince alors! Fichtre! Bah! Hem! Hum! Hélas! Ouais! Ouille! ouille! ouille! Ouais! Vlan! Boum! Patatras! Brrr! Hourrah! Diantre!

Palsambleu! Morbleu! Peste! Bigre de bougre! Kss kss!
Foutre! expriment rudimentairement des sentiments
élémentaires. Il y a donc un système d'interjections
propre à chaque langue.

Le sabir atlantyck se devait donc de rénover le
système du français. Il y a très bien réussi, comme on
peut le vérifier en examinant la liste suivante des
interjections qu'enseignent à nos teens et teenettes
les comics qui les forment au sabir prospectif. Le
gush! de Donald Duck a fait beaucoup de petits :
a-hoo! awrr! guap! hips! grompf! smack! glouck!
wwwooooooooo! honck! how! hurrah! miaaaw! ow!
waf! waou! whipee! whou! wha! whump! wouf!
yeepee! browm! clak! click! clok! clonk! crakh! crash!
klak! klik! klok! klonk! klop! krak! paw! plak! plash!
plink! tok! twang! vlock! vroawrr! waaawm! whoum!
woosh! wroaw! ziwww!, autant d'onomatopées passées
en interjections, jeunes, nouvelle vague, new look.

On remarquera également que toutes ces onomatopées ou interjections du sabir se prononcent en
tenant compte de l'alphabet anglo-saxon, et non plus
de l'alphabet français. Progrès d'importance, puisque
l'essentiel du vocabulaire de nos écoliers est déjà
composé d'onomatopées de ce type. C'est dire qu'ils
seront admirablement préparés à utiliser le vocabulaire
général du sabir. Voyez notamment le *click* et le *clak*
qui remplacent avantageusement « ses *cliques* et ses
claques », le *yeepee* qui prépare le teenager à prononcer
correctement une *jeep*, un 3 000 mètres *steeple*, et surtout
le *miaaaw* qui relègue enfin le *miaou* au musée des
langues mortes.

*Les onomatopées des comics jouent donc un rôle décisif
dans l'apprentissage du sabir.*

Vœu :

Que soient définitivement proscrites, dans les bandes illustrées et autres ouvrages destinés aux teenagers, les interjections et onomatopées qui pervertissent la prononciation de nos babys, baby, babies, teens et teenettes. A titre transitoire, que les onomatopées survivantes du français soient notées (comme *miaou* qui devient *miaaaw*) en tenant compte rigoureux de la prononciation sabirale (voir ci-dessus : *Prononciation*).

Exercices :

1) *Transcrire en orthographe sabirale les onomatopées ou interjections suivantes du français :*

Hou hou! — Ouf! — Coucou! — Pipi! — Zut!

2) *Trouver un équivalent sabiral pour les interjections françaises soulignées :*

Après « Agésilas », *hélas !*
Mais après « Attila », *holà !*

(Boileau)

Hé ! laissez-nous. *Euh ! euh !*

(Racine)

La chair est triste, *hélas !* et j'ai lu tous les livres

(Mallarmé)

Ta ma ra boum di hé !
La grammaire ça me fait suer!

ABRÉVIATIONS USUELLES

Le sabir atlantyck n'a rien négligé pour faire de cette langue jeune, de cette langue nouvelle vague, de cette langue new look, un système complet, cohérent, supertotal. Il a donc prévu un certain nombre d'abréviations ou de libellés sabireux. Témoin le tableau ci-dessous, tout à fait provisoire :

FRANÇAIS	ANGLAIS	SABIR
M. Un Tel	Mr So and So	Mr. Dupont
MM. les étudiants	Messrs X & Y.	Mrs. les étudiants
Mme Une Telle	Mrs So and So	Me. ou Mrs. Durand
Melle Une Telle	Miss So and So	Miss France, Miss Paris
X. frères	Smith Bros	Pizon Bros
Aux bons soins de M. Un Tel	care of (c/o) Mr So and So	c/o Mr. Dupont
Franklin Delano Roosevelt	F. D. R.	
Pierre Mendès-France		P. M. F.

PONCTUATION

L'art est une question de virgules, a dit voilà beau temps le poète français Léon-Paul Fargue ; fort de ce jugement éclairé, le sabir, soucieux de promouvoir une langue d'art, une langue poétique elle aussi, a élaboré une ponctuation qui lui est propre, et qui se signale par trois particularités entièrement étrangères au français :

1° *L'apostrophe.* — Alors qu'en français l'apostrophe, d'emploi discret, a pour fonction de signaler l'élision d'une voyelle, conformément à un petit nombre de règles précises (*l*'anglais, mais *le* français ; *l*'héroïne, mais *le* héros ; *l*'héroïne, mais *la* cocaïne ; *l*'Italie, mais *la* Chine), le sabir atlantyck, généralisant l'usage de quelques chansonniers qui, pour la rime ou le rythme, élidaient l'*e* muet final et le remplaçaient par une apostrophe, signale parfois la suppression de l'*e* muet par une apostrophe qui évoque gracieusement l'usage anglais. *Exemples :* la ceinture super-élastique *accroch'* ; venez visiter *équip'hôtel* 61 ; *Pièc'auto* occasion (région de Grenoble) ; Pressing *renov'net* service (Sèvres). Une des plus efficaces réussites de ce genre me paraît le lacet blanc *Kin'Kas'Pah* (où le sabir utilise avec force les lettres *magic k* et *h* en les combinant avec l'apostrophe anglophile) ; un bon point également à *Mouss'ski* qui crée une succession vraiment nouvelle vague de consonnes : *ss'sk* (avec emploi judicieux de la lettre *magic k*).

De plus, le sabir utilise volontiers l'apostrophe pour marquer une sorte de cas possessif. Alors que, dans *Le Voltair's*, l'apostrophe signale simultanément l'élision et le cas possessif, *Berl's* ou *Chez Loui's* proposent des cas possessifs à l'état pur ; dans le cas de *Lewi's laverie*, on peut se demander si Lewi représente un *Lévi* ou un *Loui-* sabirisés. Agréable ambiguïté qui, s'ajoutant à l'apostrophe du cas possessif, compose une enseigne extrêmement sabirale.

Plus rarement, l'apostrophe indique en sabir, mais capricieusement, le pluriel. *Exemples :* les *sheriff's office*, les *Jerry Lewis Fan's*.

Il arrive même au sabir de placer une apostrophe finale quand il n'y a ni élision, ni cas possessif, simplement parce que l'apostrophe a, en soi et *magiquement*, un caractère sabiral. *Exemples : Fleurs' Dupont* (enseigne de la région parisienne) ; *Herbs'omelette*.

Enfin, pour manifester le caractère *magic* qui permet

à l'apostrophe de se placer n'importe où en sabir, je citerai quelques beaux exemples, dignes de proliférer : *petit four's ; laverie automati'c ; bar Lut'tia ; bar j'esso'if* (dans un poste d'entretien).

A côté de l'apostrophe simple, il convient de signaler également le goût du sabir pour *O'* (qui évoque les célèbres *Discours du colonel O'Grady*). Par bonheur, on ne compte plus les cafés qui s'appellent désormais *O'Bon coin* ; signalons la blanchisserie prospective *O'Net* (boulevard de Clichy), *O'Bull* l'eau pétillante, et le restaurant *O'Cabanon*. Peut-être ces expressions gagneraient-elles toutefois en force persuasive si elles ajoutaient une apostrophe finale : *O'Bull'* et *O'Nett'* (avec la double consonne sabirale).

Exercices :

1) *Conformément à la règle :* Odette = Odett', *transposer en sabir atlantyck les mots français soulignés :*

Il a une drôle de *binette* — Célimène est une *coquette* — il porte des chemises de *finette* et des gants de *filoselle* — on guinchant dans une *guinguette*, la *midinette* perdit sa *talonnette* — videz-moi cette *tinette* ! — il travaille en *salopette* — l'enfant de chœur portait les *burettes* — il s'est tué à la *roulette* russe — *Yette* y est-*elle*? —

> je m'la lave dans la *cuvette*
> *dominaminette* dominamino !

fais *risette* — fais *minette* ! — fais ta *toilette* et va aux *toilettes* — quelle ravissante *voilette* ! — Dix sous les *violettes* de Parme !

2) *Transcrire en sabir atlantyck les mots ou expressions ci-dessous :*

Au secours ! — Au feu ! — Au fou ! — Au voleur !

— Au revoir ! — Au diable ! — Le coche arrive au
haut (La Fontaine).

2º *Le trait d'union.* — Étant donné les systèmes de
composition et de dérivation en sabir, le trait d'union
prend une importance croissante dans les mots composés
soit avec les préfixes *super-, self-, auto-* (*exemples :
self-destruction, auto-hall, super-mois, super-jouet*), soit
selon la règle *examen-fenêtre, appétit-tricot,* soit encore
avec les suffixes *-matic, -o-matic* et *-rama.*

On remarquera toutefois que, langue jeune, langue
nouvelle vague, langue new look, le sabir répugne à
formuler des règles strictes et laisse à l'initiative des
teens et teenettes le soin de mettre ou d'omettre le trait
d'union. On dira donc, en excellent sabir, dans le même
journal et le même jour : *prêt à porter* et *presque-prêt-à-
porter, messages vacances* et *messages-vacances, shopping
cadeaux* et *shopping-cadeaux, auto-attentat* et *problèmes
« beauté »* (exemple exemplaire en ceci, celui-ci, qu'il
.ose à la fois le *problème-trait-d'union* et le *problème
.uillemets*).

3º *Les guillemets prophylactiques.* — En français, les
guillemets introduisent une citation, ou bien mettent
en évidence un tour vicieux, un provincialisme, un mot
étranger ; en ce sens, ce sont des garde-fous, des panneaux
avertisseurs : ce genre de guillemets prophylactiques
signifie en effet : POISON, DANGER DE MORT POUR LA
LANGUE. En ce cas, on remplace parfois les guillemets
par l'italique. *Exemples :* « le repas était pour moi le
seul moment de *privacy* » ; «je crois donc utile, avant tout
commentaire, de définir ce mot rare : *stress* » ; après la
sortie de son médiocre « remake » ; ce culte (celui des
teenagers) « est donc beaucoup [...] moins mythologisant
que celui du « star-system ».» Pour plus de sûreté, deux

précautions valant mieux qu'une, on peut guillemeter les italiques : le « *star-system* ».

Langue jeune, langue dynamique, langue nouvelle vague, langue new look, le sabir a tôt compris le danger de ce système. L'une des fins du sabir étant d'introduire dans ce qui fut le français, afin de le sauver par renoving-modeling, le plus grand nombre possible de mots et de tours anglo-saxons (voir ci-dessous : *Stylistique*), le sabir devait impérativement inverser la règle du français. En conséquence, et sous peine d'indignité atlantyck, il interdit l'emploi des guillemets, des italiques, ou des guillemets et italiques combinés, chaque fois qu'il s'agit d'un mot ou d'un calque anglo-saxon ; en revanche afin de bien montrer aux teens, teenettes, play-boy's call-girls, cover-girls et autres fans qu'il importe d'en finir avec les idiotismes du français, ces idiotics, chaque mot trop français, chaque expression de saveur populaire ou littéraire, chaque terme enfin qui ne figure pas sur la liste du basic français seront obligatoirement signalés par des guillemets ; ainsi, les lecteurs seront prévenus d'avoir à les éviter autant que faire se peut, en attendant la super-sabirisation intégrale 100 % pure. Par malheur, beaucoup d'écrivains sabiraux négligent encore d'appliquer constamment cette règle majeure : on a pu lire dans le même journal et dans le même article, le 14 août 1961 : *Seul un k.-o. ; un bon ouvrier du ring*, mais hélas! : *Annex manque de « punch »*. Par une coupable étourderie, le 2 décembre 1961, un autre journal, qui écrivait correctement : *les spéculateurs et bâtisseurs de buildings*, lâche, hélas! et dans le même article : *les plus puissants « buildings » de la capitale*. Cette façon d'affecter d'un signe péjoratif d'excellents mots comme *punch* et *building* est 100 % inacceptable.

En revanche, il faut louer le journaliste sabiral qui, le 6 septembre 1961, écrivait à quelques lignes d'écart : *par le commode procédé du flash-back* et *il ne tardera pas à « rempiler »*. Regrettons par conséquent que *France-Soir*, qui écrit parfaitement le 30 mai 1962 : M. *Paul Viel a tenu à driver lui-même sa pouliche*, s'égare le 22 novembre 1961 jusqu'à guillemeter le même verbe sabiral : *il se contentait de « driver » une demi-douzaine de jeunes et accortes jeunes femmes*. Regrettons surtout que ce journal, généralement mieux ponctué, semble condamner *drugstore* les 18-19 février 1962. Il est vrai qu'il se réhabilite le 6 juillet 1963, à propos de la visite de S. M. le Roi du Maroc *au Drugstore des Champs-Elysées* (avec un *D* d'anoblissement).

Conformément aux règles de la ponctuation sabirale, approuvons par conséquent sans réserve les guillemets suivants, qui signalent des tours français qu'il y aurait lieu de remplacer par des expressions anglo-saxonnes : *opérer dans une « atmosphère » nucléaire ; les premières « morasses » du journal ; le « clou » de la réunion ; le courant nous a « drossés » sur la gauche ; pour être très « à la page » ; Limoges et Perpignan sont « de taille » ; l'équipe de France, menée à la « mi-temps » ; quatre « doublés », mais le gain du match ; 25.000 enfants sont « convoyés » de la sorte ; elle a seulement permis aux « retardataires » de terminer leur mise au point ; toutes ces robes font « jeune » ; Vaillant ne fera qu'une « bouchée » du boxeur saharien ; transporter en « pièces détachées » ; le tir de la « volée » ; deux « premières mains » ; la chemise « de classe » ; on est saturé de « logique »*, etc.

Autant d'exemples qui montrent à merveille que de termes aussi rares que *morasses, convoyer, drosser* ou *volée*, que des expressions aussi évidemment idiomatiques que *être le clou, être à la page, ne faire qu'une bouchée de, une première main,* ou des notions telles que *de classe* et *logique* n'ont rien à voir avec le sabir, doivent en être proscrits au plus tôt et y être signalés provisoirement, d'ici leur complète élimination, par des guillemets isolants et prophylactiques.

Lorsque tous les mots anglais et tous les calques de l'anglais ne porteront plus de guillemets dans la presse, mais que tous les mots français en seront enfin affectés, et signalés de la sorte à la méfiance des teens, au mépris des teenettes, alors seulement le sabir aura vaincu. D'ici là, wait and see.

Vœu :

Se trouvera-t-il parmi nos sous-teens et nos mi-teenettes un esprit assez dévoué au sabir pour préparer un fichier qui étudie l'évolution du guillemetage entre 1945 et 1963? Il s'agirait de calculer, d'année en année, le pourcentage des mots anglais et des mots français guillemetés. So help us God!

Exercices :

1) *En vous inspirant de la règle sabirale pour l'emploi des guillemets, noter d'un A (parfait) ou d'un F (failure) les mots soulignés (pour ce faire, barrer la lettre qui ne convient pas):*

Les emplacements des stations de « *poursuite* » qui ont été utilisés pour le vol de Cooper (A-F) — dispositif de *tracking* chargé de suivre le vol de la fusée (A-F) — la première catégorie de prostituées est celle des « *street-walkers* » (A-F) — l'équipage va revoir les « *States* » (A-F) — l'*ex-teenager* (A-F) en *short* (A-F) — les *trackers* suivent le satellite (A-F) — c'est en feuilletant un *magazine*

(A-F) américain que M. Steinberg a trouvé l'idée
de ses *sea-karts* (A-F) — sont-ils nombreux les
« *leaders* » d'attaque de classe ? (A-F) — vous serez
toujours « *au courant* » (A-F) et « *dans la note* » (A-F)
— en 1952, le *gang* (A-F) de la boxe faisait la loi
sur les *rings* (A-F) américains — le « *boxing-bust-
ness* » (A-F) était champion du monde toutes
catégories avec, à sa tête, des « *patrons* » (A-F)
comme Frankie Carbon — le développement très
rapide du « *know how* » (A-F) — grève des « *hôtesses* »
(A-F) et *stewarts* (A-F) d'Air-France — *sweater-
look* le jour... *sweater-look* toujours (A-F).

2) *Faire la liste de tous les mots français qui, ne faisant
point partie du basic français, doivent désormais être
signalés dans tout texte sabiral par des guillemets prophylactiques.*

3) *Même exercice, portant cette fois sur les tours français.*

EXERCICES GÉNÉRAUX DE RÉCAPITULATION

1) *Traduire d'un seul mot sabiral l'expression suivante
de Mallarmé :*

   le flot sans honneur de quelque noir mélange [...]

2) *Traduire en français le chapitre « Histoire pas
drôle » sur lequel s'ouvre ce volume.*

3) *Traduire en sabir atlantyck les deux vers suivants
de Racine :*

   *Toi qui, de Benjamin comme moi descendue,
   Fus de mes premiers ans la compagne assidue.*

4) *Juger, au point de vue sabiral, cette phrase d'Henri Calet dans* Le Bouquet :

> « Il y a ceux qui parlent, qui chantent les guerres
> — les poètes — il y a les supporters des guerres,
> qui battent des mains aux bons endroits, et il y
> a ceux qui les font, qui les supportent depuis un
> temps immémorial. »

Stylistique.

Les principes de la stylistique sabirale sont simples, précis, cohérents et prospectifs.

1º Chaque fois que faire se peut, le sabir contaminera un mot français du sens que porte le mot anglais qui lui ressemble ; autrement dit, il considère que tous les *faux amis*, condamnés par les grammaires, les stylistiques comparées, les manuels du traducteur, sont de vrais, de très bons amis. A titre strictement indicatif, voici quelques exemples :

FRANÇAIS	ANGLAIS	SABIR
contrôler	*to control*	*contrôler*
= vérifier	= diriger	= diriger
trivial	*trivial*	*trivial*
= rebattu, commun	= futile, insignifiant	= futile, insignifiant
routine	*routine*	*de routine*
= procédé mécanique ou usage consacré	= service courant	= normal, ordinaire, courant
réhabilitation	*rehabilitation*	*réhabilitation*
= action de rétablir quelqu'un dans ses droits	= rééducation, réadaptation, reclassement	= rééducation, reclassement

FRANÇAIS	ANGLAIS	SABIR

éducation
= formation intel-
  lectuelle et mo-
  rale
	education
	= instruction
		éducation
		= instruction

diète = alimentation très réduite	*diet* = régime	*diète* = régime
irresponsable = qui n'est pas responsable	*irresponsible* = léger	*irresponsable* = léger
éduqué = de bonnes ma- nières	*educated* = instruit	*éduqué* = instruit

monnaie
= menues pièces
  d'argent, de bil-
  lon, de nickel
	money
	= argent (en gé-
	  néral)
		monnaie
		= argent (en gé-
		  néral)

suite
= escorte d'hon-
  neur
	suite
	= appartement
	  luxueux dans
	  un hôtel
		suite
		= appartement
		  luxueux dans
		  un hôtel

offense = injure de fait ou de parole	*offence* (*offense*) = délit	*offense* = délit

vice
= l'opposé de
  vertu
	vice
	= débauche, pros-
	  titution
		vice
		= débauche, pros-
		  titution

vilain = roturier	*villain* = gredin	*vilain* = gredin

approche
= action de s'ap-
  procher ou
  d'être approché
	approach
	= point de vue
		approche
		= point de vue

désespéré = au désespoir	*desperate* (need) = très grand	*désespéré* (besoin) = très grand
sévère = sans indulgence	*severe* = rude, grave	*sévère* = grave

FRANÇAIS	ANGLAIS	SABIR
réaliser = rendre réel	*to realize (realise)* = se rendre compte de	*réaliser* = se rendre compte de
supprimer = faire dispa- raître, omettre	*to suppress* = étouffer (une révolte)	*supprimer* = étouffer (une révolte)
actuellement = présentement	*actually* = en réalité	*actuellement* = en réalité
pratiquement = de façon pra- tique	*practically* = quasiment	*pratiquement* = quasiment
admettre = faire entrer	*to admit* = reconnaître, avouer	*admettre* = avouer (à l'ex- clusion de toute autre acception)

Ces quelques exemples montrent dans quel sens travaille le sabir. On compte déjà plusieurs centaines de
mots français pour lesquels le transfert de sens s'est
déjà effectué, ou s'effectue.

Vien :

Que tous les mots français qui ressemblent à un mot
anglais prennent (et ne prennent que) le ou les sens de
ce mot en anglais.

2° Chaque fois que faire se peut, le sabir remplacera
un mot français par un mot anglais de sens identique,
même si ce mot ne lui ressemble en rien. Voici quelques
suggestions prospectives :

FRANÇAIS	ANGLAIS	SABIR
diriger un or- chestre, une délégation	*to conduct* an orchestra, a delegation	*conduire* un or- chestre, une délégation

FRANÇAIS	ANGLAIS	SABIR
arriviste	*carrierist* = arriviste	*carriériste* (avec le sens de *arriviste*)
secte, confession (religieuse)	*denomination* = secte, confession	*dénomination* (avec le sens de *secte* ou de *confession*.
location (de place)	*reservation* (de place)	*réservation* (avec le sens de *location*)
réacteur	*jet*	*jet* (avec le sens de *réacteur*)
ruée	*rush*	*rush* (avec le sens de *ruée*)

3º Pour favoriser les glissements de sens indiqués en 1º et 2º, le sabir 'atlantyck a mis au point une figure de rhétorique dont l'emploi général devrait en bonne justice être obligatoire sous astreinte : le *glissing* (l'ensemble des *glissings* formant le *glissrama* du sabir). Quelques exemples, pour éclairer l'étudiant : « Par bonds successifs, l'aéronef progressait de toit en toit entraînant avec son « guiderope » (sorte d'ancre) un chapelet de cheminées » (*France-Soir*, 30 septembre 1959) ; « la petite partie de window-crash, le lèche-carreau familial » (*Le Monde*, 26 décembre 1959) ; « Sir Gladwyn Jebb, ambassadeur de Grande-Bretagne à Paris, a un nouveau *hobby* (violon d'Ingres) » (*France-Soir*, 25 avril 1959) ; « Les derniers « gallups » (sondages) indiquent que les deux grands partis sont pratiquement à égalité (*Ibid.*, 6 octobre 1959) ; «marqué pour la mort en expiation de deux kidnappings ou enlèvements » (*Ibid.*, 1-2 novembre 1959) ; « la « purchase-tax », c'est-à-dire la taxe à l'achat » (*Ibid.*, 21 janvier 1960) ; « Il était propriétaire de trois « saloons » (établissements à boire) » (*Le Figaro litté-*

raire, 12 novembre 1960) ; « il n'était pas difficile de reconnaître en eux des intellectuels, « long hairs » (cheveux longs) comme les G. I. les appelaient avec une nuance de mépris » (*France-Soir*, 9 février 1961).

Il n'y a donc qu'à généraliser le procédé et à faire suivre désormais chaque mot anglais ou sabiral du terme français correspondant. Louons par conséquent *Fail Safe Point-limite, le roman du téléphone rouge.* Voilà un titre prospectif !

4° Chaque fois que le français exprime une idée par une image, et l'anglais ou l'américain par une autre, le sabir optera délibérément pour l'image anglaise :

FRANÇAIS	ANGLAIS	SABIR
donner libre carrière	*to give the green light* (mot à mot : donner le feu vert)	*donner le feu vert*
laisser en instance ou *laisser en souffrance*	*to keep in the ice-box* (mot à mot : garder à la glacière)	*laisser à (dans) la glacière*
prendre un virage	*to negociate a curve* (mot à mot : négocier un virage)	*négocier un virage*
c'est pour (à) moi (de payer)	*it's on me* (mot à mot : c'est sur moi)	*c'est sur moi*

etc.

5° Le sabir veille particulièrement à éliminer tous les idiotismes français, pour les remplacer par l'idiotisme

anglo-saxon (et de préférence américain) correspondant,
selon le schéma ci-dessous :

FRANÇAIS	ANGLAIS	SABIR
je m'appelle Du-pont	*my name is Smith*	*mon nom est Du-pont*
décliner une invitation	*to curb an invitation*	*courber une invitation*
de ce genre, de ce type, de la sorte, de cette nature	*such a (an)*	*une telle invitation, un tel individu, etc.*
ce serait folie mortelle de	*it would be suicide to*	*il serait suicide de*
d'occasion	*second hand*	*de seconde main*
reprendre haleine	*to take one's second breath*	*prendre un second souffle (sa respiration seconde)*
que puis-je faire pour vous ?	*may I help you ?*	*puis-je vous aider ?*
Kennedy élu !	*It's Kennedy !*	*C'est Kennedy !*
Montini élu !	*It's Montini !*	*C'est Montini !*
qu'est-ce qui ne va pas dans la police anglaise ?	*what's wrong with the English police ?*	*qu'est-ce qui ne va pas avec la police anglaise ?*
il y en avait en tout...	*they were altogether...*	*elles étaient en tout...*

6° Afin toutefois de manifester qu'il reste une langue
jeune, une langue dynamique, une langue new look,
une langue pour teens et teenettes, le sabir encourage
et développe des tours plus américains que nature, ce
qu'en rhétorique sabirale on appelle des *superaméricanisings*. Il s'agit là de mots qui ou bien n'existent ni en

anglais ni en américain, ou bien de mots qui n'existent
point en anglais avec ce sens-là, ni en américain :

a) *Superaméricanisings* par création pure :

FRANÇAIS	ANGLAIS	SABIR
néant	hitch-hiking	auto-stop
poignée de main	handshake	shake-hand
table	switchboard	standard (télépho-nique)
navire du même type	sister-ship	brother-ship
joueur (-euse) de tennis	tennis-player	tennis-man ou tennisman ; tennis-woman ou tenniswoman
livret ou carnet d'adresses	directory	press-book
annonceur (à la radio)	announcer	speaker
préposé	attendant	service-man
annonceuse	female announcer	speakerine
étrangleur	choke	starter
danseuse	chorus girl	girl
champoing	shampoo	shampooing
bienvenue	welcome	welcomme
réparation, remise à neuf, raccommodage	repair	renoving
partie de chasse	hunt, hunting	chasse-partie

b) *Superaméricanisings* par *glissings* sémantiques :

FRANÇAIS	ANGLAIS	SABIR
vestiaire	dressing-room (cabinet de toilette)	dressing (au sens de vestiaire)
marche	footing (situation, pied, condition)	faire du footing

FRANÇAIS	ANGLAIS	SABIR
costume du soir	*smoking* (fumant)	*un smoking* [1] (au sens de costume du soir)
bal	*dancing* (danse ; ex. *tap-dancing*)	*dancing* (au sens de bal)
de luxe	*standing* (réputation, durée)	*grand standing* (appartement de)

7º Bref, et pour résumer finalement les principes simples, précis et cohérents de la rhétorique sabirale, on peut dire qu'en sabir : *a*) le genre et le nombre des noms, des adjectifs, seront laissés à la discrétion des usagers ; *b*) l'orthographe et le sens de tous les mots, pourvu que par quelque biais ils combinent librement quelques usages anglo-saxons, seront également laissés à la discrétion des pin-ups, teenagers, play-boys, call-girls (ainsi sera enfin résolu, sans douleur, *le problème de la communication*, insoluble en français comme on s'en convainc en lisant — si on le peut — les écrivains contemporains les plus vantés).

Langue de la libre entreprise, langue concentrée du camp de la liberté, le sabir est donc fier de pouvoir résumer sa grammaire et sa stylistique en cinq mots : *en sabir tout est licite*, en cinq lettres : e. s. t. e. l. Donc : *Sabir = Estel.*

Appendice :
Langue prospective, le sabir a déjà mis au point son

---

1. On sait que l'anglais appelle *dinner-jacket* et l'américain *tuxedo* le *smoking* du sabir.

art épistolaire, dont nous donnerons ci-dessous les règles les plus utiles :

A. — *Enveloppes :* au lieu de *M. Un Tel*, on mettra toujours : *Mr. Sot and Sot*, selon l'usage américain, et sans oublier les deux prénoms : *Mr. Pierre B. Durand*, *Mr. Jacques H. Dupont* ; après le numéro de la rue ou de la place, on n'oubliera pas la virgule, selon l'usage américain : 4, *Place Jeanne d'Arc* (si possible : *Four, Place Jeanne d'Arc* [1]), au lieu de *aux bons soins de*, c/o s'impose. Tout autre libellé de l'enveloppe sera jugé inconvenant et suspect d'hostilité aux principes de la libre entreprise.

B. — *Corps de la lettre :* s'agissant de lettres officielles ou d'affaires, on mettra en haut à gauche :

From : État-Major des forces armées en Algérie [2]
To : X

et, le cas échéant, TOP SECRET.

Chaque lettre comprendra au minimum trente mots choisis sur la liste des mots par excellence sabiraux, liste que l'auteur de ce volume se réserve le privilège de fournir sur demande, moyennant une honnête rétribution. Il donnera toutefois quelques mots gratuitement : *baby, background, barbecue, barmaid, bermuda, best-seller, birth control, bowling, blue jeans, boom, boss, brain-storming, brain-trust, brain-washing, briefing, building, bulldozer, businessman, call-girl, camping, clash, clearing, cocktail, compact-car, cow-boy, crooner, deterrent, dissuasion, digest, dollar, doping*, etc. (pour les mots du premier type) ; *concerner, contraceptive, conventionnel, coopérer, défi, définitivement, délivrer,*

---

1. Sur le modèle d'une lettre « Seven rue de la Paix ».
2. D'après une lettre datée de mai 1962.

différent, développement, efficient, emphase, environnement, exploratoire (pour les mots de deuxième type).

Dans une lettre sabirale, on n'omettra jamais de placer
au minimum cinq mots *magic*, à choisir sur une liste
que l'auteur de ce volume sera fier d'envoyer sur demande
moyennant une superhonnête superrétribution. Il en
donnera toutefois pour rien quelques-uns, y compris la
façon de les combiner. Soient les *mots-magic* : *auto, baby,
boom, flash, standing, twist, yachting*. On obtient facilement : *baby-auto* et *auto-baby* ; *auto-flash* et *flash-
auto* ; *baby-boom* et *boom-twist* ; *twist-flash* et *flash-twist* ;
standing-flash et *flash-standing* ; *standing-yachting* et
yachting-standing ; *baby-yachting* et *twist-yachting*,
etc., etc.

Il importera enfin de remplacer les expressions françaises périmées par les expressions sabireuses corres-
pondantes :

FRANÇAIS	SABIR
Monsieur, Madame, Made-moiselle	*Cher Mr. Dupont. Chère Me* ou *Mrs. Dupont, Chère Miss Dupont* ou mieux : *Cher ami* (surtout si vous ne connaissez pas votre correspondant)
par retour du courrier	*par courrier tournant*
dès que vous le pourrez	*à votre meilleure convenance*
votre collaboration ou *votre bienveillance* ou *votre appui*	*votre coopération*
le plus vite possible	*dans les meilleurs délais*
vous convenir	*rencontrer vos convenances*
toutes formules de politesse	*sincèrement vôtre*

N. B. — Dans les lettres privées, on pourra tolérer
une formule du genre *votre affectionné cousin*, mais il y

a là comme une affectation d'anglicisme qui pourrait
choquer nos amis américains. *Sincèrement* est le mot
jeune, le mot nouvelle vague, le mot new look. Conformément à la règle énoncée p. 180, on pourrait toutefois
sabiriser en *vraiment sincèrement vôtre.*

Exercice :

   Noter les phrases suivantes de 0 à 20, puis de A à F
(*A, B, C, F*[1]) *selon leurs mérites stylistiques :*

      Boire Évian — maillots de bain, polos, tee-shirts,
   pull-overs, lingerie — il est bon qu'une chrétienne
   initiative nous l'ait rappelé — ils sont ainsi classés
   au rang des meilleurs par les « fans » du rock —
   ainsi les « Schtroumphs », les « Jimmy's Guitar »,
   les « Gardians », les « Milords », « Michèle et ses
   Wouap » sont-ils appréciés — tous, et spécialement
   les chrétiens, quelle que soit leur situation sociale,
   doivent se sentir concernés par un tel événement
   — buvez vins de Savoy — la France, vainqueur de
   la Yougoslavie — les privilèges et la demi-indul-
   gence dont bénéficient encore les frères Anastasio
   sur toute l'étendue des docks de l'Hudson sont en
   passe de faire pâlir les dîmes du « racket » dans les
   speakeasies d'Al Capone — le stade olympique
   principal, l'actuel stade de Meiji, élargi pour
   pouvoir accommoder cent mille spectateurs —
   vous croyez être dans un night-club quand
   l'atmosphère est hot et swinging — les athlètes
   n'auront, incidemment, aucun problème de nour-
   riture — buvez Côtes de Provence — ne buvez pas
   Coca-Cola — buvez vins de Savoie — ne buvez pas
   Vivi-Cola — buvez Bordeaux — une fille colorée

---

1. A = très bien ; B : bien ; C : passable ; F ; collé.

Parlez-vous franglais ?   8

cède sans se faire violence ni que violence lui soit faite à un Blanc plus jeune qu'elle encore — ne buvez pas Pepsi-Cola — buvez Bourgogne — ne buvez pas ginger-beer — saoulez-vous vin pour vous consoler de corriger cet exercice et d'avoir lu cette grammaire.

QUATRIÈME PARTIE

Pourquoi sabirons-nous atlantique ?

Et vous, sages Anglois, vous sçavez tout
franchir
Pour maintenir vos droits, et pour vous
enrichir.
Continuez. Déjà par un ample pillage,
Vous avez annobli votre docte langage.
....
Et nous établirons pour chercher l'abon-
dance
Un commerce de mots sans change, ni tarif.

Destouches, Sur la langue française.

CHAPITRE I

IMPÉRIALISME YANQUI
ET PACTE ATLANTIQUE

Certes, l'anglicisation de notre langue ne date point d'hier. Dès le XVIIIᵉ, nous eûmes nos anglomanes : *baby, club, haddock, highlander, lord, non-résistance, nutcake, paddock, pilchard, plaid, tornado* entrent chez nous entre 1700 et 1710 ; *chester, flip, miss, non-jurant, non-sens,* entre 1710 et 1720 ; *Christmas-box, Christmas-porridge, cricket, drawing-room, entertainment, food pads, have care, law, merry Christmas, milady, pickpocket, rosbif, toast,* entre 1720 et 1730 ; *meeting* est attesté en 1733 et *plum-pudding* en 1745. Jusqu'à la fin du XVIIIᵉ siècle, il ne s'agit pourtant pas encore d'une invasion. Le grave, déjà, c'est qu'on emprunte toutes sortes de mots inutiles : un *pickpocket,* c'est un tireur, un voleur à la tire ; un *paddock,* c'est un enclos — maintenant, celui du pesage ; un *toast,* c'est une rôtie. Plus grave encore : les anglomanes refusent dès lors de transposer en français les mots anglais : fini, le temps où Hamilton, écrivain irlandais de langue française, parle de *boulingrin* ; le temps approche du *bowling.* Même durant le conflit qui dressa contre Napoléon la puissance anglaise et ses alliés du continent, nous empruntâmes outre-Manche : *bitter, clam, fashionable, fellow, gentleman, happy few, home, shopping, spencer, turtle* nous conquièrent sous le Premier Empire. Admirateur de Napoléon, Stendhal sera l'un des plus obstinés anglomanes. Non content de piller Hazlitt, il jargonne anglais dans la *Vie d'Henri Brulard* : « la même idée d'écrire *my life* » ; « un *truism* » ; « les journaux qui le poffaient (*to puff*) » ; « le plus fripon des *Kings* » ; « le grand *drawback* (inconvénient) d'avoir de l'esprit » ; « le *dazzling* des événements » ; cela, en quelques pages. Dira-t-on qu'il s'agit là de notions neuves, irréductiblement anglaises, et que, lorsque Stendhal écrit « mon âge de *fifty two* », il exprime plus et mieux que *cinquante-deux ans* ?

A mesure que l'Angleterre, victorieuse de Napoléon, étend son empire et devient la première puissance de la planète, les mots anglais font en français des irruptions plus indiscrètes : ils se font plus nombreux, de plus en plus, et tels quels, toujours. Alors que le *punch* s'écrit *ponge* en 1653, *ponche* en 1677, *ponche* de nouveau en 1698, en 1701 et en 1722 il doit lutter contre l'anglais *punch* qui apparaît dès 1698 revient en 1708, et triomphe chez Voltaire, puis chez J.-J. Rousseau en 1761.

Au xixᵉ siècle, on ne prend plus la peine de naturaliser les intrus. On est fier de les incruster, kystes hideux, dans la graphie du français. Des mots aussi peu tolérables que *water-closet, touring, bungalow, lunch, match, reporter, cow-boy, crackers, boarding-house, speech, high life, stick, rumsteak, darling* pénètrent tels quels entre 1820 et 1850, suivis d'une centaine d'autres entre 1850 et 1900, toujours plaqués sur le tissu français. A tel point que Remy de Gourmont, vers la fin du siècle,

devra consacrer à l'anglicisme une part importante de
son *Esthétique de la langue française.*

Or, il n'avait rien vu! C'est nous qui pâtissons pour
de bon, et qui allons en crever, pour peu que ça continue. Deux guerres en trente ans, où nous fûmes alliés
des Anglo-saxons, précipitent notre asservissement.
Pour triompher de l'Allemagne, s'il faut que la France
abandonne sur les champs de bataille, outre des millions
de cadavres, le cadavre de sa langue, à quoi bon tant
de sang, tant de ruines, tant de bêtise? Vers 1920, on
pouvait à la rigueur se borner, comme Proust, à ridiculiser en quelques lignes le jargon anglicisant de
Mme de Forcheville : « Son langage à elle était pourtant,
plus encore qu'autrefois, la trace de son admiration
pour les Anglais, qu'elle n'était plus obligée de se
contenter d'appeler comme autrefois « nos voisins
d'outre-Manche », ou tout au plus «nos amis les Anglais»,
mais « nos loyaux alliés ». Inutile de dire qu'elle ne se
faisait pas faute de citer à tout propos l'expression de
fair play pour montrer les Anglais trouvant les Allemands des joueurs incorrects, et « ce qu'il faut, c'est
gagner la guerre, comme disent nos braves alliés ». Tout
au plus associait-elle assez maladroitement le nom de
son gendre à tout ce qui touchait les soldats anglais et
au plaisir qu'il trouvait à vivre dans l'intimité des
Australiens aussi bien que des Écossais, des Néo-Zélandais et des Canadiens. « Mon gendre Saint-Loup connaît
maintenant l'argot de tous les braves *tommies.* Il se
fait entendre de ceux des plus lointains *dominions* et,
aussi bien qu'avec le général commandant de base,
fraternise avec le plus humble *private.* » Nous n'en
sommes plus à ces bénins ridicules.

Depuis la fin de la guerre de 1939, il y eut le Pacte

atlantique ; la mise au point, et au pas, d'une armée « intégrée », l'implantation du S. H. A. P. E. en France, comme on dit en beau français (vous observerez à ce propos que, si l'on a fait l'effort de traduire en sigle français *O. T. A. N.* le sigle anglo-saxon du Pacte atlantique, *N. A. T. O.*, on n'a pas jugé nécessaire, ou poli, de nous gratifier d'un *S. H. A. P. E.* à la française).

La France Libre s'étant organisée à Londres, il était fatal que les troupes du général de Gaulle employassent un peu d'anglais. A l'occasion d'un reportage rétrospectif sur la libération de Paris, un témoin qui vit arriver à la gare Montparnasse l'État-Major du général Leclerc exprimait ainsi sa surprise dans *Combat*, le 19 août 1959 : « Ils utilisaient un langage à eux, les mots de l'armée d'une autre planète : *jeep, half-track, stick, commando.* » D'une autre planète ? Que non ! D'un autre pays, ça oui. S'agissant de soldats formés dans les circonstances que l'on sait, la contamination du vocabulaire allait de soi, et nous aurions fort mauvaise grâce à leur en faire grief. Paris valait bien dix anglicismes et, pour mettre les nazis K. O., j'accepte deux ou trois O. K. Mais une fois la France libérée, quelles raisons avions-nous de persévérer dans cet usage délétère ? Mais voyons ! Le besoin de *comprendre* nos protecteurs.

M. Alfred Sauvy était donc fondé à formuler ainsi ses inquiétudes : « Une armée européenne étant créée, il faut pouvoir se parler et se comprendre. Alors que la France est la puissance continentale la plus importante, que la lutte peut se dérouler sur son sol, nos représentants ont capitulé au point que l'on exerce aujourd'hui les militaires français à parler entre eux en anglais, au cours de divers exercices. » (*Le Monde*, 6 août 1953.) M. Sauvy n'exagère nullement, puisque, dans la revue

Forces aériennes françaises de décembre 1951, le colonel
Ricard traitait en ces termes de ce qu'il appelle *Formes
rédactionnelles et formalisme* : « Dans l'Union occidentale
du Pacte Atlantique, il se pose un problème de langue et
une certaine difficulté d'échanges verbaux. Ainsi, vers
la fin des opérations de la deuxième guerre mondiale, le
Groupe français d'aviation était le *Squadron* anglais
et américain, le *Group* américain était sensiblement le
Wing anglais. Certains gros *Wings* américains correspondaient au *Group* anglais et une « U. S. A. F. Base »
était une « R. A. F. Station ».

« Il est éminement souhaitable que Group ou Groupe,
Base ou Station, et même Wing servent à désigner des
éléments analogues. Il s'agit d'être entendu et compris
[...]. A l'unité et à l'interchangeabilité, chaque allié
doit faire le sacrifice d'une habitude. C'est à ce prix que
tomberont les barrières de langage et, plus pernicieuses
encore, les barrières de pensées.

« Ainsi chacun sera facilement entendu et compris
d'un bout à l'autre de l'Union, et une véritable homo-
généité sera donnée aux forces occidentales. Ce n'est pas
là inverser les rôles. Ne dites pas : *pensez d'abord de
même, vous trouverez ensuite une expression commune.*
Non, trouvez *une expression commune et bientôt vous
penserez de même.* »

On ne nous l'envoie pas dire : nous devons parler
anglais, ou mieux américain, afin de *penser comme* des
Yanquis, et de nous laisser évaporer sans rechigner par
« la manière américaine de vivre », *the best in the world.*
Et si, moi, j'ai horreur de voir des vaches sacrées
mâchonner du chewing-gum, et même du chouine
gomme, et même de la gomme à mâcher ? Et si, moi,
j'ai horreur du Ku Klux Klan et de la « ségrégation » ?

Et si on m'a foutu à la porte d'un restaurant, près de Chicago, parce que je m'y trouvais en compagnie d'une belle juive, mais au visage un peu marqué ? Et si j'ai failli me faire foutre à la porte de mon appartement, en plein Chicago, parce que j'avais exigé d'y recevoir *une fois* un de mes camarades français, professeur comme moi, mais Antillais ? Et si vingt autres valeurs de « la manière américaine » de *penser* me révoltent, le colonel Ricard me jettera-t-il au trou, en tant que je refuse de devenir buveur de Coca-Cola ou de Pepsi-Cola, bouffe-nègre, bouffe-juif et bouffe-indien ? Et si j'ai horreur des civilisations de l'argent, moi ? Pour servir proprement les desseins du *S. H. A. P. E.*, faut-il donc que les Français commencent par avaler, langage compris, la civilisation cocalcoolique ?

La vérité, c'est qu'on nous fait jargonner américain afin de nous conduire à l'abattoir les yeux bandés. Témoin, l'emploi de *dissuasion, deterrent* et *missile gap*, trois belles acquisitions de notre vocabulaire, trois cadeaux précieux du *N. A. T. O.* et du *S. H. A. P. E.*

Le 5 décembre 1958, *La Vie militaire* publiait un article intitulé : *Quel est le vrai déterrent ?* « Depuis que l'O. T. A. N. s'est constitué, les Français ont appris le sens d'un mot anglais qu'ils emploient couramment : *Deterrent :* ce qui dissuade, dit le dictionnaire, incapable de trouver un substantif français qui corresponde directement au mot anglais. Aussi, la traduction par « pouvoir de dissuasion », ce qui au vrai n'est pas très clair : et l'on préfère se servir du terme britannique, qui est court, synthétique, n'a pas d'équivalent dans notre langue, et a tout de même une petite allure française. » Moins hypocrite, *La Revue maritime* de Noël 1959 avoue que *deterrent* « implique à la fois les notions d'arme

suprême, de dissuasion, de représailles » ; ce qu'avait
laissé entrevoir *La Vie militaire* du 24 juillet 1959 :
« Le bloc occidental est bien décidé à appliquer la
politique de représailles, dite « deterrent », en cas
d'attaque soviétique. » Sous le mot anglais dont on
nous assurait qu'il n'a point d'équivalent français,
voici donc poindre la *guerre atomique totale.* Cela, tout
cela, rien que cela. Le bon gogo de public, lui, des
années durant, il n'aura pas droit à ces explications.
On le gavera de *dissuasion*, de *deterrent*, de *deterrence*.
L'important, ce n'est pas qu'il comprenne. L'important,
c'est qu'il ne comprenne pas. Cela importe d'autant
plus que, le 8 janvier 1960, *La Vie militaire* avoue : « Il
n'est pas très sûr que, dans quatre ans, et sur mer, ce
soient encore les États-Unis qui possèdent le « deterrent »
ou, pour parler français, la force de dissuasion. »

Or, quelques mois plus tard, M. André de Segonzac
écrira de Washington, dans *France-Soir* : « Beaucoup
d'Américains pensent que la première croisière armée
du *George Washington* (sous-marin atomique pourvu
de fusées Polaris), qui naviguera en plongée pendant
deux mois, comble en partie le « Missile Gap », consolide
les forces de dissuasion alliées et réduit le danger de
guerre. » J'ai demandé à plusieurs Français, vers ce
temps-là, ce que c'était que le *missile gap.* Ils n'en
savaient rien. M. de Segonzac, lui, savait très bien de
quoi il retournait, et les généraux français, donc!
puisque la *Revue de la défense nationale* publiait en mai
1959, p. 927, les lignes suivantes : « Les réalisations
soviétiques dans le domaine de l'espace apportent
évidemment des arguments aux partisans de l'existence
d'un « *qualitatif gap* » (*sic*) : avance des Russes en matière
de *moteurs-fusées.* »

Traduisons maintenant M. de Segonzac : « C'est pourquoi beaucoup d'Américains pensent que la première croisière armée du *George Washington* [...] comble en partie le retard des Yanquis dans l'ordre des armes atomiques, ajoute un peu aux forces alliées de représailles atomiques, réduisant ainsi le danger de guerre. » Cette phrase ne servira guère les intérêts du Pentagone. Il faut donc la restaurer en sabir atlantique.

A mes cours de Sorbonne, j'avais expliqué cette escroquerie langagière, et j'avais annoncé qu'évidemment, si quelque jour les Yanquis croyaient avoir rattrapé leur retard, alors, mais alors seulement, on nous donnerait dans la grande presse le sens exact de *missile gap*. En novembre 1961, je lisais dans *Candide* : « *Notre force de riposte est capable de détruire l'adversaire. Les U. S. A. sont actuellement la première puissance militaire du monde.* Cette déclaration de Kennedy a annoncé la fin du dangereux « Missile Gap » — littéralement le fossé des fusées — c'est-à-dire le retard pris par les Américains dans la fabrication des fusées à longue portée, par rapport aux Russes. »

Le 9 août 1962, *France-Observateur* confirmait en ces termes le sens de *Missile Gap* : « L'époque du « missile-gap » est bien révolue, et on a du mal à penser qu'elle ait été si récente [...]. Il n'est absolument pas possible de mesurer, même approximativement, le retard atomique américain à cette époque, ni même de savoir si ce retard était réel. »

Il se peut que ce ne soit pas possible. Reste que le N. A. T. O. et le S. H. A. P. E. ont imposé à une nation, pour la jeter les yeux bandés à l'abattoir atomique, trois mots qu'elle ne comprend pas, qu'elle ne peut pas comprendre, qu'elle ne doit pas comprendre : *dissuasion, deterrent* et *missile-gap.*

Non content de ruiner la langue des officiers et des soldats français, le Pacte atlantique contribue d'autre part à nous coloniser, et ce quand nous sommes en proie aux soubresauts de la « décolonisation ». Pauvres Français assez bornés pour s'imaginer qu'au XXᵉ siècle on occupe encore des territoires! Grâce au capitalisme, on peut se rendre maître *absolu* d'un pays en possédant 51 % des capitaux d'un certain nombre d'entreprises-clés : banques, industrie lourde, etc. Plus malins que nous, chaque fois que les Yanquis colonisent un pays, ils le proclament indépendant : voyez les Philippines. En 1957, les États-Unis investirent en France 457 millions de dollars pour la création d'usines nouvelles, soit 1,2 % de notre revenu national. Comparé à la masse des investissements yanquis au Canada (35,5 % du revenu national), c'est très peu, j'en conviens. Mais faites le compte des investissements américains en France depuis notre « libération » ; vous verrez qu'elle nous coûte cher, notre *libération*. Pour la seule industrie chimique, plus de vingt sociétés américaines s'étaient installées chez nous en 1960, cependant que dix autres étaient en train de s'installer. En 1961, la seule usine Ford investissait en Europe 220 millions de dollars, mais estimait « honteux » que la Régie Renault essayât de négocier un accord aux termes duquel Ford laisserait aux Européens le marché des petites voitures. Les États-Unis se proposent en effet de coloniser à leur profit l'économie européenne, et livrent, par exemple, une « guerre » sans merci à l'industrie automobile d'Europe, industrie dont on sait que, si elle s'effondre, c'est la ruine des pays européens. Pour que les Français prennent un instant conscience du péril, il leur fallut apprendre, la même semaine, que les Yanquis venaient d'acheter Simca, et que Libby's entendait « contrôler » dans le Midi 20.000 hectares de cultures maraîchères et fruitières. S'en souviennent-ils aujourd'hui ? Oui, pour quelques jours, parce que le dollar vient de nous déclarer *la guerre des poulets*.

Ces investissements déséquilibrent l'économie française en ce sens que les capitaux yanquis (souvent camouflés en Suisse ou au Liechtenstein), non seulement refusent de tenir compte du Plan économique élaboré par notre gouvernement, mais s'efforcent de le contrarier ; en ce sens également que, fort insoucieux, et pour cause, de la classe ouvrière française, les négriers yanquis de Remington licencient à Caluire, et ceux de la General Motors à Gennevilliers, sitôt que le rendement de S. M. le dollar exige qu'on licencie. Tout cela pour la plus grande gloire de la « libre entreprise » — libre en effet de ruiner la France —, et sous prétexte de front commun contre le socialisme! Quand on sait, d'autre part, que, pour remplir à bon compte ses boîtes de conserves, la United Fruit n'hésite jamais à faire et défaire les potentats de l'Amérique espagnole, avec l'appui désintéressé des fusiliers marins du Pentagone (comme vient de l'avouer un officier de cette honorable confrérie de tueurs), on comprend mieux la haine de Washington contre le seul homme d'État européen qui, depuis la « libération », ose résister aux prétentions du dollar. Puisque l'O. A. S. n'a pu l'en débarrasser, et puisqu'on ne peut pas l'acheter, la phynance américaine veut avoir sa peau en douceur.

Ah! c'est beau, la « libre entreprise » ! Plus besoin d'acheter les consciences du pays qu'on veut conquérir,

ou asservir : à quoi bon les colons, les policiers, l'appareil
administratif coûteux et impopulaire ? Il suffit d'acheter
des actions, de « contrôler » des sociétés. Les investissements des États-Unis en France ne font que croître
et M. Léon Gingembre, qui ne passe point pour bolché-
vique, s'en inquiète. Voyez *Le Figaro* du 2 mai 1962 :
« On risque très rapidement, si on n'y prend garde et
s'il n'y est mis bon ordre, d'aboutir à une véritable
colonisation de notre commerce, puis de notre économie,
par les puissances financières internationales. » Bien
élevé, M. Gingembre ne parle point de capitalisme
yanqui. *Puissances financières internationales* lui suffit ;
grossier que je suis, je préciserai qu'il s'agit du dollar,
et que, pour gagner tout à fait sa partie, il faut que ce
dollar tue notre langue : aussi longtemps que les Français parleront encore français et penseront selon
Montaigne ou Diderot, on ne pourra plus facilement leur
faire avaler comme autant de grives toutes les couleuvres
de l'*American way of life*.

Pour coloniser le commerce et l'industrie françaises,
il fallait donc saboter le français dans les positions les
plus fortes qu'il occupait encore : comme langue diplomatique, et de culture. Je vivais aux États-Unis lors
de notre Sedan. J'ai assisté à la curée. Comme on se
réjouissait de verser sur le français « langue morte » des
larmes de crocodiles floridiens ! Mes références ? Hélas,
avec les neuf dixièmes des notes que j'avais accumulées
en cinq ans pour écrire un essai sur les États-Unis, elles
ont disparu en Alger très peu après l'arrivée de la
valise à laquelle je les avais confiées en décembre
1943...

Nul n'ignore qu'à peine délivrée la France du nazisme,
les Américains s'employèrent à éliminer le français

comme langue de travail aux Nations Unies. Il ne passa que de justesse. Dans certaines organisations internationales, il est en butte aux attaques, aux intrusions — tantôt sournoises, tantôt insolentes — d'individus qui, ne le sachant pas, se permettent de le régenter selon les normes de la grammaire et de la stylistique anglo-saxonnes. Dès le 6 août 1953, M. Alfred Sauvy criait casse-cou : *De l'abandon linguistique à la servitude.* Cet article aurait dû alerter l'opinion et le pouvoir puisqu'il publiait l'évidence, à savoir que « les Américains manquent rarement une occasion de supplanter non seulement la langue, mais aussi la culture française ». De cela aussi je sais quelque chose, puisque, si j'enseignai longtemps à l'Université de Chicago, j'ai séjourné dans maint pays où j'ai pu vérifier à quel point sont fondées les craintes de mon collègue : dollars et calomnies conjugués font l'affaire, dans l'Indochine de feu Diêm par exemple.

Selon la pertinente remarque d'un Jésuite (*Études*) : « le règlement des Nations Unies, qui impose l'égalité absolue du français et de l'anglais, est si peu observé qu'un étranger, M. Chauvet, délégué de la République d'Haïti, a prononcé le 31 janvier 1952, à l'Assemblée générale de l'O. N. U. (alors réunie à Paris), un discours dont voici des extraits : *Des ouvrages très importants de notre Organisation sont édités en langue anglaise à l'exclusion de la langue française... l'Annuaire des Nations Unies, publié en anglais tous les ans, n'a eu qu'une édition française, en 1948... En pleine capitale de la France, les programmes de nos séances sont affichés uniquement en anglais... on pourrait se demander s'il ne s'agit pas d'un plan systématique pour saboter une langue qui, pendant des siècles, a été celle de la diplomatie* », que les nationalismes infantiles qui gouvernent aujourd'hui l'humanité ne sauront jamais juger techniquement, mais qu'ils haïront pour ses qualités mêmes, rarement conjuguées dans un seul idiome.

Confirmation significative : un beau jour, beau pour l'impérialisme étranger, les Français reçurent un passeport bleu, cartonné, plus résistant, il faut l'avouer, que l'ancien torchon brun, mais où ils durent déchiffrer, en première page : *Nom, surname ; Prénoms, Christian names ; Nationalité, nationality ; Né le, date of birth ; à, place of birth ; domicile, address.* Seul subsistait en français le mot *profession*, parce qu'il s'écrit de la même façon dans les deux langues. Des passeports passe-partout, pourquoi pas ? des passeports en quinze ou vingt langues, ce serait joli ; mais à une condition : la réciprocité. Depuis quand les Américains sont-ils contraints de lire sur leurs passeports : *Surname, nom ; Christian names, prénoms,* etc. En nous octroyant ce passeport de colonisés, la IVe République a bien mérité du dollar, elle a bien mérité les dollars qu'elle mendigotait.

En même temps que nos gouvernants nous imposaient ce passeport, ils ouvraient toutes grandes nos frontières aux touristes américains, producteurs de dollars, cependant que le pestiféré de Français, s'il désirait se rendre aux États-Unis, invité comme professeur d'échange, par exemple, on exigeait : 1º qu'il se mît à poil devant douze émigrants ; 2º qu'il subît le Bordet-Wassermann pour démontrer qu'il n'était pas syphilitique ; 3º qu'il se rappelât toutes les adresses auxquelles il avait séjourné depuis dix ans (pour quelqu'un qui voyage beaucoup, l'erreur, donc le parjure, est inévitable) ; 4º qu'il affirmât n'avoir jamais appartenu à un groupement hostile au fascisme.

Affranchi de tout souci de visa, lui, le *Superman*,
voici donc déferler en France le touriste yanqui, le même
que j'ai vu ruiner en moins de deux les valeurs les plus
sûres de la culture mexicaine. Je citerai encore M. Alfred
Sauvy : « Dans le désir de plaire aux touristes porteurs
de dollars, les textes anglais se multiplient en France.
Nous les voyons peu à peu apparaître dans les gares et
les lieux publics. Est-ce bien nécessaire ? Tout Français
voyageant en Italie ou en Allemagne apprend très vite
que « Uscita » ou « Ausgang » signifient « Sortie ». La
Suisse, bâtie longtemps sur le tourisme anglais, n'a pas
eu recours à ces procédés. Voyagez dans le fond de la
Vendée, vous trouverez la fiche du voyageur établie en
deux langues. » Depuis le temps que M. Sauvy écrivait
ça, les Suisses, contaminés par l'exemple français, se
laissent à leur tour gâter. A Genève, à Lausanne, on vous
propose maintenant de la (ou du) « City Information »!

Si nous nous bornions, dans les gares ou les hôtels, à
rédiger (mais en plusieurs langues — et avec clause de
réciprocité) les pancartes et les formules indispensables,
ce genre de courtoisie ne me semblerait point compromettre la République. Plus grave, la servilité de nos
marchands qui, pour attirer le chaland et flatter sa
paresse, multiplient à leurs enseignes, à leurs devantures,
des mots anglais, américains, ou qu'ils supposent tels.
Quand un lascar qui s'appelle *Louis* attire les G. I.'s
et les touristes par un *Loui's*, quand nos restaurants,
pour ne pas décourager les Yanquis, libellent en américain la moitié de leurs menus, quand un traiteur du
Maine annonce *grapefruit cocktail, turtle soup, toasts,
mixed grill, lobster cocktail* et *chicken à la King*, sans
traduction française, quand un « restoroute » m'offre un
cheeseburger steack (sic), des *hot-dogs*, un *club sandwich* et

un *steack* garni, sans traduction, quand Odette Pannetier,
pour recommander cent restaurants de Paris, emploie
une centaine de mots anglais dont *eggburger* et *baby
cochon de lait*, je dis que la France est bien près de devenir
la fameuse *France éternelle* ; bien près de crever.

Parce qu'enfin on croyait que la cuisine française
restait ici une valeur sûre. Ouais! cette intrusion du
jargon et des mots yankquis coïncide avec une décadence
marquée, chaque année plus évidente, et parfois scan-
daleuse, de la valeur moyenne des restaurants français.
On ne débite pas impunément des *hamburgers*, des *cheese-
burgers*, des *eggburgers* et autres saloperies que, pauvre,
à Chicago, je ne mangeais même pas. *You are what you
eat*, dit un livre yanqui de diététique. Dis-moi ce que
tu bouffes, je te dirai comment tu fais l'amour, comment
tu penses, comment tu vis, comment tu crèveras. « *Have
a coke ? Have a smoke ?* » (une coca ? une sèche ?), voilà,
dans les dernières classes des chemins de fer yanquis,
les deux phrases d'entrée en matière ; après quoi on
passe au *petting*, au *pelotage* ; enfin : « *Got a rubber ?* »
(t'as une capote ?), et l'on fait l'amour bêtement, hon-
teusement, à la sauvette. Bien avant le rapport Kinsey,
j'ai travaillé la question à l'Université de Chicago.
Buvez coca cola, cela donc voudra bientôt dire : « *faites
l'amour à la cow-boy* ». Très peu pour moi. Enfin, par les
forces conjuguées de la contagion, de l'ignorance et de la
publicité, cela voudra dire, cela dit déjà : « *buvez vins de
Savoie, buvez côtes de Provence* ». Tolérer que les gougna-
fiers qui markètent une saloperie, une drogue comme la
Coca Cola, imposent aux jeunes Français, et même aux
Français adultes, des millions de solécismes chaque jour,
c'est réduire à néant l'effort de tous les instituteurs, de
tous les professeurs qui, dans les lycées, les facultés,

essaient de sauver ce qui se peut encore sauver de notre langue. On commence par *boire Coca Cola*, puis on *boit vin*, puis on *boit eau*. Bientôt, *l'article partitif disparaîtra du français, pour que la Coca Cola gagne en France beaucoup d'argent*. Quand les militaires yanquis font rouler dans les rues de Paris des voitures automobiles baptisées *bus d'école* (parce que ça se dit, ces machins-là, des school bus à New-Orleans, et bien que les Français aient pour cela un mot ou deux : *transport d'enfants* et *ramassage scolaire*), force m'est de constater que, s'ils torturaient et massacraient les résistants, les nazis se donnaient la peine de rédiger en vrai français leurs atroces tableaux d'honneur.

Les businessmènes yanquis, eux, méprisent à ce point les « cobayes » que sont pour eux leurs clients (*400 Millions Guinea-pigs*, c'est le titre d'un ouvrage qui parut là-bas là-dessus) qu'ils leur infligent des placards publicitaires en charabia. Celui-ci, par exemple, de la *LOVABLE brassiere company* : « Nous sommes tous très fiers de nos fabrications et de la place que nous occupons dans l'industrie, et nous cherchons légitimement à entrer en rapport avec une des grandes maisons françaises qui a une grande tradition de service et de production similaire à la nôtre. » Il y a mieux : j'ai découpé des placards absolument inintelligibles à des étudiants de Sorbonne, quand je les leur proposai comme épreuve de travaux pratiques. Traduisez en français le placard suivant, par exemple : « Voici le Republic F. 105 Thunderchief, seul avion « Système d'armes » commandé par l'U. S. Air Force pour ses unités européennes. Cet appareil d'attaque au sol « tout temps » est construit pour remplir sa mission de base, qui est de servir au mieux les intérêts de l'OTAN en décourageant l'agression. Le

rôle de Republic en tant que constructeur d'avions est
également vital : aider l'OTAN dans la préparation de
cette mission. C'est pourquoi Republic a mis sur pied
son « Plan de Mission », qui consiste à faire fabriquer en
Europe cet appareil supersonique à armement nucléaire
par différents constructeurs aéronautiques des Pays
de l'OTAN. L'emploi de F. 105 par les pays de l'OTAN
fournit à l'Europe le seul système d'armes tactiques
spécifique [1]. » Je défie qui que ce soit, s'il ne sait pas un
mot d'anglais, de comprendre ce charabia ou chaque
mot, chaque expression, calque grossièrement un terme
ou un cliché du journalisme yanqui. Peu importe aux
marchands d'outre-Atlantique. Ils ne veulent, une fois
de plus, que nous préparer moralement à leur entreprise
de *dissuasion* et de *déterrence*. Pour ce faire, ils marty-
risent notre langue, mais fournissent à la presse de l'argent frais. Comme un journal, surtout s'il est honnête,
ne peut guère vivre sans publicité — *Le Canard enchaîné*
faisant seul exception, — nos quotidiens, et les plus
estimables, acceptent de publier ces insolents placards
de sabir atlantique.

Eh bien! moi, je n'ai pas envie de lire un peu partout
en France ce que j'ai vu à la devanture d'un coiffeur de
Francfort-sur-le-Main, en février 1962 : « AUGEN MAKE
UP A LA CARTE » ; ni ceci, que m'offrit la même année
un prospectus suisse : «Bütagaz für/pour le/for camping»;
ni ceci, que j'ai relevé en 1960 au col de la Furka : « Winter
sport-d'hiver », formule qui peut se lire en trois langues,
anglais, allemand et français; mais quel français! *sport
d'hiver*, au lieu de *sports d'hiver*. Or je lis déjà, oui, dès

1. Ceux qui souhaiteraient connaître l'explication de ce document
la trouveront au tome III de mes *Questions de Poétique comparée*, *Le
Babélien*, Centre de Documentation universitaire, 1962.

aujourd'hui, cet atlantique (et même atlantyck) charabia :

« DEMAIN »
(aux U.S.A. TO-MORROW)
le soutien-gorge toujours
à vos mesures

Caveant Consules! C'est-à-dire : *Fais gâfe, patron !* Fais
gâfe ! Et pas de gaffe !

CHAPITRE II

PUBLICITÉ ET BABIR ATLANTIQUE

Pour se rassurer lâchement, certains Français vous diront, surtout s'ils entretiennent des relations payantes avec l'ambassade des États-Unis (qu'il convient d'appeler maintenant l'*ambassade américaine*, sur le modèle de *American Embassy*) : « Vous prétendez que l'économie française risque d'être colonisée par le dollar. Ces craintes furent en effet exprimées dans *Le Monde* par M. Duverger. Comme ce chroniqueur exagère! Les Américains, mais ils ne possèdent que 2 % du capital industriel de la France. Convenons qu'ils sont maîtres absolus dans le domaine des roulements à billes, des ascenseurs, du lait concentré. L'indépendance nationale en a-t-elle jamais souffert? Et quand le pouvoir de décision serait transféré, dans certains secteurs de l'économie, à des groupes économiques qui gouvernent la politique des États-Unis, en quoi cela nous changerait-il? Ne sommes-nous pas liés à la vie à la mort, aux termes du Pacte atlantique? Voyez les Anglais, s'en portent-ils si mal que ça? Or les Américains détiennent 8 % de leur capital industriel. »

Le 21 novembre 1960, lorsque, moyennant un milliard et demi de francs environ, qui devaient être versés aux anciens actionnaires, la chambre des Communes approuva

la cession de la Ford anglaise à la Ford américaine,
je ne sache pas qu'on ait pavoisé outre-Manche. Cette
opération, à la suite de laquelle la moitié de l'industrie
anglaise de l'automobile passa sous la coupe de la finance
yanquie, ne fut guère du goût de l'expert financier de
l'opposition travailliste, M. Wilson. Les conservateurs
eux-mêmes qui, par obéissance aux consignes du Parti,
devaient approuver cette aliénation redoutable, qu'en
pensent-ils au secret de leur conscience ? L'*Establishment*,
comme disent désormais nos anglomanes — autrement
dit, les gens en place, les deux cents familles — peu-
vent-ils sincèrement se féliciter d'une mesure qui prépare
leur asservissement à l'ancienne colonie ?

Après un récent séjour à Londres, voici du reste quel
fut à ce propos le diagnostic de Paul Morand : « Pour
comprendre l'anglais, il faudra bientôt consulter le
Dictionary of Americanisms de Mitford Mathews, le
Dictionary of American slang de Wentworth et Flexner,
le *Dictionary of American-English Usage* de M. Nicolson
[...]. Tout arrive de New York ou de Hollywood : pour
les journaux, la façon de titrer, l'art de sélectionner
les nouvelles, la rédaction des rubriques sportives, etc.
Enfin, toute la publicité nouvelle, en Angleterre, est
américaine [...]. On pourrait en conclusion s'écrier :
America goes home », c'est-à-dire : les États-Unis revien-
nent chez soi. Un écrivain qu'on ne saurait suspecter
de bolchévisme intellectuel manifeste donc la recon-
quête de l'Angleterre par son ancienne colonie et cite
à ce sujet le président du *Board of Trade* (disons du
ministère du Commerce) : « Nous sommes au plus fort
de la plus grande invasion économique de notre histoire. »

Nous aussi ; mais l'invasion s'aggrave chez nous d'une
contamination langagière plus dangereuse qu'en Angle-

terre. Quelque importantes qu'on juge les différences
d'accent, de vocabulaire et de syntaxe entre l'américain
et l'anglais, les deux langues sont plus proches que ne
l'est du français le jargon des publicitaires yanquis.
Or, ce qui opprime le français de 1960, ce n'est pas le
style de Thoreau, de Melville, de Walt Whitman, de
Mary Mc Carthy, de Paul Goodman ; non, c'est celui
des pires journalistes, et surtout, surtout, celui des plus
vulgaires marchands de publicité.

A la date du 26 décembre 1941, je retrouve, dans les
notes que j'ai gardées de Chicago, la rubrique suivante :

Vocabulaire de la publicité :
  — dramatic — romantic — thrilling
  — buy and save — thrifty
  — new, ultra modern, old fashioned
  — individual, *you, your*
  — *he, she, him, her*
  — streamlined
  — it's different
  — individual piece of sugar (un morceau de sucre)
  — dear friend (ignoble !)
  — better than the best
  — quick.

Un peu plus tard, datée du 8 mars 1943, cette autre
indication : easy — quick — bigger — it's new — lus-
cious — de luxe (prononcé dileuxe).

Beaucoup de ces notions, vous le constaterez sans
peine, mais avec peine, sont maintenant devenues
« bien françaises ». Le culte de la vitesse, qui perdra
notre époque, nous avilit nous aussi. *Ici, on mange en
trente secondes de moins qu'en face.* J'ai lu ça, ou l'équivalent, dans le centre de Chicago. Au *quick* de l'améri-

cain répondent les *Rapid'Lavage* et ces placards qui
vantent la rapidité avec laquelle on fabrique du faux
café, du faux thé, du faux lait, de faux potages. Cette
religion de la vitesse nous vaut la vogue du mot *flash*
(plus rapide, faut-il croire, qu'un *éclair*), et notamment le
flash-secrétariat recommandé par *Immédiat-bureau*. La
facilité, cette autre plaie du siècle, nous est aujourd'hui
prêchée par tous nos publicitaires : *c'est facile, c'est si
facile !* Toute chose, chez nous comme aux États-Unis,
devient *unique* et *différente* : « Chez Droz, c'est autre
chose. » Et comme les mœurs yanquies ne tolèrent pas
la singularité, les publicitaires surcompensent, « personnalisant » tout et n'importe quoi. Jusqu'au morceau de
sucre, là-bas, acquiert une « individualité », la même,
exactement, que celle du consommateur idéal. A quoi
nous devons le soutien-gorge à *vos* mesures, parce que
sur mesures ne personnalise ni *vos* seins, ni *votre* soutien-
gorge.

C'est encore à la publicité que nous devons l'abolition
du degré positif de l'adjectif. Dès avant la guerre, nous
avions *Oui... mais Rilby habille mieux !* La formule
alors n'a si bien réussi que parce que la réclame, comme
on disait encore, utilisait en ce temps-là le bon degré
positif : je le sais pour avoir rédigé, des années durant,
les annonces que placardait ma mère dans le journal
local. Sous l'influence de *it's safer*, de *better than the best*,
tous les margoulins désormais nous annoncent que
c'est plus sûr d'acheter leur camelote, *la meilleure du
monde*. Moi, je me contente d'acheter des objets de
bonne qualité, et je fuis les marchandises *les meilleures
du monde*, car je sais que le vendeur ne peut pas ne pas
me mentir quand il s'exprime de la sorte. Mais je suis un
mauvais esprit, un *beatnik*. Et puis je déteste les gou-

jats qui m'assaillent au saut du lit par une lettre timbrée comme telle, que j'ouvre donc pour y lire : « Cher ami, Je suis fier de vous annoncer que je viens de mettre au point, *pour vous*, une chemise *no iron* de très grand *standing*... » *Pour moi*, l'amitié n'a rien de commun avec le *Dear friend* du trafiquant de liquettes.

Oui, « la publicité, un des grands maux de ce temps, insulte nos regards, falsifie toutes les épithètes, gâte les paysages, corrompt toute qualité et toute critique » (Valéry). Ajoutons que, depuis qu'elle a remarqué qu'on vend mieux un objet en lui donnant un nom qui sonne, ou qui paraît yanqui (un *fauteuil relaxe* qu'une chaise de repos, un *relaxerton* qu'un fauteuil de détente), elle pourrit et s'efforce de détruire la langue française. Au lieu d'occuper le rang que lui assigne toute civilisation qui se respecte, le dernier, quand le marchand règne, pourquoi ne tournerait-il pas ses regards, son espérance vers le seul pays où l'empire de l'argent se manifeste dans toute son insolence, le seul où nul souvenir de monarchie, nul recrutement des élites au concours, nulle considération pour les arts et le savoir ne tempèrent la tyrannie de l'argent ?

Dans une thèse publiée en 1955 *sur la langue de la réclame contemporaine*, M. Marcel Galliot examine le vocabulaire et la syntaxe des publicitaires français entre 1935 et 1950. Il y marque une singulière indifférence, pour ne pas dire complaisance, à l'égard de ceux qui jargonnent en sabir atlantique. On croirait parfois qu'il reconnaît la gravité du mal, puisqu'il écrit, p. 216 : « Voilà près d'un siècle qu'a débuté, dans la langue publicitaire française, l'invasion du vocabulaire anglais, précédée — et semble-t-il déterminée — par l'invasion des termes de mode de l'époque des dandies. Cette

invasion est devenue, vers la fin du XIXe siècle, un véritable raz de marée, quand, à l'influence proprement
britannique, est venue s'ajouter l'influence américaine,
bien autrement puissante. Cette influence ne fait que
croître, et la récente victoire des Alliés n'a pas peu
contribué à la consolider, par son prestige en soi, par le
grand nombre d'Anglo-Saxons qu'elle a amenés en
France, par la dépendance économique où nous nous
trouvons depuis à l'égard des États-Unis.

« A tout cela, il convient d'ajouter une autre influence,
permanente, mais en augmentation constante, celle du
tourisme, qui attire chez nous des étrangers dont la
portion la plus compacte est anglo-saxonne — clientèle
riche, dont la présence incite certaines branches du
commerce (hôtellerie, magasins de luxe), et des quartiers
entiers de Paris, à parler anglais (*English spoken*), à se
parer d'enseignes en anglais, à créer des noms de marque
en anglais, parfois même à afficher leurs prix en livres et
en dollars.

« Par un curieux phénomène de mimétisme, ce prestige
de l'anglo-américain s'est également imposé, et dès le
début, aux yeux du public français qui associe d'une
façon quasi automatique l'emploi de l'anglais, dans la
désignation des produits et des articles, à l'idée de luxe,
de qualité. Enfin, l'instinct d'imitation et la mode ont
répandu cette façon de faire des quartiers de luxe aux
quartiers populaires, de Paris aux villes de province —
bientôt peut-être elle atteindra nos campagnes. »

M. Galliot reconnaît même que les pages de nos journaux où la publicité s'étale contiennent une « incroyable
variété de mots anglais, de mots pseudo-anglais, de
tours anglais, d'anglicismes de toute espèce ». Cela dit,
il se console en pensant qu'on parle aux États-Unis

d'une Cadillac *de luxe*, d'une De Soto *de luxe*, et que les Yanquis, veulent-ils évoquer l'objet de qualité, ils recourent au français. C'est là réflexe de marchand, non point réflexion de linguiste, de grammairien, d'écrivain. Que des idiots, outre-Atlantique, paient plus cher leur Cadillac quand on l'étiquette *dileuxe*, pourquoi cela me consolerait-il des fichiers où j'ai classé les *milliers* de mots et de tours yanquis, ressassés chaque jour par la publicité, qui déplacent, puis remplacent autant de tours, de mots français ? Qu'un soutien-gorge s'appelle là-bas une *brassiere*, une gaine une *bien jolie*, une fleur un *corsage*, et qu'un restaurant me propose des repas *à la carte menue* (menu à la carte, et carte menue, en l'espèce !), qu'est-ce que ça peut me foutre si toutes nos donzelles refusent de porter gilets, chandails et tricots et n'ont d'yeux que pour les pulls, les cardigans, les pull-overs (fully fashioned, ou mock fashioned), les furover, les V-neck, les over-blouses, les sweaters et autres ignominies langagières ? C'est *tellement plus facile, tellement plus personnalisant, tellement plus new look* de porter un *gilot de sueur* (car c'est ça, un *sweater*, mes zozotes). Que les Anglais, que les Yanquis bousillent leur langue en y acceptant *tels quels* des mots français, c'est leur affaire et non la mienne. Parce que j'aime l'anglais, et même l'américain, j'en suis navré pour eux et je leur conseille de balayer aussi devant leur porte.

Comme trop d'historiens de la langue, M. Galliot vénère le moloch hégélien et admire tout ce qui est. Qu'on le pousse dans ses retranchements et qu'on lui explique notre syntaxe bousillée par les publicitaires : on a « si libéralement élargi la notion de règles », répondra-t-il, qu'il n'y a pas lieu de s'en faire. Désarmant. Désarmé.

M. Galliot se trompe, et grièvement. Insatisfait de son livre, j'ai chargé une étudiante, Mlle Shklar, d'étudier deux années durant l'américanisation du langage publicitaire entre 1945 et 1961. Le travail qu'elle a produit rend hélas un tout autre son : celui du tocsin. « On voudrait s'amuser, écrit-elle, de cette nouvelle alchimie qui procure tant d'or aux marchands, et rire comme d'un mauvais jeu de mots de cet *Athos' Saloon* (rue des Ciseaux), de ce *Jeanne d'Arc English Grill* à Rouen, ou encore de cet avis déjà ancien qu'affichait un foyer protestant : « Ici les jeunes filles seules trouvent un home. » Mais il est inquiétant que les mots puissent se vendre : «Le terme *visagiste* créé et déposé par Fernand Aubry est sa propriété commerciale. » Et quel crédit accorder à des mots qui ne signifient plus rien, à des mots usés jusqu'à la racine. On a beau les écrire en lettres grasses, les souligner et leur accoler un adjectif aussi vide de sens qu'ils le sont eux-mêmes (la *vraie* blancheur du propre — il y a donc une fausse blancheur ?), ils se taisent. Dans un numéro de *Elle* (1957), un astérisque suivait ce mot éculé *nouveauté*, qui renvoyait à cette note : *qualité de ce qui est nouveau (les dictionnaires)*. Les mots sont usés : *Idéal ?* c'est une pâte à détacher (et que dire de l'*idéal-standard* ?) », qui veut dire, en effet, l'idéal-ordinaire, l'idéal-banal, l'idéal-éculé.

Mieux informée que M. Galliot, et plus lucide, Mlle Shklar a discerné le « mythe du mot étranger », ce mythe qui nous vaut cent âneries du genre : « le mot shopping n'a pas d'équivalent en français, mais il désigne bien ce passe-temps aimable qui consiste à acheter des objets dont nous n'avons nul besoin ». Lorsqu'une Française fait des *emplettes*, il s'agit toujours de savon noir ou de serviettes hygiéniques ; une paire de gants, une fanfreluche ne sauraient constituer une *emplette*! Mˡˡᵉ Shklar a relevé près de treize cents mots anglo-saxons constamment employés dans notre publicité ; oui, 1.300 (or, quel est le vocabulaire d'un citoyen français qui sort de l'école primaire?). Elle a compris que, généralement incorrects, mais faciles à retenir, les « slogans » de la publicité sabireuse sont en passe de se substituer aux proverbes et à la sagesse populaire. *Do it yourself* devient *faites-le vous-même*, quand ce n'est pas *douite yourselfe*. Elle a montré que tous les principes de la syntaxe française sont violés, *exprès*, par les publicitaires. *It's new, it's different*, donc, ça fera vendre. « Articles et prépositions disparaissent, le verbe n'est plus qu'une sorte de copule, et la phrase se réduit au substantif et à l'adjectif. Jadis apte à décomposer et analyser le réel, la langue française devient à son tour une langue synthétique, qui cherche à en suggérer la sensation immédiate. La phrase se réduit au mot et le mot à l'objet. Avant que le verbe ne soit totalement supplanté par l'image, le mot déjà n'est plus qu'objet. » Qu'importe à la majorité de nos publicitaires! *Its' new, it's different;* donc ça tire l'œil ; donc ça fait vendre. Voulez-vous vendre une robe? yanquisez-la en *robe jumper*, accolez-lui l'adjectif le plus inattendu, le plus déplacé, celui en effet qu'on n'a *jamais* lu, accolé à une robe : *malléable :* « Ici les robes jumpers, sportives et malléables » (*Elle*, 15 août 1963). Tout à l'avenant.

Mieux, ou pis : Mˡˡᵉ Shklar observe que la publicité essaie de nous « vendre » la notion de « capital-temps », si précieuse aux lecteurs qu'abrutit le *Reader's Digest*, et grâce à quoi *Le Chasseur* qui se croit encore (ou du moins se dit) *français* allèche désormais les candidats au mariage : il leur fait miroiter la découverte « dans un temps record » de l'âme-sœur ou du con-frère. Avec le *capital-temps*, la publicité nous « vend » du *capital-santé*, du *capital-jeunesse*. Honni soit qui penserait qu'il s'agit ici de morale « capitaliste »! Enfin, à renfort d' « ouvre-boîte miracle », de « jet magique de la bombe américaine spray net », de « tissus magiques », la publicité sabireuse joue sur le rouge, cependant qu'à renfort de « scientifique », et de « problèmes » toujours très vite résolus, elle joue simultanément sur le noir, flattant conjointement les deux religions des imbéciles : le scientisme et la magie. Ainsi partout s'insinuant, elle corrompt jusqu'au langage des culs-terreux, sur qui on pouvait compter jusqu'ici pour maintenir la tradition langagière. Lisez *La France agricole*. Il ne s'y agit plus que de tracteurs *spitfire*, d'outillage *workeasy* pour plumer les volailles, de forage *harvester*, de *ramasseuse-press new Holland super hayliner 68*, de semoir *sulky-master*, de récolteuse à betteraves *beetmaster*, d'appareil à tailler les haies *jetcut*, d'élévateur à fourrage *crimper*, de planteuses-repiqueuses *super-prefer*, de *corn-picker oliver* pour l'épanouillage du maïs, des *cultipackers-seeders*, de l'aliment *protector* pour les poussins (qui seront, selon les cas, *black-red* ou *white-red*), du fameux gazon *blue-grass* qui ne se tond pas. N'espérez pas que, rentré chez lui, le cultivateur français puisse reprendre l'usage de sa langue. La publicité l'investit et le corrompt lui-même. Aussitôt qu'il aura ôté ses *blue-jeans* de travail il lui faudra prendre un *sunbeam standard* pour se raser tandis que sa femme utilise l'essoreuse *extra-dry* que lui suggéra Frigidaire. Souhaite-t-il ensuite prendre un peu de repos, qu'il choisisse entre un canapé *no-sag*, un *hop-sleeping erton*, ou un *relaxerton* sur lequel il

pourra boire un *drink* sorti de son *super-freezer*. Petit-
fils et neveu de paysans que je suis, je songe à la tête
que ferait mon grand-père devant le tracteur *imple-
matic*, le distributeur *discunic*, la table à repasser
sarninmatic (« création française de classe »), la faucheuse
rekord, le *cover-crop*, le *pulviculteur milpatt* ! Ça ne le
ferait même pas rire, le pauvre vieux : il n'y entraverait
que dalle, et je ne suis pas sûr qu'elles le feraient rigoler,
elles non plus, les *sketcheuses hilarologiques* que *La
France agricole* recommande à ses petits-fils, mes
cousins. C'est dégrader la paysannerie que de lui
enseigner, à coups de publicité cabrale, qu'elle *vivra
mieux* en portant des bas *personnalisés* et en *condi-
tionnant* les pommes de terre (plutôt qu'en les ensa-
chant). *Vivez mieux*, recommande *La France agricole*
(for a better life). *Vivre bien*, ce n'est pas du tout *bien
vivre*. Essayez donc de traduire cette nuance en sabir.
Impossible.

Or, dans notre univers mercantile, la publicité est
devenue *la* lecture, la seule, de la plupart des citoyens.
Gratuite ; mais, hélas, obligatoire. Si je conduis ma
voiture dans les rues de Paris, je ne puis, sans fermer
dangereusement les yeux, échapper aux placards
affichés sur les autobus, les camionnettes que je dois
éviter ou doubler. Ai-je la prétention de me réfugier
dans la nature ? L'anglomanie m'y poursuivra sur les
panneaux des routes, sur les murs aveugles des maisons
isolées.

Quoi d'étonnant ! J'ouvre le *Vade-mecum du rédacteur
publicitaire*, que nous devons à M. Jacques Gérard Linze,
et qui fut publié dans quatre livraisons de *Vendre*, en
1960. L'ouvrage est intelligent, mais quelle conception
du langage ! « On présentera les qualités réelles, véri-

fiables, mesurables du produit (*factual approach*) ou
bien l'on énoncera les qualités tout aussi réelles, mais
non évaluables, non comparables à quelque étalon,
seulement appréciables par expérience (*imaginative
approach*), caractéristiques des messages de forme
anecdotique : nouvelles, *strips*, ou bandes dessinées, etc. »
D'où je conclus que les techniciens de la publicité, en
France, ne font que démarquer les recettes et le jargon
des marchands yanquis, et que, pour eux, écrire français suppose toujours que, pour oser employer une
expression, on puisse chaque fois se référer à un idiotisme américain correspondant. Le plus souvent, on
préfère le mot anglais tout cru, tout nu : on écrira donc :
« si le *layoutman* est habile », « le *feeling* du concepteur »,
« il faut sélectionner l'*appeal* ». Bref, voici la phrase-type
du publicitaire français : « Les *house-organs*, ou *journaux d'entreprises* [...] peuvent constituer d'excellents
moyens de publicité directe, mais ils sont plus souvent
utilisés au service des *public-relations.* »

Tel étant le style de ces messieurs entre soi, on peut
leur faire confiance pour sabiriser en public, dans leurs
placards ! « Augmentez de 100 % votre standard de vie
grâce à la méthode de mémoire multiforme » ; « Allu-
meurs Électra durent plus long que votre voiture » ;
« Boeing hebdomadaire » ; « Trois banques individuelles » ;
« Agence internationale de publicité et marketing
recherche un homme ou une femme d'une trentaine
d'années culture générale vaste même non conven-
tionnelle expérience inhabituelle de la vie ». L'Amérique
est désormais à la portée des Parisiennes à la *bj*. On y
découvre un avant-goût de cet avenir *bj* : « Un parking
à la mesure d'une clientèle de plus en plus motorisée.
Alors les femmes pourront satisfaire leur passion du

« shopping » [...] en hésitant longuement entre une petite toque de renard ou un pull de cashmere. » Bref, c'est le « shopping total ». N'est-il pas scandaleux que, pour apprendre, ou rapprendre, la traduction française de *cashmere*, il faille se référer à la publicité diffusée par *Old England*, où je lis : « Basic French for fashion : In French best is meilleur, Fashion is Old England, Cashmere is Cachemire. » Un pull de cashmere, c'est donc un chandail de cachemire. Mais M. Loewy s'en fout, lui, qui fit aux États-Unis sa fortune, et qui aménage sabiralement la *bj*. Grâce au rayon *bodygraph*, dont la barbarie gréco-yanquie séduira le chaland, la *bj* gagnera plus de fric encore. Quant au français, qu'il crève ! Que pourrait-il faire de mieux ?

Le Bowling et le Karting, ces deux réussites de la publicité, démontrent cet axiome. Les milliards investis dans le *bowling* et le *karting* n'eussent pas rendu autant s'il se fût agi d'installer des jeux de quilles, de courir sur modèles réduits. Les pages de publicité qui furent prodiguées en 1961 par les philanthropes de l'A. M. F. (*American Machine and Foundry Company*) annonçaient « un placement sûr : le bowling », et la « transmutation d'un sport en industrie florissante ». Voici le ton : « C'est le *pinspotter* d'A. M. F. qui a permis au bowling de prendre la place prépondérante qu'il occupe parmi les sports mondiaux » ; « un sport praticable dans la cité même » (vous ne voudriez pas qu'on y joue même *en ville*. Non : *dans la cité même*, « in the city itself »). Il n'en coûte que 100.000 francs 1963 pour construire un *bowling* avec *snack-bar*. Une seule piste de *bowling* permet quelque 15.000 parties par an ; elle assure de très gros revenus. Faites du fric, puisque vous n'aimez que ça. Mais ne venez pas, messieurs les goujats, nous

imposer à coups de millions que vous prélevez sur la
laine de nos moutons, si heureux d'être bien ras par
vous tondus, des mots qui ont cours chez vous, mais qui
sont ici de la fausse monnaie. Un *bowling*, figurez-vous,
c'est un *boulin*, chez nous, le *boulin* de *boulingrin*
(*bowling-green*). MM. les publicitaires sont les mieux
placés pour savoir que « publi-reportages est une
marque déposée, propriété de *Paris-Match* », que
Frigidaire est une marque déposée, et que le substantif
« visagiste » appartient à un monsieur. Vous acceptez ça
(qui me semble révoltant) ; ce nonobstant, vous feignez
d'ignorer qu'en escamotant *boulin* et *quilles* pour les
remplacer par *bowling*, vous nous tuez deux très bons
mots français. Quoi ! le baron de Dampierre aurait le
droit d'empêcher une marque de tricots d'utiliser le
nom de sa famille, et moi, citoyen français, je n'aurais
pas celui de jouer au *boulin* ? Écrivain français,
professeur de langue française, et si je vous faisais un
procès, messieurs du *Bowling* ? Et ce n'est pas parce
que vous avez investi deux milliards dans vos pistes,
messieurs du *karting*, que ce mot aura chez nous droit
de cité. Non, messieurs du *karting* et du *bowling*, ce
n'est pas parce que la General Motors peut gaspiller
pour sa publicité près de 170 millions de dollars par an
(85 milliards de francs), et quatre autres sociétés yanquies de 35 à 70 milliards chacune, que j'accepterai, moi
chétif, qu'elles détruisent ma langue, qui est celle de
120 millions d'hommes, et de quelques centaines d'écrivains accomplis. Ma langue, c'est le sang de mon esprit,
comme l'a dit don Miguel de Unamuno, qui n'aimait pas
beaucoup ni l'argent ni votre cher ami le général
Franco. Ma langue, c'est le sang de mon esprit, et si
vous prétendez me saigner à blanc, comptez que je me

défendrai par tous les moyens de la défense légitime.

Quand la Jague se recommande à nos rupins par une phrase d'anglais : « A special kind of motoring which no other car in the world can offer », c'est son droit strict. Ce faisant, elle ne sabote pas ma langue. Mais quand l'Alcan, « premier exportateur mondial de lingots d'aluminium » (qu'il se dit), me vante ses deux usines canadiennes « séparées par quelques 80 km² », qui le rend si hardi d'oser un solécisme que je n'aurais jamais commis à neuf ans, moi qui avais eu la chance d'un excellent instituteur, M. Jules Froger ? Dans *Le Figaro* du 8 mars 1961, lorsque Manby déploie une pleine page d'américanismes : « le new (imper) look », « karting le blouson confort-pratique », « la folie-blazer », « classiquement trench », « patrol-coat en toile plastifiée le confort sport 100 % imperméable », « new-trench le classique jeune fille », « en manby color le cardigan », « pull slim », « doux, doux, le lambswool », « en tweed veste spéciale », « new look le coton de ville », « tous les slacks absolument tous », « nouvelle l'impression twill », le tout, comme il se doit, « aux couleurs américaines », suis-je pas fondé à penser qu'un gouvernement qui se respecte ne permet pas longtemps qu'on manque ainsi de respect au français ? Car ceux mêmes qui se piquent de ce vocabulaire ne savent pas écrire « velours *côtelé* » et, pour une fois qu'ils emploient un mot français, ils l'écorchent en *cotelé*. Quand enfin la chaîne Hilton gaspille ses dollars pour nous enfoncer dans la tête son « slogan » (*Go international, stay Hilton*, lequel, tel quel, n'est pas mauvais en anglais), de quel droit met-elle en apposition « une escale moderne », alors que la grammaire française lui prescrit « escale moderne » ? De quel droit écrit-elle, avec deux fautes,

« au Caraïbes », pour ne pas dire *dans la mer des Antilles*,
ou *aux Antilles* ? « Il y devrait avoir quelque coercion
des lois contre les écrivains ineptes et inutiles comme il
y en a contre les vagabonds et fainéants » (Montaigne).

Il ne s'agit pas seulement de mauvais écrivains, mais
de décerveleurs professionnels. Selon l'aveu d'un publicitaire, « la publicité ne s'adresse pas à la raison raison-
nante, mais aux sentiments, aux instincts, aux passions,
à la sexualité, à la peur de l'ennui et de la mort ». En
effet : Hitler est un produit de la publicité. Or MM. les
publicitaires ont pris conscience de leur pouvoir, qui
ne tend à rien de moins qu'à nous asservir tous. Page
14.898 du *Correspondant de la publicité*, « bulletin quotidien d'information et de documentation professionnelle »,
je lis en effet, à la date du 16 mai 1960, une certaine
prophétie d'Octave Jacques Gérin. En voici le texte,
dont je vous prie de savourer chaque mot : « Ce que
tu feras, publicitaire, je vais te le dire. Hier, tu étais le
dernier, tes efforts faisaient sourire, t'en souviens-tu ?
Aujourd'hui, tu rencontres approbation et estime. Il
est avéré que, derrière des dessins amusants et des
textes en apparence anodins, il y a ta pensée qui séduit
et convainc les masses tandis qu'elle enrichit qui te
paie.

Demain, quand, à force d'apprendre, tu auras maîtrisé
la science d'agir sur les hommes [*maîtriser :* américanisme à la mode, avec le sens de *to master*], Littéra-
teurs, Pédagogues, Hommes d'État même, viendront
à toi. L'Écrivain t'achètera le secret de l'attention, le
Tribun t'arrachera le secret de la domination.

Alors, publicitaire, tu te sentiras puissant. Mais,
conscient de ta force, fidèle à ta doctrine, tu dicteras
les seules paroles capables de mettre à jamais, au cœur

de l'homme, les pulsations de vérité, de paix, de justice. D'ici là, vends. »

D'ici là, vends. Un homme dont le métier officiel est de faire vendre — provisoirement — *n'importe quoi pourvu qu'on le paie,* voilà qui prétend gouverner la cité des hommes! Un homme dont le métier consiste à n'employer que superlatifs imposteurs et à remplacer progressivement tous les mots français par le mot yanqui correspondant, voilà qui, en France, réclame le pouvoir suprême!

« N'achetez jamais dans les boutiques où il y a *English spoken,* cela veut dire : *ici on vole les Anglais »,* conseillait à ses concitoyens, en 1885, un guide du parfait *globe-trotter : Paris in four days* (Paris en quatre jours). Je me garderai de condamner si durement les magasins de France où l'on affiche : *English spoken, Man spricht deutsch, Si parla italiano, Se habla español, Gavariut porousky* (ce qui parfois est le cas). Voilà une courtoisie que j'approuve et apprécie ; mais l'anglomanie de nos publicitaires a d'autres arrière-pensées ou, du moins, aura d'autres résultats : nous livrer, la cervelle congrûment lavée, aux *managers* de la General Motors, aux fusiliers marins de la United Fruit.

CHAPITRE III

PRESSE, RADIO ET TÉLÉ ATLANTIQUES

Si au moins les journaux français corrigeaient dans leurs diverses rubriques les méfaits de la publicité qu'ils accueillent pour survivre! Je t'en fiche! A part la chronique rituelle sur les querelles de langage, c'est à qui sabirera mieux. D'abord, les *rubriques*, ça n'existe plus ; nous avons enfin des *columns* à l'américaine, et le rubricard se promeut *columnist*. C'est plus sûr, c'est *new-look*. Il y a *le coin des teens*, les *flashes*, le *jumping*, les *jazz-records*, les *features*, il y a même une rubrique du *baby-sitting*. Les titres, désormais, s'inspirent de l'américain. Jadis, on titrait : *Poincaré élu*, ou bien *Wilson élu*. Sous prétexte que les Yankis préfèrent *It's Roosevelt*, *It's Roncalli* (c'est Roosevelt, c'est Roncalli), nous eûmes droit récemment, et sur huit colonnes, à des *C'est Kennedy!*, *C'est Montini!* Je ne crie pas au solécisme ; je constate simplement, mais tristement, que, pour faire « new », les journalistes abandonnent délibérément tout ce qui garde une habitude, une saveur française. D'abord, saveur, arôme, ça s'écrit *flavour*, dans la presse (le *flavour* de votre *scotch*, ça ne vous rappelle pas quelque chose de déjà lu?) Dans un mot

croisé de *France-soir*, en août 1963, l'une des réponses
est *quick-freezing*.

Quelle que soit leur nuance politique ou leur périodi-
cité, journaux et magasins pittoresques (comme on
disait encore au XIXe, quand on savait se passer de
l'anglais *magazine*) sabirent à qui pis pis. Les moins
dociles à la mode étant ceux qui, soucieux de ménager
une clientèle provinciale et popote, se sentent provisoirement contraints de s'exprimer en français : *Le
Petit Écho de la Mode*. Mais *Le Chasseur français* étant
déjà passé à l'ennemi, tout m'invite à redouter que le
jour ne soit proche où les lectrices du *Petit Écho de la
Mode* exigeront elles aussi leur *doping* au sabir. Soyez
sûr qu'alors on ne les lanternera pas. Quelques revues
strictement littéraires et peu lues essaient encore de
perpétuer le français : dans *La Nouvelle Revue française*
de décembre 1961, Audiberti s'offrait un pamphlet
truculent contre le jargon yanqui. Hélas, cette revue y
succombe : rares les numéros sans sabir. Soit celui de
juillet 1963 : j'y trouve des *dockers* (alors que *débardeurs*
ferait très bien l'affaire), des *comics strips* (des *bandes
illustrées*, fi donc!), du *fading* (dans une scène de Shakespeare), des *racketeers* du passé (MM. Pauwels et Ber-
gier, qui ne l'ont pas volé) et, pour finir mal, « une happy
end » (pour ne pas dire que ça finit bien ; mais pourquoi
LA happy end et *LE week-end* ?

De ce niveau, pour peu que nous tombions à celui des
quotidiens, des hebdomadaires à grand tirage, selon que
nous descendons, l'anglais se fait plus indiscret, ce qui
ne veut pas dire plus sûr. La tentation est si forte que
certains journaux, qui essaient de lutter contre elle‘
défaillent. A preuve, *Paris-Match*. Dans mes cours, naguère, j'eus l'occasion d'analyser certains numéros où,

par dizaines, je relevais les mots anglais, les américanismes clandestins. Or, l'an dernier, ce périodique décida
de m'offrir deux pages où pousser un gueulement
d'alarme. Depuis lors, il publia une caricature au moins,
drôle et virulente, contre l'américanisation des rues de
Paris, et j'ai constaté qu'il fait un effort (à mon sens
fort utile, car on le lit beaucoup) pour dévier de son
ancienne ligne et retrouver le droit chemin. Non sans
rechutes. Le 17 août 1963, j'y lus un article sur le « surf »,
ce nouveau jeu importé des îles du Pacifique. Nous avons
droit à *surf*, *surfing* et *surf riding*, alors que *rase-vagues*
ou *rase-rouleaux* (sur *rase-mottes*) disait excellemment la
chose. Ouais! ce n'est ni angliche, ni amerloque, ni en
-ing! A partir de *surfing*, on te nous fabrique un *surfer*
(le *surfer*), en vertu de la règle qui veut que tout substantif d'agent soit en sabir un mot en *-er*, dérivant si possible d'une racine anglo-saxonne. Bien. On nous apprend
ensuite que ce jeu est plus dangereux que le ski nautique
parce que le nageur n'y est pas tiré par une corde de
« chryscraft ». Comme si *chriscraft* ne faisait pas assez
sabiral, avec son *i*, on te lui attribue, gratis, l'*y* dont j'ai
dit qu'il a valeur *magic*. Et vogue à des millions d'exemplaires ce très sabiral *chryscraft*! Il y a plus beau. Le
matériel du *surfing* est « une planche — ou board — en
verre stratifié ». Diable! Pourquoi préciser que planche,
mot français, se dit *board* en anglais? Parce que ça permet, quelques lignes plus loin, d'écrire enfin le fin du
fin : « les jambes écartées, les pieds au milieu du board » ;
et voilà un mot français de plus, un mot encombrant, un
mot *old look*, un mot croulant, *planche*, balancé par-
dessus bord. Et voguent les *boards* sur les vagues, pardon, à la surface du *surf*.

C'est comme *Le Figaro* : il s'efforce d'éviter les américanismes, paraît-il, et je le crois, puisqu'il remporta une fois au moins la coupe Émile de Girardin, attribuée au journal qui pèche le moins contre la langue française. Outre Piéchaud, il occupe deux techniciens qui s'en prennent périodiquement au sabir (Maurice Rat, *Les Ravages de l'anglofolie*, dans *Le Figaro littéraire* du 17 octobre 1960, etc., Aristide = Maurice Chapelan qui constamment, courageusement, lutte contre l'anglicisme). Parfait. Or je lis dans *Le Figaro* du 16 août 1963 : « Tout le continent soviétique à portée des missiles de la Navy », parce que ça fait plus chic que « à portée des projectiles ou des fusées de la flotte (ou de la marine) » ; à la même page, voici *hot dogs, ice-creams, dancings, motels, deterrent n⁰ 1, Broad Ocean Area, tender, senior service* et (dans la suite de cet article), les 17 et 18 août, *déterrent, striking fleets, submersibles conventionnels*. Autant d'intrus inadmissibles, et pour lesquels nous ne manquons pas d'équivalents : entre *le grand large* et *Broad Ocean Area*, entre *tender* et *ravitailleur*, entre *deterrent* et *arme de terreur* ou *représailles atomiques*, j'ai l'esprit si mal fait que je ne vois point la différence. Or, une photo dont la légende fut rédigée par quelqu'un d'autre pour éclairer l'article en cause montre le *Hunley*, « ravitailleur et atelier de sous-marins ». *Ravitailleur :* cela précisément que l'auteur de l'article choisit d'appeler un *tender*! Objecterez-vous que nous avions accueilli *tender* au XIXᵉ (cette façon de remorque pour ravitailler la locomotive) ? Nous eûmes tort, voilà tout, et puisque ce mot doit disparaître avec la traction à vapeur, je me demande pourquoi, sinon par goût du suicide, les journalistes français substituent à nos *ravitailleurs* de sous-marins d'affreux *tenders*. Là, le mal est voyant, localisé ; mais dans *Le Figaro* du 20 août 1959, à propos de la bombe atomique, quand je

lisais : « Un deterrent indépendant valable nécessite non
seulement de survivre à une attaque par surprise, etc. »,
comment n'aurais-je pas restauré le jargon yanqui dont
ce sabir n'était qu'un honteux démarquage : « An inde-
pendent valuable deterrent necessitates, not only, etc. »
Pas un mot de français là-dedans.

Le même jour, le même *Figaro*, dans sa rubrique des
sports, annonce la mort du « pacemaker » belge Van In-
gelghem qu'il désigne, à cinq lignes de là, de son vrai
nom français : « l'entraîneur ». Cette façon insidieuse
d'employer indifféremment, comme s'ils fussent légitimes
équivalents, le mot français et sa traduction anglaise
tend à devenir la norme du style dans la presse.

C'est comme *Le Monde*. Voilà un bon journal : le meilleur de France, l'un des cinq ou six au monde qui valent
qu'on s'y abonne. M. Le Bidois y défend chaque mois le
français, et souvent contre le sabir atlantique. Homme
de bonne compagnie, il ne met pas comme moi les pieds
dans les plats de *hamburger* ; il gaze sur l'impérialisme,
la colonisation. Relativement peu m'importe puisqu'il
ne manque jamais à son devoir professionnel. N'empêche
qu'en mars 1963 *Le Monde* intitulait une rubrique *Faites-
le vous-même*, selon le *do it yourself* lancé par les fabricants américains de trousses à bricoler. N'empêche que,
le 15 août 1963, il nous imposait un intolérable *test ban*,
puisqu'il s'agit de l'interdiction des expériences atomiques dans l'atmosphère. Le mot revient trois fois. J'aimerais savoir ce qu'y comprennent ceux qui ont étudié
l'allemand au lycée, le russe ou l'italien, et non l'anglais.
A preuve : divers lecteurs, cultivés, m'ont demandé :
« Qu'est-ce que c'est, un *test-ban* ? » Le même jour, rubrique de la mode, il fallait subir *les furover* (sans *s* du
pluriel, s'il vous plaît), c'est-à-dire un tricot (*pull-over*),

d'où *over* par scissiparité avec un devantiau de fourrure (*fur*), des « chaussettes de laine stoppées sous le genou » — ce qui est idiot, mais suggère en simili-anglais des chaussettes qui s'arrêtent au genou (elles n'y sont pas *stoppées* ; ou alors, par qui ?) ; enfin, la même chronique offrait des robes du soir qui se vouent (une robe ne se *voue* pas à quoi que ce soit !), « des robes du soir, donc, qui se vouent aux « poils de chameau », aux shetlands et aux gros tweeds », ce qui est doublement et même triplement reprochable : 1º *tweed* et *shetland*, n'étant pas des mots français, devraient être signalés par des guillemets ; 2º *poil de chameau*, étant français, ne devrait pas prendre de guillemets ; 3º des robes du soir qui se vouent aux « *poils* de chameau », avec ce pluriel bouffon aggravant les guillemets, devraient plutôt être vouées aux gémonies. Bah ! qu'importe ! *Words, words, words !* comme dit l'autre en sa langue. Il faut bien se taper sa *colonne*, pas vrai ? c'est *si facile* en anglais, et *tellement plus facile* en sabir qu'en français !

Mais le pompon, il appartient à la presse féminine. *Elle* et *Madame Express* rivalisant à qui sera la plus *efficiente*. Émulation morbide et mortelle, car c'est la mère, à la maison, qui transmet le langage. Or les « mamans », comme on dit niaisement désormais, quel héritage langagier transmettront-elles à leurs *baby, babys* ou *babies* ? Ce qu'elles apprennent chez *Madame Express* si elles appartiennent à la bourgeoisie émancipée ; dans *Elle* si elles appartiennent au tout-venant de la nation.

J'ai lu quantité de journaux féminins, courrier du cœur, publicité rédactionnelle et publicité tout court compris. Chaque fois que je m'impose ce pensum, j'en sors hagard, désespéré, prêt à donner ma démission de professeur. A quoi bon enseigner une langue, le français,

que les futures mamans de nos *babies, babys* ou *baby* ne
savent plus, abruties de sabir par le *Elle-Club*. Devant
les *set-santé*, les *pantabliers*, les *shows triomphaux*, les
steacks, mais les *biftecks*, les « *testez-les* » et les « *speaker
anglais* » (*speaker* étant ici verbe du premier groupe),
devant les *sommaire-guide*, les *foulard-vitrails* ou les
foulards-vitraux, devant l'*assurance-sommeil* et les *cache-
maillots plage-ville*, devant la *cure-beauté côté jardin* et
les *recettes plein-herbe* (mots stupidement agglutinés
pour restituer à nos femelles — c'est comme ça qu'on
appelle une femme en américain : *the American female* —
la syntaxe de l'anglo-saxon), j'en viens à préférer le
ranch du prince du *rock*, les *polos, tee-shirts, pull overs*,
oui, et jusqu'au *déodorant*, au *jean californian*, au *chicken
hash* et au *patchwork partout* ! Quand *Elle* exige de moi
que je m'habille cet automne *british-look* (ne pas oublier
le trait d'union, svp), je finis par préférer cette injonc-
tion à l'infantilisme du « *légume-friandise* » et de ma
« *maison new-look rentrée* ». J'en viens à trouver du
charme à *camping*, à *caravaning* !

On pourrait croire que la presse sabire d'autant plus
qu'elle fait plus ouvertement le jeu de l'impérialisme
yanqui. En gros, oui. Mais *L'Humanité*, pauvre en slavis-
mes, abonde en américanismes : un jour elle nous entre-
tient du *smog* (pas question d'appeler ça du *fumard*), un
autre de *milers*, de *liners* et du *jump* de Maurice Four-
nier (*détente* aurait un je ne sais quoi de mesquin, de
provincial, de français, pour tout dire). *L'Humanité*
analyse le « développement » d'une affaire, à la yanquie
(zut aux *suites* !) et, à propos de l'avion yanqui abattu en
Asie centrale, titre sabiralement *Admission sensation-
nelle*, ce qui n'a de sens que pour qui sait qu'en américain *admission* signifie notamment *aveu*. Mais la liste

d'admission à Polytechnique, c'est tout autre chose en français. Etc, etc.

Bref, en lisant, moi seul, quelques heures chaque jour depuis cinq ans, les divers journaux et périodiques français, j'ai pu collectionner des dizaines de milliers de fiches concernant plusieurs milliers de mots ou d'expressions que je consignerai dans mon futur *Dictionnaire philosophique et critique du sabir atlantique.* Si j'avais dix assistants travaillant huit heures par jour, ou encore une machine électronique, combien de *centaines de milliers* de monstres seraient ainsi tombés dans mes filets-fichiers (style *Elle*) ? Je préfère ne pas le savoir. Ceci en tout cas est sûr : la presse tout entière sabire avec délectation : elle a honte de parler français.

Organisme d'État, strictement contrôlée, voire censurée, au point de vue politique, moral et religieux depuis qu'elle existe chez nous, la radio-télévision française, elle au moins, va contribuer à restaurer la pureté du vocabulaire, de la syntaxe, de la prononciation...

Voyons donc : en juillet-août 1959, la revue des Pères Jésuites publiait une étude de M. Maurice Honoré : *Radiodiffusion et langue française.* Après avoir rappelé que le langage n'est pas une propriété dont chacun de nous aurait le droit d'user et d'abuser, mais un *dépôt* que nous devons transmettre après l'avoir fait fructifier, l'auteur concluait : « Touchant immédiatement des millions d'auditeurs, la radio fait incomparablement plus de victimes que la presse. » Pour des millions d'oreilles non prévenues, elle propage le même vocabulaire sabiral que la presse, mais, alors que les journaux n'en proposent qu'une image visuelle (ils donnent rarement la prononciation, sauf quand il s'agit de produits dont la publicité recommande l'achat), la radio propose, c'est dire impose d'un coup, le mot et sa ou ses prononciations.

Aussi longtemps que les auditeurs accepteront d'écouter des *speakers* et des *speakerines*, pourquoi se plaindraient-ils d'entendre sabirer les ondes ? Commençons par imposer *annonceur* et *annonceuse*. Il sera temps alors d'agir sur les autorités pour obtenir que les redevances que nous payons afin d'écouter la radio *française* nous permettent parfois d'entendre du français, prononcé à la française.

Je me bornerai à vous enfiler quelques perles. Le 29 février 1960, au cours d'une chronique sportive, j'entendis « le plus grand *évent* », comme s'il s'agissait de l'*évent* d'une baleine. Il s'agissait du mot anglais *event* (*ivennte*, accentué sur *-vent*) que nos ignares, je l'ai vingt fois noté, préfèrent de parti pris au mot français *événement*. Si un événement devient un *évent* à la radio, afin d'éviter la confusion avec l'*évent* de la baleine, avec l'*évent* au sens d'exposition au grand air, avec l'*event* au sens d'altération des viandes et des liqueurs trop longtemps exposées, ne conviendrait-il pas de débaptiser les *évents* pour en faire des *événements* ? Qui n'a surpris la radio en folie quand elle articule des mots anglais : *squètteurs*, *Laïteul Rock* (Little Rock), *briquefaste* (breakfast), *Waïnston Churchill* (Sir Winston Churchill), *Daïli Maïlle* (comme la moutarde), vingt autres !

Traitant un jour dans *Le Monde* du *Sabotage de la prononciation* par la radio française, M. Le Bidois, la mansuétude même, suggérait qu'on « ne peut évidemment pas exiger de nos annonceurs qu'ils connaissent la prononciation correcte de tous les termes anglais qu'ils emploient. Mais il y a cependant des mots très courants sur lesquels ils ne devraient pas trébucher. Pourquoi, par exemple, persistent-ils à prononcer « ineterviou » alors que l'anglais dit « INEteurviou » et que nous devrions, nous français, dire « inTERviou »? » Mon opinion est plus radicale : ou bien nous dirons *entrevue, entretien* (c'est le sens même du mot *interview*), ou bien nous acceptons le mot barbare, mais nous le francisons *autant que faire se peut*. Sur *interviewer*, prononcé *interviouver*, accentué sur la dernière syllabe, je proposerai donc une *interviouve* prononcée à la française. Mais le mot me paraît inutile et fâcheux.

La radio aime tellement les mots anglo-saxons que, non contente de les prononcer tout de travers — *Tchi*-cago, par exemple (pour Chic*â*go) — elle a décidé d'américaniser l'accent de tous les mots de quelque langue que ce soit, le français y compris. On a entendu Eric *Sataïe* (pour Satie), *Taïte Laïve* (pour *T*ite Live), *saïne daïe* (pour *siné dié* = sine die), et *Herbagueur*, accentué sur *Her-* (pour le cheval français Herbager). Sur cet ingénieux modèle, Le Quesnoy devient Le *Quessenoï*. Au cours de la première des émissions dont je m'occupai pour France III, j'eus la désagréable surprise d'entendre parler du *Tchanne-si* et du *Tchenne-si* : sous prétexte que ces provinces se transcrivent en français *Chan-si* et *Chen-si*, un acteur (à qui je n'avais pas indiqué les prononciations, n'y voyant aucun piège) prononça donc à l'anglaise la transcription française des noms propres chinois (*tch-* pour *ch-*). Puisque telle est l'anglomanie à la radio, ne pourrait-on obtenir au moins que ceux qui emploient abusivement le jargon américain le prononcent correctement ? Un angliciste, et des plus avisés, et des mieux rompus à la traduction, resta pantois, le 19 août 1959, lorsque Joséphine Baker (faut-il dire *Bè-quere, Baquère* ou *Béqueure* ?) fut présentée à la *Gazette de Paris* comme une *vedette du chaud*. La prononciation

de l'annonceur étant exactement celle du français *chaud*,
mon ami s'interrogea quelques instants sur cette quali-
fication exceptionnellement chaleureuse qu'on se permettait indiscrètement d'attribuer à une négresse. Soudain, ce fut l'illumination : on avait voulu dire la *vedette
du show*, la vedette du spectacle.

Puisque des millions d'enfants, d'adultes plus ou
moins lettrés entendent à journées longues des mots
anglais écorchés par la radio française — que le chah et
son épouse, par exemple, « sont les guessetes » de la
France (pourquoi voulez-vous que nous ayons des *hôtes*,
nous, fussent-ils impériaux, quand les Yankkuis ont des
guests ?), — à quoi sert l'argent que dispensent, chichement, mais que dépensent les services du ministère de
l'Éducation nationale ? Le peu que fait l'enseignement
contre la corruption de la langue, la plupart des émissions de la radio française le défont à journées longues.

Plus décisive encore pour l'avenir de la langue, la télévision conquiert chaque jour de nouveaux foyers : « Cow-
boys asthmatiques, gangsters mous, galopins hydrocé-
phales, dessins inanimés, pin-ups sur le retour, peaux-
rouges décolorés, voilà les surplus américains qu'utilise
notre T.V. » (*Le Canard enchaîné*, 14 août 1963). Il y a
pourtant des gens du métier qui en veulent davantage
et se réjouissent à la pensée que les programmes entiers
de notre télé puissent un jour nous parvenir des *U.S.A.*
(comme ils sabirent) par la *mondio* ou la *mondiovision*,
comme ils resabirent pour ne pas dire en français : la
télé universelle. Lancée par *American Telephone*, une
société américaine s'est constituée, où le dollar aura la
part de l'aigle. Cette organisation philanthropique se
propose de diffuser sur la planète entière les programmes
yankuis de télé. Pour peu que j'examine l'état présent

du langage à la télévision, comment ne serais-je pas
atterré à l'idée de ce projet ?

Ce printemps, je fus convié, en qualité de membre du
jury, à l'émission intitulée : *Le Grand Voyage.* Deux
jeunes filles concouraient, étudiantes toutes les deux,
qui voulaient partir pour l'Union Soviétique. A la consternation des animateurs, à celle des membres du jury,
ces deux jeunes personnes donnèrent aux spectateurs
deux récitals d'ignorance générale et de cafouillage langagier. L'une d'elles n'hésita pas une seconde sur le pluriel de « vassal » qui du coup, pour dix millions de Français, devint : *des vassals.* Oui, voilà le type de candidats
qui entendent représenter la France à l'étranger, avec
de beaux billets gratuits pour « Air France » ! Si l'on ne
m'avait pas conseillé la pondération dans les notes,
j'eusse mis un zéro, et même un zéro pointé, à l'auteur
de ce *vassals*, car je crains qu'il ne fasse des petits. Je le
crains à d'autant meilleur droit que, dans une autre
émission de la même série, un élève d'une grande école
avait découvert l'importance des *chantiers navaux.* Des
vassals, des *chantiers navaux*, oui, voilà ce qu'on diffuse
à la télé française ! Par délicatesse sans doute, ni le meneur de jeu, ni le président des jurys ne peuvent inter-
venir pour corriger sur-le-champ les énormités de ce
genre. Dès lors, le public, ce public qui n'a pour tout
bagage que ses souvenirs d'école primaire, comment
voulez-vous qu'il n'y croie pas, aux chantiers *navaux*,
et aux *vassals*, puisque sa télé lui propose ces nouveautés ? Durant les préparatifs de cette émission, un détail
m'avait choqué : dès mon arrivée au Moulin de la Galette
j'observai que, sur le devant de mon bureau, au-dessus
du voyant où s'inscriraient les notes que je donnerais,
mon nom figurait ainsi libellé : *Mr. Etiemble.* Quoi ? *Mr.*

pour *Mister*, à l'anglaise ? Moi qui me bats contre notre
anglomanie, j'aurai belle mine, déguisé en *Mistère Etiem-*
ble ! L'un des organisateurs se réjouit de mon propos :
ce *Mr.* ou ce *mystère* le tarabustait lui aussi ; plusieurs
fois il l'avait condamné. Ce soir-là, on gratta d'urgence
la lettre superfétatoire et je devins *M. Étiemble*. Menue
victoire ; victoire cependant du français sur l'américain.
Je serais curieux de savoir combien de spectateurs en
eurent conscience. Car je crains que beaucoup de Français n'y aient vu quelque faute : toute l'administration
de notre pays étant contaminée, ils reçoivent tout le
temps des lettres adressées à *Mr.* X, Y ou Z, et finissent
par considérer que c'est ainsi très bien.

Au cours d'une demi-heure passée au Moulin de la
Galette, les deux périls qui menacent aujourd'hui la
langue de la télé se manifestaient donc brutalement :
l'anglomanie et le charabia. Sur le plateau, tandis qu'on
prépare l'émission, ou qu'on prend les vues, c'est l'anglomanie qui domine ; tandis qu'on écoute et qu'on
regarde les images, c'est le charabia.

Comme tous nos langages techniques, celui de la télé
se laisse corrompre par l'anglais, pourrir par l'américain. Le 14 mai, une quinzaine de techniciens, équipe
au grand complet, passèrent chez moi quelques heures
afin d'enregistrer plusieurs séquences d'un *portrait-*
souvenir. Je voulus faire poser sur ma porte une affichette
qui priât les visiteurs éventuels de ne pas troubler le
tournage. Quelqu'un suggéra : « On va la scotcher. »
La *scotcher* ? Je sursautai. Toutes les variétés de *scotch*
figurent à mon fichier du franglais, mais je n'avais pas
encore obtenu le dérivé *scotcher*, pour *coller*. Voilà qui
est fait. Du coup, je demandai aux gens de la télé de
vouloir bien me signaler, en vue de cet ouvrage (auquel

je travaillais), ceux des mots étrangers qu'ils emploient le plus souvent. Voici, par ordre alphabétique, les premiers de ceux qui leur vinrent à l'esprit : *ampex, cameflex, cameblimp, camera, cameraman, charging-bag, chapman, dolly* (prononcé *doli*), *flash, flash-back, feature, flood* (prononcé *floude*, et masculin quant au genre), *groupman, interview, matcher* (des plans), *mixage, perchman, planning, rewriting, scratch, shunter, spot, staff, stock-shots, script, script-girl, travelling, zoom* (prononcez *zoum*). Il y en a d'autres, beaucoup d'autres. À l'exception de *groupman* et de *charging-bag*, tous ces termes figuraient déjà aux fichiers que j'accumule depuis quatre ans et plus : je les avais rencontrés dans le vocabulaire de la photo, du ciné, ou, tout simplement, de la grande presse. Commençons par les nouveautés. Puisque le *charging-bag* désigne le sac (*bag*) de recharge (*charging*), je ne vois pas pourquoi nous emploierions une expression anglaise pour laquelle nous disposons d'un équivalent exact : *sac de recharge*. Quant à *groupman*, il s'agit de l'employé chargé de contrôler les *groupes électrogènes*. *Groupman*, en français, ne vaut pas mieux que le *tennisman* par quoi nous nous croyons tenus de traduire, si j'ose dire, le mot anglais *tennis player*. Sur les couples *troupe-troupier, croupe-croupier*, que ne formons-nous *groupe-groupier* ? Voilà un très bon mot français. On ne me fera jamais croire qu'un technicien de la télé se sente flatté quand on le déguise en *groupman*, mais humilié de se découvrir *groupier*.

Encore que le verbe *matcher* s'emploie souvent chez nous en simili-français, la télé s'en sert d'une façon originale dans l'expression « *matcher* les plans », que je n'avais pas encore cataloguée. En interrogeant les personnes compétentes qui se trouvaient alors chez moi, j'appris que l'expression signifiait trois choses au moins, de sens voisin, mais pourtant différentes : *alterner* les plans, les *assortir* ou les *harmoniser*. Nuances qu'il est facile de retrouver, du reste, dans n'importe quel bon dictionnaire anglais-français. Pour le seul avantage de ne pas parler français en France, faut-il donc que nous renoncions aux délicatesses : *alterner, assortir, harmoniser* les plans ? Je m'y refuse.

Quant aux autres mots anglais, ou yanquis, dont on abuse dans les studios de la télé, il sont inutiles, et laids. Le *perchman,* c'est tout simplement un *perchiste* (le mot existe avec un autre sens : *sauteur à la perche,* mais pourra fort bien en porter un second ; nos américanolâtres ignorent en effet que le même substantif, le même verbe, sont susceptibles de plusieurs acceptions, et que la « polysémie » comme disent les savants vaut mieux que la barbarie). Même remarque pour le *clapman :* celui qui manie le *clap,* l'affichette à claquoir. Nous disposons de *claqueur* (celui qu'on paie pour faire la *claque*) ; ajoutons-lui cette acception neuve, et tout sera pour le mieux. Par infortune, nos compatriotes, et je n'en exclus pas les techniciens de la télé, s'imaginent qu'ils pénètrent dans un monde supérieur, celui de l'*American way of life,* quand ils substituent aux mots français le sabir atlantique, ou franglais. Plutôt que d'appartenir au personnel, ils deviendront membres du *staff,* mot hideux en notre langue ; bientôt, pour n'avoir pas à les embaucher, on les *staffera,* eux qui déjà se mettent à *scotcher*. J'ai connu quelqu'un qui acceptait de faire du *rewriting* pour la télé, mais qui se sentirait déshonoré de se livrer pour elle à du travail de *récriture*. Que font-ils d'autre, pourtant, que récrire, les *rewriters* dont je fus : au couple *écrire-écriture* doit répondre le couple *récrire-récriture* (et foin du *révri-tinge*, ou *révritinegue*, ou *riraïtinegue* !) A quoi bon, je vous prie, des *stock-shots*, puisque, sur le modèle des archives photographiques, nous avons en français de parfaites *archives cinématographiques* (j'accepterais même : *archives de ciné*, mais pour rien au monde je ne consentirai à me servir de *stock-shots*). A quoi bon des *flash-backs*, quand Sadoul, dans son *Histoire du cinéma*, propose « retours en arrière » ? Non, il n'est pas un des mots anglais ou américains dont se servent nos techniciens pour lequel je ne puisse très facilement découvrir un équivalent français. Au lieu d'un *floude* (que l'Anglais prononce quelque chose comme *fleude*), disons une *lampe survoltée* ou (si l'on tient à la rapidité) une *survoltée*. L'*éclair* — que le Dieu du tonnerre me pardonne ! — n'est ni moins rapide, ni moins lumineux qu'un *flash*. La cause est donc entendue : jointe à notre ignorance et à notre lâcheté, c'est notre paresse qui nous mena où nous en sommes. Un peu de courage, que diable ! Sinon, la Radiotélévision française devra s'appeler bientôt *Radiotivi franglaise*.

L'an dernier, lorsque pour la première fois on transmit des images à travers l'Atlantique, je découvris à quel point tout ce qui est français dans ce domaine répugne aux Français eux-mêmes. Il s'agissait de baptiser le nouveau procédé : tel proposa *géovision* ; tel, *mondiovision* ; tel, *spoutnik-télé* ; tel, *mondovision* ; à qui fabriquerait le monstre le plus hérissé. Or, la télévision, pour un Français, c'est la *télé* ; or, ce que les Américains disent *world history*, nous l'appelons *Histoire universelle* ; d'où je conclus que, si l'on tient à distinguer de la télé française, l'européenne, et l'universelle, il suffit de dire : *télé européenne* et *télé universelle* ; c'est par trop simple,

par trop conforme au génie de notre langue. Mot hideux,
imprononçable, inspiré de l'américain, *mondiovision*
a donc toutes ses chances. On me l'a fait savoir.

Il y a pis : notre goût du sigle *T. V.* (ou *TV*) prouve
que nos amateurs de télévision calquent l'américain :
T. V., prononcé *Tivi*, c'est de l'américain. Beaucoup
de nos journaux ont des rubriques de *T. V.* (ils disent,
eux, des rubriques *T. V.* ou *tv*). Entre la *télé* et la *tévé*,
les Français semblent donc hésiter. Les voici déjà qui
lisent des gracieusetés du genre : *Nouveautés T. V.*,
héros TV, *tenues tv*; ou encore ; *les TV parties*. De ce
sigle ridicule, on s'accoutume à faire un adjectif invariable, comme *U. S.* ou *OAS*. Les Anglais, eux, disent
très bien *telly*. Tant de docilités aux modes yankies
ne saurait se prolonger sans péril : c'est une affaire
d'État et de salut public.

Quittant les studios de télé, si nous devenons spectateurs, le péril devient plus menaçant. Pour en connaître
toute l'étendue, je me propose de confier à l'un de mes
étudiants une enquête d'un an ou deux sur la langue
de la télé ; notamment, sur l'américanisation qui s'ensuit
du français. En attendant les résultats que je pressens
et redoute, je consignerai ici les réflexions que m'ont
imposées deux écoutes attentives, les 16 et 17 mai 1963.
Une grève ayant interrompu la soirée du 17, je fus réduit
à quelques notes touchant l'émission destinée à découvrir *M. ou Mme Tout le Monde*. Outre l'inévitable
script-girl (au lieu de *secrétaire de plateau*), sur un générique généreusement révélé à des millions de Français,
je relevai une bien belle grosse faute contre notre syntaxe : Mme Dalida nous entretenait de ses vacances :
« Il y a très longtemps que je n'en ai pas prises » (pour
pris). Je notai, en outre, l'insignifiance des chansons

dont cette personne nous gratifia, mais qu'elle sut relever,
ainsi que son partenaire, par un accent détestable :
des r grasseyés, des joliesses, du genre *tout channege*
(*tout change*), *et mènetenanne* (*et maintenant*) *on ne se
quitte plus*...

La veille, j'avais suivi le *Championnat d'Europe*
des cavaliers, à Rome, et *Les Coulisses de l'exploit*.
Le commentaire perpétuel de Claude Darget proposait
un exemple satisfaisant de ce que peut produire un
homme au fait de son métier et raisonnablement au
courant de sa langue. J'ai depuis trop longtemps l'habitude de parler en public pour jeter la première pierre
à celui qui parfois trébuche dans le discours improvisé.
A moins qu'un tirage au sort l'ait placé n'était assurément
qu'un solécisme pour *ne l'ait placé* ; à deux reprises, le
commentateur exprima le contraire de ce qu'il voulait
dire : *quatre points à son actif* (alors qu'il s'agissait en
l'espèce d'un *passif*) et *lui vaille un titre qui était à sa
portée* (pour *lui fasse perdre un titre*). On peut toutefois
se demander si des tournures de ce genre, vénielles en
soi, mais diffusées dans plusieurs millions de foyers,
n'accélèrent pas l'évolution du français vers le volapuk
et le sabir atlantique ; elles peuvent séduire le grand
nombre, dont nous savons, hélas, qu'il dispose pour
l'erreur d'une affinité naturelle. Ce qui m'a paru le
plus reprochable, en cette émission, ce fut un certain
vète ande si qui m'intrigua un instant. Le contexte
m'éclaira la difficulté : s'agissant d'un concurrent qui
venait du Royaume-Uni, Claude Darget voulait marquer ainsi que ce cavalier prenait son temps et ses précautions, bref incarnait l'image légendaire que nous nous
formons de la politique anglaise : celle du *wait and see*.
Il fallait alors, ou bien le prononcer à l'anglaise, ce *wait*

and see, ou bien dire en français la même chose. Bien qu'il fût romain, Fabius Cunctator pratiquait déjà la politique du *wait and see* ; or nous l'appelons le *temporisateur* ; on l'appellerait aussi bien le *circonspect*. La politique circonspecte du *wait and see* est donc un sacrifice à l'anglomanie régnante ; celle du *vète ande si* paraît moins justifiable encore, car l'anglais en pâtit autant que le français.

L'autre émission, *Les Coulisses de l'exploit*, proposait bien des images amusantes, ou charmantes : Tournier, l'acrobate des neiges, et le chaton alpiniste. J'y aimai une formule heureuse : « ces gens de sac et de corde » pour désigner les alpinistes ; mais, dans l'ensemble, quel vocabulaire, quelle syntaxe, et quelle prononciation !

Qu'on prononce *caméramane, ruguebi, foutebôle, foutebôleurs, pénaleti* et *supportères* en accentuant la dernière syllabe, j'y vois un effet maladroit, mais estimable, pour vaguement franciser la prononciation de ces mots-là. Mieux vaudrait pourtant parler français et dire l'*opérateur*, le *ballon ovale*, le *ballon rond*, la *pénalité* (je sais ce que c'est qu'un *penalty*, car je fus capitaine d'une équipe de ballon rond ; mais je sais, de plus, que *penalty* n'a en français aucun droit de cité). Ce choix serait d'autant plus heureux qu'un autre interlocuteur, gêné par les mots anglais, prononçait : un *matcheu de handeballe*, avec un *h* très fortement expiré, un accent sur *hand-*, mais un *balle* à la française. Si vous dites *foutebôle*, accentué sur *bôle*, pourquoi *handeballe*, et accentué sur *hand* ? Fâcheuse incohérence.

Là-dessus, il me fallut subir : « le Sporting Union agenais ». Pourquoi ce masculin ? Manifestement,

Sporting Union est formé sur *Sporting Club*. Si l'on dit
le Sporting Club, à cause du genre de *Club*, il faut *la
Sporting Union*, à cause du genre de *Union*. Mais *la
Sporting Union agenaise* ne vaut guère mieux que *le
Sporting Union agenais*. Moralité : parlez français.
Vous n'aurez pas à vous demander quel est le pluriel
de *cameramane*. *Quadrumane* et *mythomane* justifient un
des pluriels que j'entendis ce soir-là : « *nos cameramanes* » ;
par infortune, au cours de cette émission précisément,
mais à propos du Cap Canaveral, on parla de *cameramènes*. Si j'ajoute que la prononciation de *cameramanes* me renvoie à l'orthographe *cameramans*, et celle-ci
à la prononciation de *boschimans*, ou *bochimans* (comme
normands), je me perds dans une confusion qu'aggrave
la prononciation *cameramènes* qui suggère une graphie
cameramen, c'est-à-dire un pluriel à l'anglaise ! Qu'en
pourra tirer l'auditoire ?

Moins patents, mais plus dangereux peut-être,
d'autres américanismes encore m'ont gâché le plaisir
que je prenais à plusieurs des images. « Il ne pleut pratiquement pas » au lieu de « presque pas », ou de « quasiment pas » (mais *practically* nous corrompt) ; « il ne
semble pas y avoir de problèmes », autre manie d'outre-
Atlantique (*there is no problem*) ; un « réseau radar »
(pour ne pas dire en français « un réseau de radars ») ;
« chacun se sent concerné par la tentative » (*everybody
feels concerned*) ; la « capsule est constamment sous
contrôle » (*is constantly under control*) pour ne pas dire
que « chacun prend part », ou « l'on reste toujours
maître de la capsule ». Rien pour moi de plus exaspé-
rant que ces calques du jargon le plus vulgaire de la
presse yanquie. Comme si ce ne fût pas assez nous éprou-
ver, on nous fit entendre, je me demande pourquoi, un

curé irlandais qui, dans un français de sa façon, nous
annonça évangéliquement qu'il *supportait* l'équipe
d'Agen. Il ne voulait pourtant pas dire ce qu'il disait,
à savoir : « je *tolère* l'équipe en question ». Il espérait
nous faire entendre qu'il en avait pris le parti, qu'il en
était un souteneur, ou un partisan, ce qu'en notre charabia nous appelons un *supportère*.

Assurément, il y a d'autres émissions : *Lectures pour
tous, Portraits-souvenirs*, le théâtre. Pour lutter contre
le sabir, c'est trop peu.

Presse, radio, télé, concourent donc équitablement à
propager dans le pays, du matin au soir et du 1er janvier à la Saint-Sylvestre, les usages et les règles du
subir atlantyck tels que j'ai tâché de les codifier dans la
troisième partie de ce *pocket* ou de ce *poche*. Si le français y résiste, je veux bien qu'on me pende par le cou
jusqu'à ce que mort s'ensuive.

Or, qu'on se le dise : quoique mon principal métier
soit d'enseigner, je n'ai aucune hostilité contre la presse,
aucun mépris pour la radio ou la télé. J'ai collaboré
à plus d'un journal (y compris, en américain, au *Chicago
Sun*, au *Daily Maroon*). Chez Pierre Lazareff, à Nouillorque, durant la guerre, j'étudiai durant un an le
métier de journaliste pour la radio à l'*Office of War
Information*. Ça m'a plu, et je dois à cette année-là
beaucoup. Lorsque j'enseigne ou que j'écris, cette discipline me garde contre le pédantisme (du moins je
l'espère). Pour parler à des millions d'hommes, il faut
du talent, beaucoup plus que pour composer des poèmes
hermétiques destinés aux *happy few* ou du phébus
prosaïque à l'intention de la *high society*, de la *gentry*
ou de l'*Establishment*. Chaque fois qu'on m'offre la
chance d'utiliser ces *mass-media* (vous voyez que

je suis digne d'y collaborer), je profite de l'occasion, en France, en Suisse, en Belgique, au Canada
français. Chaque fois, autant que possible, pour
mettre au service du français cet instrument de sa
torture.

CINQUIÈME PARTIE

Que faire?

« Ces Indiens (les Guaranis) n'abandonnaient pas au hasard la dénomination des choses de la nature, mais ils réunissaient des conseils de tribu pour arrêter les termes qui correspondaient le mieux au caractère des espèces, classant avec beaucoup d'exactitude les groupes et les sousgroupes. »

Dennler, *Los nombres indigenas en guarani* (cité par Lévi-Strauss, *La Pensée sauvage*, p. 61).

CHAPITRE I

SENSIBILISER L'OPINION?

On ne me reprochera point, j'espère, d'avoir accablé
ceux de mes compatriotes qui, chaque jour un peu plus,
sabotent le français au point de le trahir : je n'ai caché
ni les empiètements politiques, ni les appétits financiers
des Yankees, ni, d'un mot, leur effort pour nous coloniser. Cela précisé, qui devait l'être, l'équité me commande ici d'ajouter que les projets ogresques des marchands d'outre-Atlantique eussent échoué si la majorité
des Français aimait ou simplement respectait encore sa
langue, et si la minorité qui exerçait le pouvoir sous
la IVe République nous avait moins attentivement
doré la pilule de notre servitude.

Dans l'euphorie de la libération, après des années de
disette et de souffrances, les Français oublièrent un
peu vite que les Américains n'auraient jamais débarqué
en Europe si, victimes de la politique de leur génial
stratège Staline, des millions de soldats et de civils
russes, turkmènes, ouzbeks, n'étaient morts en saignant
l'armée nazie. Confinés à Berlin et à Vienne par les
accords *a parte* de Yalta, les Soviétiques n'étaient
point présents à Paris pour y rappeler la part qu'ils
avaient prise — lointaine, involontaire, mais décisive —

à la libération de notre capitale et du pays tout entier. Au reste, épuisés par leur victoire, ils n'auraient pu nous prodiguer ni lait en boîte, ni *gadgets*, avec le vocabulaire afférent.

Les soldats yanquis distribuaient de tout libéralement, avec un mélange variable de générosité, d'enfantillage et d'arrière-pensée impériale. Grâce à la guerre de 1939, qui avait stimulé une économie dix ans plus tôt ruinée, et que la seule volonté de Roosevelt avait sauvée du désastre, les États-Unis regorgeaient de biens de toute sorte. Songez qu'en pleine guerre, en 1943, quand on voulait inciter les citoyens à se restreindre, on leur prêchait : *Be patriotic, eat chicken twice a day* (Soyez patriotes, mangez du poulet deux fois par jour). Viande rouge, qu'on supposait plus propre à donner un caractère agressif au consommateur, le bœuf était alors destiné aux guerriers. Comment une France exsangue n'eût-elle pas baisé la main qui la cajolait en la nourrissant, et lui accordait jusqu'aux poisons superflus (*le superflu, chose si nécessaire*) : tabac, gomme à chouiner ?

Si au moins les Yanquis avaient mis en place les *Gauleaders* qu'ils nous destinaient en 1943! On se serait méfié. J'ai fait la connaissance de celui qui devait gouverner la région de Bordeaux. Cela se passait dans un train, entre Hamilton College et Nouillorque, fin 43. A sa surprise, je lui prédis qu'il serait mal reçu en tant que vice-roi étranger. Comme je le trouvais intelligent, sympathique, plein de bonne volonté, et que je souhaitais lui épargner certains désagréments que je pressentais, je lui conseillai avec insistance de renoncer à des honneurs aussi périlleux. Au dernier moment, les Américains acceptèrent de ne pas procéder à l'admi-

nistration directe du pays. Ils se présentaient donc en
libérateurs désintéressés. Le plan Marshall, idée en effet
ouverte et généreuse, aggrava le préjugé favorable.
Pour moi, qui avais séjourné aux États-Unis depuis
1937 et découvert la tartuferie du State Department et
du Pentagone, j'avais peine à comprendre la naïveté
de mes concitoyens. Vainement m'efforçais-je de les
mettre en garde. Rien ne prévalait contre le *chewing-
gum*, les *jeans*, les *jeeps*, Washington nous voici, La
Fayette nous voilà. Bref, le mythe hollywoodien des
U. S. A.

À part de brefs intermèdes, nos prétendus gouvernants, nos soi-disant *leaders* n'étaient, depuis la démission du général de Gaulle, que les exécutants des vo-
lontés de Washington. Accablés par des guerres colo-
niales qui retardaient la reconstruction, toujours à
court d'argent pour l'échéance prochaine, ils ne savaient
que mendier à Washington du dollar. Chaque aumône,
qu'on était trop heureux d'octroyer, s'assortissait de
conseils : autant d'ordres. Nos *leaders* étaient à peu
près aussi indépendants de Washington que Tchiang
Kaï-chek, Syngman Rhee ou Diem. Tous les dimanches,
leurs homélies pastorales submergeaient notre pays
de lieux communs mal pensés, mal formulés, mais
docilement pro-yanquis. Avec la *dissuasion*, du *deterrent*, du *roll-back*, du *missile gap*, du *leadership* et de la
« libre entreprise », on te camouflait une apolitique de
chien crevé au fil de l'eau. Du moment que le statut
colonial c'est pour le colonisé le paradis terrestre, quel
colonisateur ne se voudrait colonisé ?

Douillettement abrutie par des Laniels, des Gouins
et autres maringouins, la bourgeoisie de France, qui
n'avait pas réussi à devenir colonie allemande, ne rêva

plus que du protectorat yanqui. Ainsi s'avérait le jugement de Paul Valéry qui, dès 1920, suggérait que la
France aspire visiblement à être gouvernée par un
commission américaine ou russe.

Cela étant, que faire ? D'abord, de toute évidence,
affranchir le pays de cette sujétion. Je ne suis pas
« nationaliste ». En 1937, je quittai la France que je
voyais avec l'Europe s'abandonner aux délices du nazisme ou du stalinisme, et je voulus alors devenir citoyen yanqui. Je pris là-bas mes « premiers papiers ».
Survint Sedan, et le reste : cependant j'apprenais les
États-Unis : avant d'y vivre à l'aise, j'avais eu la
chance d'y être assez pauvre. J'avais connu l'Est et
l'Ouest, Chicago, la Louisiane et Nouillorque. En des
milieux divers, j'avais acquis des amis : un vacher (que
nos imbéciles appelleraient un *cow-boy*), des professeurs,
des écrivains de gauche, des hommes d'affaires. Chemin
faisant, j'analysais *the American way of life*. D'autre
part, en quatre séjours au Mexique où je vécus dix-huit
mois, j'eus loisir d'observer de près l'insidieux système
colonial des Yanquis. Sous mes yeux, j'avais vu s'effri-
ter les artisanats de ce pays, le seul où, durant l'exil,
je sentais que je pourrais survivre (c'était le bon temps :
celui du général Lázaro Cárdenas). Je m'étais donc
promis de revenir en Europe et en France. M'y voici,
moins chauvin que jamais, j'espère, mais fort peu désireux de mâcher de la gomme et de boire *Coca-Cola*
sous peine d'*unamerican non-activities*.

Or, par un ingénieux contrecoup des investissements
américains en Europe et du gaspillage que Washington
doit consentir pour financer tous les tyranneaux sur
lesquels le soi-disant « monde libre » un peu partout
s'appuie, les États-Unis se trouvent actuellement en

difficulté, cependant que l'Europe redevient cette troisième force dont je n'ai cessé de souhaiter la résurrection et en qui, dès 1941, je mettais mes espoirs à court terme. En 1962, la France vient d'accroître de 671 millions son magot de dollars ; elle a donc, à soi seule, plus fortement augmenté ses réserves que les autres pays du Marché commun à eux tous (591 millions de dollars). Depuis 1958, et malgré la guerre d'Algérie, nous nous sommes libérés d'une part importante de notre dette extérieure. Non seulement nous ne quémandons plus, mais nous remboursons de façon anticipée. En juillet 1963, nous restituâmes encore 220 millions de dollars. Et nous allons rembourser (peut-être même l'aurons nous fait quand ce livre paraîtra) la dernière tranche du prêt qui nous fut consenti par la *Banque internationale pour la reconstruction et le développement* (*développement,* encore un anglicisme pour *mise en valeur*). Une fois réglés ces deux remboursements, la proportion d'or dans les réserves de la Banque de France dépassera les 70 %.

Je sais quel prix nous payons ce résultat : tous ces mal logés, tous ces enfants privés de maîtres et d'écoles, tous ces manœuvres mal payés, tous ces exploités encore, tous ces fonctionnaires qui ne bénéficient point de l'expansion (pardon! du *boom*!). Non, tout n'est pas pour le mieux dans le royaume de France ; mais seul un partisan refusera de reconnaître que le gouvernement actuel de la France, quelles que soient ses fautes, permet à notre pays le luxe d'une politique. Ce n'est pas la mienne, ni la vôtre ? C'en est une. Le fait que est, si la France et l'Allemagne exigeaient demain la conversion en métal précieux de leurs créances sur la Federal Reserve Bank, les États-Unis sauteraient. Avouez que c'est réconfortant. Sans doute faut-il être un imbécile, un stalinien ou un anarchiste pour souhaiter l'effondrement du dollar : nous en pâtirions. En tout cas, seul un imbécile ne profiterait pas de cette amélioration de nos finances et refuserait de signifier à *Wal Street* que le temps est passé des complaisances et de la servilité. Comme j'ai toujours défendu contre l'impérialisme françqis ceux qui le subissaient un peu partout, je me sens très bonne conscience pour refuser le protectorat yanqui. Puisque le *Wall Street Journal* nous éclaire la politique du président Kennedy (« les étrangers savent reconnaître les signaux de détresse »), et que Walter Lippmann publie que le Trésor américain, en ces semaines pour lui difficiles, obtint l'appui des Banques étrangères d'émission, « y compris, en tout particulier, celui de la France », puisque, grâce aux nombreux États africains qu'il affranchit enfin du joug colonial, notre pays dispose aux Nations Unies, à l'Unesco, de nombreux amis ou féaux de langue française, puisque cette année, au cours d'un débat général aux Nations Unies, 25 discours furent prononcés en français contre 35 en anglais ou américain, 15 en espagnol, 5 en russe et 1 en chinois, nous sommes fondés à exiger des Yanquis qu'on ne sabote plus le français dans les organisations interntionales. Puisque, d'autre part, cette remontée de la France incite un peu partout les étrangers à étudier notre langue ; puisque 80 % des Roumains adoptent le français comme seconde langue (le russe étant obligatoire) ; puisque, dans l'Union Soviétique, 50 % des élèves étudient l'anglais, 30 % le français et 20 % l'allemand ; puisque les États-Unis eux-mêmes tiennent compte de cet état de fait et qu'après avoir joyeusement enseveli le « français langue morte », 18.500 professeurs

en dispensent désormais les rudiments à 600.000 élèves
(ce qui n'est pas pour nos beaux yeux, veuillez le croire,
mais parce que *it pays*, parce que c'est utile) ; puisque,
au Brésil, le français a le statut de première langue
obligatoire (avec près d'un million d'élèves) ; puisqu'il
est obligatoire aux Pays-Bas, en Colombie, au Costa-
Rica, au Portugal ; puisqu'en Angleterre près d'un
million d'enfants s'initient à notre langue, et autant à
peu près en Italie, et que plus de 40 % des Allemands
nous font aujourd'hui l'honneur d'étudier notre langue,
sans parler d'Israël, du Japon, de l'Australie ; puisque,
sur la planète, plus de douze mille maîtres français,
qui dépendent de la Direction Générale des Relations
Culturelles, dispensent en notre langue un enseignement,
nous sommes en mesure de faire savoir à nos anciens
protecteurs que les 120 millions d'humains environ
(peut-être plus) dont le français est la langue officielle
exigent que cette langue soit traitée équitablement
dans toutes les organisations internationales (OTAN,
SHAPE, UNESCO, FAO et autres sigles). C'est alors
que les États-Unis pourront nous rire au nez et nous
renvoyer à nos chères études sabirales : « Pourquoi
diable exiger que nous respections une langue que vous
bafouez chaque jour dans vos journaux, vos enseignes,
vos placards publicitaires ? Votre radio, votre télé sont
d'État ou non ? Eh bien ! écoutez-les ! Et demandez-
vous qui ruine le plus efficacement la langue française.
N'auriez-vous point lu l'an dernier le numéro spécial
du *Times* de Londres sur votre culture ? C'en est fini
du mythe de la clarté française. Vos poètes se prennent
pour des dieux et vaticinent en langage inintelligible.
Vos « nouveaux » romanciers, n'en parlons pas. Prose ou
vers, c'est un concours d'ambiguïtés. Votre bric-à-

brac langagier a déjà ridiculisé votre pays. Vous croyez nous complaire en jargonnant sabir, mais nous ne vous comprenons pas : tantôt vous déviez de leur sens des mots anglais, tantôt vous fabriquez des mots qui ne sont pas anglo-saxons ; quand par hasard vous employez un mot soit anglais, soit américain, vous le prononcez si barbaresquement que bien malin qui saurait ce que vous baragouinez. Votre général de Gaulle lui-même n'a-t-il pas officiellement parlé de *vos garçons* (« nos garçons ») d'après notre « our boys » ? En français, vous devriez dire *nos soldats*, ou *nos enfants* (selon les circonstances). Alors, de grâce, parlez chez vous votre langue. Après quoi, vous aurez le droit de vous plaindre de nous. »

Comment répondre à ceux qui nous tiendraient ce langage ? En jurant de ne parler que français.

A cette fin, il faut rendre nos compatriotes allergiques au sabir. Du temps malheureux où nous étions colonisés par des princes italiens, nos humanistes durent se fâcher contre l'italianisation du langage français. Il faut aujourd'hui se fâcher contre la yanquisation. J'ai donc souhaité que le plus grand nombre possible de mes concitoyens connaissent l'essentiel de ce que, trois années durant, j'enseignai à la Sorbonne. Si le ridicule je ne dis pas tuait encore, mais blessait, non, pas même, mais écorchait, mais égratignait, alors j'aurais sans doute quelque chance de persuader, car se peut-il qu'un seul des lecteurs de ma « *Grammaire du franglais* » ne rougisse point à la seule idée de s'y conformer, fût-ce une seule fois par mois ?

Je ne me cache point qu'il faudrait un Molière, un Chaplin (j'entends un Molière, un Chaplin de la radio, de la télévision, de la publicité) pour en finir avec cette nouvelle et ridicule préciosité. Les chats à neuf cents queues de la plus violente satire, voilà ce qu'il faudrait appliquer sur les fesses de nos teens et de nos teenettes, sur les membres du *O'She-Club* et du *O'He-Club*.

Et puis il conviendra de fournir aux Français de bonne volonté les quelques outils qui leur permettraient de lutter contre ceux qui prétendent, avec mille raisons spécieuses, que l'on n'en peut mais, car notre langue serait pauvre et doit absolument plagier l'américain.

Savez-vous ce que signifient : la véraison, le folletage, l'aoûtement des sarments, et qu'il faut craindre l'apparition des bouvreux sur les repousses ? Pourriez-vous m'expliquer sur-le-champ la différence entre un bouvet, un riflard, un bouvet à fourchement, un guillaume, un feuilleret, une doucine, un tarabiscot, une galère à corroyer, un rabot ? Qu'est-ce pour vous qu'une buire, une bourriche, du bourrier, la bourrette, le burgeage, le cabanage, la cannetille, le carasson, la carmeline, le carnabot, la gélivure ? J'ai vingt mille bons mots de la sorte à votre service, tout aussi beaux, et qui ne demandent qu'à servir, ou resservir par extension sémantique. Non, le français n'est point une langue indigente. L'ignorance et la prétention, qui font si bon ménage, peuvent seules nous inciter à juger de la sorte.

Au temps où l'anglais commençait à nous envahir, Voltaire savait répondre pertinemment à M. Deodati de Tovazzi, Italien qui prétendait que, comparée à la sienne, notre langue se distinguait par une rare pénurie : « Mais, monsieur, lui rétorquait Voltaire le 24 janvier 1761, ne croyez pas que nous soyons réduits à l'extrême indigence que vous nous reprochez en tout. Vous faites un catalogue en deux colonnes de votre superflu et de notre pauvreté ; vous mettez d'un côté *orgoglio, alte-*

rigia, superbia, et de l'autre *orgueil* tout seul. Cependant, monsieur, nous avons *orgueil, superbe, hauteur, fierté, morgue, élévation, dédain, arrogance, insolence, gloire, gloriole, présomption, outrecuidance.* Tous ces mots expriment des nuances différentes, de même que chez vous *orgoglio, alterigia, superbia,* ne sont pas toujours synonymes. »

Par conséquent, pour démontrer à nos concitoyens qu'ils disposent d'un lexique abondant, savoureux, expressif, truculent, qu'il convient de raviver et à partir duquel il suffirait de dériver et de composer des mots neufs, il nous faut obtenir un dictionnaire qui complète le *Littré,* vieux d'un siècle. Depuis que le dictionnaire de Robert est en vente, chacun s'acharne comme par hasard contre les rééditions du *Littré.* Or le meilleur du *Robert* doit beaucoup au *Littré.* Un chroniqueur s'est amusé à y signaler l'absence du mot *antibiotique* alors que le *strip-tease* en égaie les colonnes. Mot hideux pour *effeuillage* ou *chatouille-tripes* (selon que l'opération sera réussie, ou non), *strip-tease,* à mon sens, n'a pas sa place dans un dictionnaire du français. Il est vrai que certains collaborateurs du *Robert* ont déclaré publiquement, à plus d'une reprise, ne point partager ce qu'ils appellent ma « phobie » des anglicismes. (J'aime l'anglais, bon dieu ! mais dans Shakespeare, et le *Times* ; j'aime l'américain, comment donc ! mais dans la bouche d'un *truck-driver,* comme vous dites pour éviter *chauffeur de poids lourds.*) Ce ne sera donc point le dictionnaire de salut public.

Comment se présentera le *Trésor de la langue française* que nous prépare M. Imbs, assisté de nombreux collaborateurs ? En dépit des ordinateurs électroniques dont il dispose, il faudra des années encore de recherche,

de classement — sans compter l'impression — pour
venir à bout des et des millions de fiches dont on nous
parle. Nous savons seulement qu'il ne s'agira nullement
d'un dictionnaire encyclopédique, mais d'une encyclo-
pédie du vocabulaire français. A ce titre, il devrait nous
être doublement utile : en inventoriant toutes nos
richesses, depuis les origines ; en se bornant à la langue
française. Le *Trésor* : de quoi (je suppose) clore le bec
des péronnelles et des petits messieurs qui, sans savoir
leur langue, la condamnent comme pauvre et débile afin
de se jeter goulûment sur quelques appâts do jargon
anglo-saxon et de vider leur toute petite cervelle des
quelques vestiges de français qui s'y accrochent encore.

Étant donné ses ambitions, je ne suis pas sûr que ce
Trésor sera aussi normatif que le *Littré*. Si oui, tant
mieux. Sinon, réjouissons-nous d'apprendre que l'on
prépare ailleurs un dictionnaire qui entend nous fournir,
pour les cent dernières années, un équivalent du *Littré* :
les exemples étant choisis de parti pris chez les écrivains
plutôt que dans les succès de librairie.

Puis-je à ce propos former un vœu ? Jusqu'ici, quand
nous pensions à un dictionnaire français, nous bornions
notre enquête à l'hexagone légendaire et rejetions avec
méfiance, mépris, condescendance et autres nobles
sentiments tous les mots wallons, toutes les expressions
valaisanes ou vaudoises, canadiennes ou haïtiennes.
Ces temps sont révolus. Sans doute, il est riche et beau,
le parler de l'hexagone, surtout si, insoucieux du langage
que jargonnent la cour et la ville, nous inventorions
ce qui reste des parlers campagnards, des langues de
métiers. Si j'aime à ce point ma langue, c'est probablement qu'un vieil instituteur, tel qu'on les formait aux
débuts de la troisième République, m'en imprima obsti-

nément la grammaire dans la mémoire (on ne méprisait pas encore le par cœur en ce temps-là) ; c'est aussi que je passai mon enfance à la ferme, chez le charron, le serrurier, le menuisier, le boulanger, l'imprimeur, dont j'appris toutes sortes de vrais mots ; c'est enfin que j'ai acquis en voyageant quelque connaissance du français qui se parle outre-mer et que j'en goûtai la variété, la richesse, le piquant. Non, messieurs-dames les américanolâtres, ce n'est pas moi que vous ferez vivre dans un *living-room*, quand les Canadiens français m'offrent tout chaud, tout chaleureux, leur irréprochable *vivoir*. Le français n'est pas riche, dites-vous ? Connaissez-vous *Zigzags autour de nos parlers*, trois volumes de Louis-Philippe Geoffrion publiés à Québec, chez l'auteur, en 1925-1927 ? J'y découvris, parmi cent autres, le mot *mucre* (ou *muque*) que j'avais entendu dans mon enfance mainiaude, un excellent mot qui veut dire quelque chose comme moite ; j'y retrouvai un *tomber sur la frippe*, tombé ici en bien fâcheuse désuétude ; je me réjouis d'y voir condamner comme anglicisme *les compliments de la saison* (sur *Season's Greetings*) qu'on imprime hélas sur les cartes de Noël. Vous qui nous préparez un dictionnaire, fréquentez, je vous en prie, les dictionnaires canadiens ; n'oubliez pas de les employer libéralement lorsque vous composerez la suite du *Littré*. Pillez nos amis wallons, et romands, restaurez *septante* et *nonante*, rendez-nous les *pistolets* (des petits pains), l'*aubette* et les *branloires*. Et n'oubliez pas non plus les Français des Antilles, ceux du Maghreb, d'Afrique noire et de Madagascar. Lorsque les Haïtiens nous présentent la *mantègue* (leur saindoux), c'est fabriqué à partir de l'espagnol *manteca*, mais parfaitement francisé ; sachons y discerner le modèle de ce que doivent devenir les rares mots anglo-saxons qu'il nous sera utile, ou nécessaire, d'accueillir. Bref, je souhaite que notre dictionnaire du français moderne et contemporain tienne compte de tous *les* français qui se parlent aujourd'hui dans le monde, et qu'avec discernement il y puise pour recommander tout ce qui a du sens, de la saveur, du pittoresque.

Les auditeurs de l'émission que présente à la radio M. Alain Guillermou sur *Le français universel* reconnaîtront là son idée. De quel droit nous prévaloir d'une langue que parlent 120 millions d'hommes au moins si les dictionnaires que nous imprimons se bornent avaricieusement à consigner le vocabulaire de l'hexagone sacré et, rebelles aux wallonismes, aux helvétismes, aux tours antillais, accueillent le plus malsonnant intrus pourvu qu'il soit anglo-saxon ou présumé tel, avec orthographe et prononciation garanties d'origine. Ou bien nous considérons que le français ne doit être que celui de l'hexagone (et encore, un français sabiral, un français colonial), et alors ne nous plaignons pas d'être considérés comme gens qui parlent une langue de peu d'avenir ; ou bien nous faisons confiance à tous ceux çà et là qui enrichissent l'idiome originel, et alors le lexique et la politique nous accorderont la force en effet que nous représentons déjà, avec ou sans *baby-boom*. Ce proposant, je n'entends pas laisser filer à vau-l'eau le vocabulaire et la syntaxe du français ; le dictionnaire auquel je rêve serait *normatif*, et complété par une *Grammaire du français universel*, grammaire qui, sans rien sacrifier de ce qui faisait la valeur du français au temps où ce fut la langue de l'homme blanc cultivé, saura s'approprier les tours de bon aloi, fussent-ils mauriciens, sénégalais, haïtiens. L'essentiel est de

ne pas transiger sur le vocabulaire étranger et sur la
syntaxe pour nous barbare : anglo-saxonne.

Enfin, il importe de prouver aux usagers de bonne
foi que les mots anglais qu'on leur impose et que les
américanismes clandestins dont ils truffent leur prétendu français sont presque tous inutiles. Il faut donc
leur fournir un dictionnaire raisonné du sabir atlantique, ainsi qu'un lexique portatif, lexique vraiment de
poche, où les mots les plus fréquents, les plus magiques,
les plus dangereux seront exorcisés. Je travaille à un
tel dictionnaire (voir : « Grammaire », p. 220) ; mais il
sera plus gros que je ne pensais d'abord. Quand je
l'aurai *complété* (comme disent nos sabiraux, pour
achevé), ce sera un *achèvement* (comme disent nos mêmes
sabiraux, c'est-à-dire un *exploit*) dont je ne serai pas
mécontent. Qu'on me pardonne si je demande deux ans
ou trois encore avant de le publier. Les jours sont
courts, même en été, pour un travailleur solitaire, et
telle l'impudence des américanolâtres qu'à peine j'ouvre
un type de publication où je n'avais pas encore mis le
nez, voici vingt mots nouveaux qui prétendent à
s'inscrire au tableau de déshonneur.

Divers indices me suggèrent néanmoins que je ne me
suis pas « croisé » (comme disent certains) pour des
nèfles ou peau de zébi (maghrébisme). Un ou deux exemples à l'appui de ce qui pourrait paraître prétentieux : le
28 mai 1961, au moment où, avec M. Chassaignon et
plusieurs autres journalistes, nous entreprenions, M. Guillermou et moi-même, de réformer le vocabulaire des
sports, *Paris-Presse* publiait un article dont je citerai
le début : « *La balle quitta le fairway, rebondit sur le
green, tomba dans le bunker. Le putting devenait impossible. Il prit son fer 4 et la balle s'égara dans le rough.*

C'est de golf qu'il s'agit, mais cette anglomanie a peut-
être fait son temps. Une conjuration discrète est en
train d'épurer le vocabulaire sportif. » Deux ans plus
tard, le 20 août 1963, je lis dans les *Potins de la Commère* :
« Innovation pour les golfeurs : sur les terrains du golf
du Prieuré (S.-et-O.) en cours de réalisation, il sera
interdit d'utiliser des mots anglais. Un petit lexique
anglais-français sera remis aux récalcitrants. Le *caddy*
deviendra le cadet, le *club house* la maison des joueurs,
les *clubs* des cannes, etc. » L'écho m'a d'autant plus
réconforté que, le 15 juillet 1961, un potineur avait
tenté de ridiculiser notre projet. Il écrivait alors :
« L'Union syndicale des journalistes sportifs de France,
sous la présidence de M. Etiemble, professeur à la
Sorbonne, a émis ce vœu : remplacer le mot *leader* par
le mot français *major*. Exemple : Anquetil est le major
de l'équipe de France. » Primo, je ne présidais point
du tout la commission. Deuxio, si je m'intéresse au
vocabulaire du sport, ce n'est pas en ma qualité (ou
mon défaut) de professeur : chacun sait qu'un sorbon-
nard, c'est toujours une espèce de Professeur Nimbus,
qui n'a jamais nagé, ni tiré au fleuret, ni tapé dans un
ballon rond. Quand je participais à ce groupe de travail,
c'est comme celui qui pratiqua et pratique encore
quelques sports ; qui, des années durant, joua au
ballon rond et fut capitaine d'une assez bonne équipe
scolaire. Tertio : voici le texte qu'avait rédigé notre
groupe : « LEADER : la commission propose le mot
latin « major » au sens de major de promotion, major de
Centrale, major de Polytechnique, etc. On écrirait ainsi
qu'Anquetil est « major » de l'équipe de France du Tour
et qu'il *mène* ou qu'il *est en tête* après l'étape du Tour-
malet. Nous demandons à nos confrères de vouloir bien

nous communiquer leurs suggestions sur ce mot. »
En choisissant, parmi maintes directives, celle précisément, celle-là seule dont nous n'étions pas satisfaits,
puisque nous demandions des conseils à ce sujet, le
potineur jetait un ingénieux discrédit sur l'entreprise
elle-même. Peu rancunier, je me félicite de constater
aujourd'hui qu'on ne condamne plus ceux qui ont
décidé de parler français sur un terrain de golf, ce bastion
du snobisme anglomaniaque.

Même genre de réaction d'abord chez Mme Express,
que j'avais semoncée à l'un de mes cours. Elle m'invita
au journal pour discuter. A la suite de quoi, elle composa
et publia un texte sabiral dont elle donna, dans la
colonne voisine (j'emploie le mot *colonne* à la française),
une version correcte. Cette version, par ses excès, devait
elle aussi ridiculiser mon propos. Voici le premier paragraphe de cet ingénieux exercice.

VERSION SABIRALE :

Tout dans le living-room paraissait confortable : le
shaker sur le bar, le fauteuil club à côté du cosy-corner.
Simone, très sexy dans son blue jeans et son twin set
de cashmere fully fashioned, se remit du compact sur
le bout du nez avant d'enfiler ses snow-boots et son
duffle-coat.

VERSION FRANÇAISE (selon Mme Express) :

Tout dans le vivoir paraissait confortable : le secoueur
sur le bahut ; le fauteuil cleube à côté du sofa. Simone
très affriolante dans son pantalon de treillis bleu yankee
et son deux-pièces tricoté de cachemire entièrement
diminué se remit du pain de poudre sur le bout du nez

avant d'enfiler ses bottes pour la neige et son manteau de molleton.

Jamais je n'aurais signé ce genre de « français ». D'abord, d'une femme qui porte des *blue jeans*, je n'aurais point dit qu'elle est *sexy*, ni même, d'une femme qui porte un *pantalon de treillis bleu* qu'elle est *affriolante* — cela, pour plusieurs raisons : la première, parce que toute femme en culotte de treillis serait plutôt pour moi un remède au désir ; la seconde, parce que le mot *sexy* pouvant se traduire de vingt manières au moins en français, avant de choisir celui ou ceux de nos adjectifs qui conviendraient (pour les hommes en général, et pour moi en particulier), je demande à voir la fille. Ensuite, je n'ai rien contre le mot *bar* ; le *bar* est un poisson ; la conjonction *car* existe ; je vais donc au *bar* sans scrupule, du moment qu'on le prononce à la française, ce qui est aujourd'hui le cas (provisoirement peut-être) en France. Etc. Si donc j'avais dû *récrire* (et non pas *rewriter*) le texte sabiral de Mme Express, j'aurais préposé quelque chose comme ceci :

Texte français :
Tout dans le vivoir paraissait confortable ; le secoueur (ou chèqueur) sur le bar, le fauteuil cleube à côté du divan d'angle. Simone, glaciale (ou glaçante) dans son pantalon de treillis bleu et son deux-pièces de cachemire entièrement diminué, prit son pain de poudre pour se retoucher le bout du nez avant d'enfiler ses bottillons et sa capuche de molleton (ou son capuchon molletonné).

En présentant son texte comme s'il fût de moi, Mme Express se revanchait de mon coup. Nous sommes quittes, et je constate avec plaisir que, dans les milieux du journalisme, on ne se contente plus de railler mon entreprise. En 1962, l'Institut français de presse me demanda de participer aux travaux d'une commission où l'on étudiait les moyens de se débarrasser du sabir. Jacques Kayser m'avait même suggéré de faire un cours sur et contre l'américanisation du langage des journaux. Survenant après celle d'André Chassaignon, sa mort prématurée me prive de deux alliés dans la presse. Il m'en reste par bonheur plusieurs autres. M. Jean Hennebert, professeur d'anglais à l'École supérieure de journalisme de Lille, ne vient-il pas de composer à l'usage de ses étudiants un exercice où il les met en garde contre les calques de l'américain ? *Le Figaro littéraire*, sous la signature d'Aristide, en publia quelques extraits : « En ce qui concerne l'affaire de Berlin, la situation s'est *détériorée* (deteriorated) dans les *dernières vingt-quatre heures* (voyez ci-dessus : « Grammaire », p. 188). Les États-Unis se proposent de *contrer* (counter) l'U. R. S. S. sur ce terrain. On croit savoir que les Indiens ont l'intention d'*interférer* (interfere) dans ce différend, car M. Nehru *réalise* (realize) le danger qui menace le *futur* (future) de l'humanité. »

Je suis d'autant moins surpris de le trouver de mon bord, M. Hennebert, qu'il sait l'anglais, lui, et qu'on ne lui en impose pas avec « l'impossibilité » qu'allèguent les ignares de traduire en français *to realise* (américain pour l'anglais *to realize*), *to counter* ou *to interfere* !

Et puis, faisons confiance au peu qui nous reste de peuple. D'un imprononçable *pedigree* qui ne lui dit rien, lors même qu'on le camoufle en *pédigrée*, tel manœuvre a su tirer un *pied tigré* (celui d'un chat, par exemple, ce qui est parfait) ; d'une combinaison *interlocked*, telle poissarde extraire *interloquée* ou *interlope* (elle avait deux fois raison). Saluons enfin, habile défenseur de notre patrimoine, ce paysan que cite Jean Lebrau dans ses *Brindilles* : « Pour dire *water-closet*, le voisin dit des *va-t-en causer.* » Voilà l'usage, le seul, que nous devons faire, en France, des mots anglo-saxons. Oui, comment ne point imiter cet Algérien qui, entendant l'expression pour lui mystérieuse : « Je ne la connais ni d'Ève ni d'Adam », l'interpréta en : « je ne la connais ni des lèvres ni des dents ». Plutôt que les mots en *-ing*, en *-er* et en *-rama*, voilà qui pourra restaurer notre langue dans sa force et sa beauté.

CHAPITRE II

COMMENT TRAITER LES MOTS ÉTRANGERS?

Observez que ce sont toujours les mêmes qui sabirent atlantique et qui, lorsqu'ils ont recours au français, le massacrent : tantôt à renfort de mots grandiloquents et de tours prétentieux (politiciens, administrations publiques et privées), tantôt à irruption massive d'impropriétés, de solécismes et de barbarismes. Quand vous lisez dans un journal « informations flashes » (*Libération*, 19 octobre 1962), soyez assurés que vous apprendrez, à la même page, que « l'Église s'est toujours complue dans la contradiction » (au lieu de *complu*). Je veux bien que Littré justifie habilement ceux qui choisissent l'autre accord, mais ce n'est point porter un jugement téméraire que de présumer que l'auteur de ce « complue » a commis une bévue et ne s'est pas demandé s'il s'agit d'un verbe réfléchi indirect ou d'un verbe réfléchi absolu. Les bandes illustrées de *France-Soir* débordent d'anglicismes et de vocabulaire anglo-saxon, mais on y écrit imperturbablement : « je préfère que vous soyiez » (7 novembre 1959). Dans un même numéro du *Journal du Dimanche* (14 février 1960), on parle de « roof blindé » et d' « opération de routine », c'est-à-dire qu'on emploie un mot anglais tel quel et un mot français avec le sens

qu'attribue à ce « faux ami » le lexique américain ;
mais, dans la colonne voisine, on écrit *calepin* : *calpin*.
L'Aurore du 6 février 1960 m'offre ceci : « Moindre petit
rhume, vite climamaske », avec un *k* bien *magic*, que
confirme le solécisme *moindre petit* (oui, plus d'un
écrivain a commis cette bourde ; hélas, mauvaise tête
que je m'avoue, je n'ai pas oublié ma fable de La Fontaine :

> *Mais le moindre grain de mil*
> *Serait bien mieux mon affaire.*

Le *moindre*, et non pas le *moindre petit*). J'aime *La
Vie des Bêtes*. Quelle pitié qu'on y parle d'*immatures*,
et du *flurry* d'une baleine, en construisant *bien que*
avec l'indicatif (septembre 1959) et en confondant *soi-
disant* avec *prétendu* (*ibid.*, p. 33). Je me suis amusé à
collectionner des dizaines d'exemples où le mot yanqui
appelle irrésistiblement, dans la même phrase ou la
phrase voisine, un *concluera*, ou telle autre ânerie. Si
France-Soir me parle d'une *irruption* (pour *éruption*)
de boutons, je m'attends à voir deux mots plus loin
faire *irruption* (au vrai sens du mot) l'anglais *stop* :
« M'avez-vous compris ? Pas d'irruption de boutons ?
Stop, terminé. » Suffit donc là-dessus.

L'*irruption* des mots anglais, des américanismes,
s'accompagnant d'ordinaire d'un impudent mépris de
la sémantique et de la syntaxe françaises, il faut en
finir avec elle.

Selon quels principes concevoir le dictionnaire purifi-
cateur, celui du *franglais*, ou plus exactement du *sabir
atlantique* ?

Il suffit de prendre le contrepied de ceux qu'adopte

le *Petit Larousse illustré*, lequel, dans ses dernières
éditions, en concilie plusieurs, inconciliables. Tantôt
(article QUAKER) il indique une prononciation à l'anglaise,
en l'espèce *kouékeur* ; tantôt (article QUICK-FREEZING) il
ne suggère aucune prononciation, et vous imaginez
ce que ça peut donner, pour un enfant qui ne sait pas
l'anglais, ce *quiquefrézinge* ! Tantôt le *Petit Larousse*
signale que le mot est anglais (pour *pick-up*, par exemple,
ou *pin-up*, ou *piper-club*), tantôt il enregistre un mot
anglais sans daigner préciser ni sa prononciation, ni
que c'est un mot anglais (ainsi de *single*, de *racket*).
Quand il se trouve en présence de *magazine*, le *Petit
Larousse* signalera sans doute qu'il s'agit d'un mot
anglais, en donnera une définition acceptable (« Revue
périodique, souvent illustrée, traitant des sujets les
plus divers »), mais se gardera d'apprendre à nos élèves
qu'on imprimait en France, entre autres *magasins*, *Le
Magasin encyclopédique*, *Le Magasin pittoresque*, et que
le *magazine* américain n'est rien d'autre que notre
magasin adapté à l'anglo-saxon. S'il va consulter ce
mot-là, l'usager du *Petit Larousse* ne connaîtra donc
que le barbare *magazine*. Rien ne l'y renverra vers
l'excellent mot français *magasin*, au neuvième sens du
Littré : « ouvrage périodique composé de morceaux de
littérature ou de science ». Mot si peu mort que M. Kléber
Haedens l'utilisait en 1946 pour titre de son *Magasin
du spectacle*. Ailleurs, l'inconscience du *Larousse* se
porte plus outre même. Soit l'article SINGLE : « *Single* :
n. m. Au tennis, partie entre deux adversaires. (On dit
aussi SIMPLE). » Voilà quarante ans que je me sers
(médiocrement, mais enfin que je me sers) d'une
raquette ; s'il m'arriva, jeunot, de faire comme tout
le monde le malin en jouant des *sinnegueules*, je constate

qu'aujourd'hui presque tout le monde joue des *simples*.
Le *Petit Larousse* condescend à reconnaître qu'on dit
également *simple* pour *sinnegueule* (comme on sent
qu'il le regrette) ; bien que personne, ou presque,
n'emploie plus ce mot-là, c'est celui qu'on persiste à
imposer à nos enfants, afin de les sabiriser. Bien plus ;
il y a quelques années, cet ouvrage décidément para-
doxal enseignait à nos écoliers : « on dit abusivement
simple ». En revanche, le même *Petit Larousse* omettait
le sens abusif, mais courant, de *single* dans les voitures-
lits, où le contrôleur vous demande sans faillir si vous
désirez un *sinnegueule*, un *double* ou un *spécial*. Les
rubriques consacrées aux mots anglais par le seul dictionnaire qui soit offert à nos enfants concourent donc à
favoriser la confusion sabirale. A quoi s'ajoute que,
depuis une trentaine d'années, ce dictionnaire refuse de
franciser l'orthographe des termes étrangers. Alors qu'il
imprime *redingote* (et non pas *riding-coat*), *boulingrin*
(et non pas *bowling-green*), *paquebot* (et non pas *packet-
boat*), il se croirait déshonoré de ne pas proposer un
duffle ou *duffel-coat*, laissant courageusement aux
Français le choix entre deux graphies aberrantes, dont
l'une au moins a le mérite de les vaguement guider vers
une prononciation plausible de *duffle*. Or le *-gote* de
redingote correspondant au *coat* de l'anglais, il faudrait,
selon ce principe, nous présenter *une deufèlegote*.

Qu'on ne prétende pas qu'un dictionnaire se doit de
consigner l'usage courant. Quand l'*usage* est *imposé*
au peuple français par des généraux yanquis, par des
spécialistes yanquis du *marketing*, par des *public-relations* nés à Chicago, ou encore par des illettrés français,
l'*usage* est nul, non avenu. Jusqu'à nouvel ordre sabiral,
le rôle d'un dictionnaire me paraît de normaliser le

vocabulaire et l'orthographe, bref, de contribuer à
faire, et non pas à défaire, une langue.

Les rédacteurs du *Petit Larousse* n'ont même pas
l'excuse de se trouver, tout neufs, devant une situation
sans précédent. Voilà soixante ans et plus, Remy de
Gourmont leur a fourni, dans son *Esthétique de la
langue française*, tous les éléments qui, s'ils avaient
pratiqué cet ouvrage, leur eussent permis de traiter
beaucoup mieux les mots d'origine anglaise. Je m'égare.
Un dictionnaire qui, en 1960, réitérait la calomnie des
nazis contre Léon Blum (baptisé Karfunkelstein), un
dictionnaire qui, nostalgique apparemment de Hitler,
ne discerne dans l'antisémitisme que l'anodine « doctrine
de ceux qui sont opposés à l'influence des juifs », un
ouvrage qui, pour définir *judaïque*, propose : « qui
s'attaque mesquinement à la lettre en négligeant l'esprit,
comme le faisaient les pharisiens juifs : interprétation
judaïque », pourquoi voulez-vous qu'il résiste à l'invasion
de la France par le vocabulaire yanqui ? Prétendre
qu'en français on dit « abusivement » un *simple* pour un
sinnegueule, c'est compléter le travail qu'on accomplit
en traitant Léon Blum de Karfunkelstein ; c'est trahir
la vérité et servir, quel qu'il soit, un impérialisme
oppresseur.

André Suarès raconte quelque part qu'une paysanne
de Grasse appelait *fraisies* les *freziahs*, ces fleurs capi-
teuses qui nous viennent de l'Iran. « Il me semble en
avoir entendu une autre, dans le pays de Flore, près de
Barbentane, dire aussi la *fraisie*. » Partageant comme je
fais l'enthousiasme de Suarès pour les *fraisies*, et tout
heureux de ce joli nom que leur décernait le peuple,
il m'arriva plusieurs fois depuis lors d'aller au marché
aux fleurs et de commander quelques *fraisies*. Stupé-

faites, parfois méprisantes, les marchandes me répon-
daient qu'elles n'avaient point de *fraisies,* alors que
devant moi je voyais entrouverts ces calices dont le
parfum déjà me troublait. Une fois ou deux, la vendeuse
me corrigea : « Vous voulez dire des freziahs. » Nous
en sommes là. Il n'y a presque plus de femmes du peuple en France. Rien que des petites bourgeoises crasses
et prétentieuses qui traitent avec condescendance
l'admiration d'un écrivain comme Suarès pour un beau
mot, bien populaire.

Puisque nos vraies paysannes et Suarès ont raison
de franciser en *fraisies* les *freziahs,* ils nous montrent
comment traiter les mots yanquis que nous prodiguent
la futilité brouillonne du *O'She-Club* et la morgue
ignorante du *O'He-Club.*

Ce disant, ils ne font que se conformer aux directives
de Gourmont (chapitres VIII et IX de son *Esthétique*) :
« Toute une série de mots anglais ont gardé en français
et leur orthographe et leur prononciation, ou du moins
une certaine prononciation affectée qui suffit à réjouir
les sots et à leur donner l'illusion de parler anglais.
Rien de plus amusant que de rebrousser le poil du snobisme et de prononcer, comme un brave ignorant,
tranvé et *métingue.* Ces mots sont d'ailleurs sur la limite
et on ne sait encore ce qu'ils deviendront : *tramway*
semble s'acheminer vers *tramoué* plutôt que vers *tranvé* ;
quant à *meeting,* le peuple prononce résolument *métingue,* entraîné par l'analogie. Mais *steamer, sleeping,
spleen, waterproof, groom, speech* et tant d'autres assem-
blages de syllabes sont de véritables îlots anglais dans
la langue française. »

Faut-il pourtant accepter *speech* ? Sous le substantif
speech, le dictionnaire *Harrap's* propose *allocution,*

discours, harangue, et même *laïus* (à quoi je pourrais ajouter *topo*). Cinq mots au moins, dont deux assez familiers, pour exprimer ce que nos sabiraux nomment un *speech* et que Gourmont a la faiblesse de vouloir naturaliser en *spiche*. Il francise insuffisamment, du reste, puisqu'il conserve l'initiale sifflante + explosive, si agréable en anglais, si déplaisante au français. La tradition exigerait un *espiche*. A quoi bon ce mot nouveau puisque nous avons cinq termes au moins pour *speech* et que nous ne leur ajoutons pas la moindre nuance lorsque nous leur substituons le terme anglais.

Pour la même raison, nous devons refuser *steamer* pour qui Gourmont propose un très faible *stimeur*. *Steam*, c'est la *vapeur*, et *steamer*, le *bateau à vapeur*, le *vapeur*. Pas l'ombre d'une nuance entre *steamer* et *vapeur*. En acceptant *stimeur*, Gourmont se fait le complice de ceux que pourtant il combat allégrement. En revanche, il faut l'approuver d'écrire *carrique* (sur *barrique*) l'anglais *carrick*. Cette redingote à plusieurs collets des postillons du xixᵉ ne se porte plus guère chez nous. Tout comme si Gourmont n'eût jamais composé son *Esthétique de la langue française*, elle figure au *Petit Larousse* de 1962. Pour les rédacteurs de ce dictionnaire, l'usage des marchands de *carricks* a plus de poids que le choix réfléchi, motivé, d'un des plus savants écrivains de ce siècle !

Il faut également l'approuver, Remy de Gourmont, quand il écrit *bifetèque* au lieu du *beefsteak* et du *bifteck*, tous deux également ridicules, qui ornent le *Petit Larousse* de 1962. Il faut le féliciter, Gourmont, d'écrire *métingue* et non *meeting*, ce qui n'empêche pas le *Petit Larousse* de persévérer diaboliquement, en 1962, dans une graphie anglaise assortie d'une prononciation pseudo-

anglaise : *mi-tin'g*. Bravo à Gourmont lorsque, de tant
de mots terminés par une consonne explosive (*snob*,
grog), il propose l'adaptation française qui mette en
évidence la prononciation et la graphie normales de
ces finales en français : *snobe* (sur *robe*) et *grogue* (sur
dogue, lequel vient en effet, mais anciennement, de
dog, quand nous savions encore traiter les mots anglais).
Et re-bravo pour l'idée de remplacer le complexe anglais *-ck* par son équivalent français *-qu*. Exemples :
tiquet (sur *piquet*) au lieu du ridicule *ticket* ; *stoque* (sur
toque) au lieu de *stock* (j'eusse préféré *estoque*, mais
notre langue n'ayant plus la force de développer systématiquement le *e* d'introduction dont elle fut si
longtemps généreuse — moins toutefois que l'espagnol,
et c'est dommage, — il faut accepter l'inéluctable).
Quoique je préfère *estoque* à un *stock*, je saurai me
contenter de *stoque* et de *snobe*.

Que font d'autre les écrivains ? Queneau, qui écrit
bouledoseur, *guidenapé* (pour *bulldozer* et *kidnappé*),
cent heureux mots de la sorte. Jacques Perret qui,
dans *Rôle de plaisance*, dit leur fait aux *yachtmen*,
ces *gros clients du vocabulaire britannique* : « A bord
d'un ketch deux yachtmen viennent s'asseoir dans le
cockpit et le skipper, ayant posé son verre de scotch
à l'entrée du dog-house, secoue sa dunhill sur le winch
et se met à parler rating. » Il ajoute : « Un esprit libre,
attentif à l'hygiène de sa langue et à l'honneur de son
pavillon, aurait commencé par dire : A bord d'un quèche, deux plaisanciers viennent s'asseoir dans la bai-
gnoire ou, à la rigueur, dans le coquepit. Écrire de la
sorte coquepit est le bienvenu, aucun scrupule à faire
sonner la dentale comme celle de canott et boutt.

« Vous avez tellement perdu l'habitude de la langue

française vivante que vous avez paru surpris, sinon
choqué, de voir écrit le mot quèche. Vous estimez que
c'est un enfantillage orthographique, une francisation
bien arbitraire, un grossier maquillage au bénéfice d'un
chauvinisme étroit. Mais pas du tout. [...] Même si le
mot est bien d'origine anglaise, le premier devoir d'un
Français à franc-parler, c'est de convertir à sa loi tout
vocable importé en lui imposant une sonorité, un ton
et une écriture qui le classeront désormais comme substantif honnête, bien sonnant... »

Irréfragable, irréfutable, tel sera donc le traitement
des mots anglais ou sabiraux qu'après un examen rigoureux nous recevrons dans notre langue. Ils seront
rarissimes, par bonheur, car, quoi que prétendent ceux
qui ne savent ni l'anglais ni le français, nous ne sommes
point à la gêne pour exprimer à la française les notions
dont les Yanquis veulent nous laver la cervelle en nous
bourrant le crâne.

Faut-il croire que les efforts ne furent pas vains de
ceux qui depuis Gourmont prêchent d'exemple, dé-
montrant qu'un *coquetèle* vaut mieux en français
qu'un *coktail*, un *cocktail* ou, même, que *le flot sans
honneur de quelque noir mélange* ? Le 28 août 1963,
Jean Duché inventait pour ses *Elle* un nouveau jeu
relatif au sabir (que cet hebdomadaire encourage avec
tant d'*efficience*) : « Il ne vous aura pas échappé que
notre langage a tendance à se truffer de mots anglais.
Les langages vivent de ces échanges. Mais il fut un temps
où ces mots étaient aussitôt triturés, malaxés, déformés
et naturalisés. » Ma parole, c'est du Gourmont ! A la
suite de quoi, M. Jean Duché propose à ses millions de
lectrices une dictée dont voici les premières lignes :
« Jacques était cameramane ; un bon jobe où l'on

tutoie les starlètes, covergirles ou autres pinupes.
Jackie, elle, n'était point trop sexie, toujours habillée
de blougines ou de slaques, de pules ou de tichirtes,
mais depuis qu'il l'avait connue dans un film dont elle
était scripte, c'était son fleurt. » On observera que,
timide, anarchique, la francisation de l'orthographe
révèle en tout cas l'un des fléaux que nous apporte le
sabir : l'absurdité de la prononciation. *Jobe* et non
djobe (qu'on entend très souvent), *covergirles* (j'aurais
noté ça *covergueurles*); si vous dictez *tichirtes*, alors
que j'aurais proposé *ticheurtes*, pourquoi *fleurt* et non
flirte (en anglais, *flirt* et *shirt* ont même timbre exactement)? De *ouiquènnede* à *vécande* en passant par *oui-
quinde*, il y a presque aussi loin que de la coupe aux
lèvres. Selon sa classe, ou même sa sous-classe sociale,
la lectrice d'*Elle* se situera plus ou moins près de l'un
ou l'autre extrême. Que penser d'une langue qui compte
actuellement des *milliers* de mots ou d'expressions dont
ni la graphie ni la prononciation ne peuvent être fixées,
faute de cadrer avec l'histoire de notre sémantique,
avec les normes de notre phonétique et de notre syntaxe ? N'importe ; la question est posée au lieu même du
crime : à *Elle*, en plein *O'She-Club*. Du coup, ô merveille,
M. Jean Duché partage mon sentiment sur le *sex-appeal*
des *blue-jeans* !

Les sabiraux objecteront ici que je me donne la partie
belle, que j'omets les langages techniques et scientifiques,
où l'on ne peut rien exprimer qu'en anglais, ou mieux :
en américain. Voire ! Dès le mois de janvier 1958,
l'Académie des sciences protestait contre l'exclusivité
abusive qu'au détriment du français l'anglais s'arroge
en ce domaine. Durant un congrès international à Bang-
kok, les délégués de langue française, qui étaient pour-

tant nombreux, *n'ont pas pu se faire entendre dans leur langue,* « qui reste néanmoins, jusqu'à preuve du contraire, seconde langue internationale ».

Pour moi qui, depuis vingt ans, éprouve la jalousie vigilante dont le gouvernement des États-Unis persécute le français, je m'étonne qu'on s'étonne de le voir saboter de préférence notre langage scientifique : dans ce monde voué à la peur du cancer et de la bombe atomique, quiconque prétend à l'audience du grand public doit se prévaloir d'un pouvoir de chaman sur les sciences et l'exercer seul. Durant mes années d'Égypte, où les Anglais s'étaient réservé, *par traité,* le monopole de l'enseignement des sciences (nous confinant dans l'enseignement du français, nous contestant jusqu'au droit d'enseigner le latin et le grec en notre langue!), j'ai admiré à quels naïfs excès se portait cette volonté de déprécier la science et la technique françaises. N'enseignait-on pas en anglais que Pasteur fut un âne ? Tout juste bon à discourir sur le baiser à travers les âges, à discutailler sur des notions aussi insignifiantes que le beau, le vrai, le juste, le français doit s'effacer ailleurs devant l'anglo-américain, lequel seul permettrait de formuler des propositions sérieuses : par exemple qu'un *child has mastered the first decade of the number concept.* Si vous comprenez ce puissant théorème de maths sup., je vous tire mon chapeau. Il veut dire (et ne veut dire que) : *l'enfant sait compter de un à dix.* Proposition qui n'a rien de bouleversant, je l'avoue, tandis que : *has mastered the first decade of the number concept,* ça vous pose en psychologue de l'enfance! Comme j'ai traduit par centaines de pages le jargon américain qui traite des « sciences sociales », j'ai le droit d'écrire qu'il dissimule *the greatest fake in the world,* la plus magistrale imposture du siècle, et que notre défaitisme seul peut accorder une seconde d'attention à ces niaiseries prétentieuses. Bravo donc à l'Académie des sciences qui, le 25 février 1958, formulait ce modeste vœu :

« L'Académie des Sciences :

Soucieuse de voir la langue française conserver sa place dans le monde ;

Inquiète des tentatives qui, çà et là, s'efforcent d'en réduire l'importance ou la diffusion, entendent transférer à une autre langue une exclusive primauté dans l'expression scientifique ;

Considérant que le français doit conserver sa position en raison non seulement de celle qu'il a eue, mais du renouveau, qu'il connaît actuellement en de nombreux pays, de ses qualités intrinsèques, et parce qu'il correspond à une expression traditionnelle de la pensée :

Appelle l'attention du Gouvernement français sur la nécessité :

— d'exiger, des Chargés de mission et des Délégués français aux manifestations culturelles internationales, qu'ils utilisent leur langue maternelle ;

— de demander aux Unions, Associations et Congrès scientifiques internationaux qu'ils admettent effectivement que la langue française fasse foi ou du moins soit adoptée au même titre que l'anglais, qu'ils inscrivent notamment les abréviations à la fois dans les deux langues, que l'une ou l'autre de celles-ci ne soit pas, seule, exigée pour les présentations de notes ou leur publication, et qu'éventuellement la participation de la France à ceux des organismes internationaux qui s'y refuseraient soit réservée jusqu'à ce que satisfaction soit donnée à cette exigence justifiée. »

Encore que ce vœu ait été adopté à l'unanimité par l'Académie des sciences, le Gouvernement que je sache n'en tint pas compte car, le 2 septembre 1959, *Le Figaro* devait titrer : *Une fois de plus, et au Canada, le français absent dans un congrès scientifique.* Je sais telle discipline scientifique dont les spécialistes français, déjà contraints de parler américain dans les congrès, se trouveront bientôt réduits à publier leurs travaux et trouvailles ou découvertes dans la langue de nos protecteurs, lesquels pourtant viennent travailler dans nos laboratoires. Mais quelle puissance coloniale accepta jamais d'encourager ses protégés à cultiver les sciences, les techniques ? L'existentialisme, la poésie, le nouveau roman, passe encore ! Ça ne tire pas à conséquence. En revanche, il ne faut pas que les Brésiliens, les Malais ou les Indiens soupçonnent que nous construisons assez bien les barrages et nous débrouillons mieux que passablement en mathématiques. Que notre école de mathématiciens occupe le premier rang au monde, avec les Russes, on s'y résigne à la rigueur, à Washington, car les prix internationaux de mathématiques, souvent décernés à nos compatriotes, font heureusement bien moins de bruit que le Nobel, et le grand public ignore que les travaux des mathématiciens orientent constamment la recherche en physique — et notamment en physique nucléaire : voyez Dirac, Yukawa, etc.

Quant à la technique, cette sorcellerie du monde contemporain, les Yanquis s'en proclament les grands manitous ; notre vieille nigauderie les approuve. Quel besoin avions-nous d'appeler *tender* le ravitailleur de nos locomotives ? Qu'ajoute l'anglais *tender* ? Un charme :

un aspect *magic*. Vous qui vous gargarisez de *railway*, vous qui le fourrez dans vos poèmes :

> *Sur cent Solognes longues comme un railway,*

il vous semble, ce disant, que vous exprimiez adéquatement une technique dont l'expression française ne vaudrait rien (non plus que, sous une montagne, une *tonnelle*). Or, mes zozos, quand vous employez *tunnel*, vous répétez, vaguement à l'anglaise, notre *tonnelle*. Pourvu que la graphie en devienne *tunel* (sur *Lunel*), passe pour *tunnel* — qui particularise un des sens possibles de *tonnelle*. Or, mes zozos, « ce qu'il y a de plus amusant, c'est que les Anglais croyaient parler français en disant *railway*, transcription phonétique de votre voie (prononcée alors vouée) et de reille (doublet de règle, du latin *regula*). Nous aurions dit « règle » pour rail et voiture pour wagon, si nous n'avions pas laissé les techniciens prouver qu'ils savaient... ou ne savaient pas l'anglais ». (*Défense de la langue française*, dans son n° 15.)

Je le déclare crûment, la langue française, et beaucoup de ceux qui en savent assez pour l'écrire ou l'enseigner, ils en ont marre du pédantisme des techniciens qui, afin de jouer les sorciers à gri-gri, jargonnent grec, anglais, gréco-anglais ou anglo-grec, mais se refusent à parler la langue natale. Si moi, qui sais un peu de français, je me permettais d'aller leur donner des conseils sur la façon de poser un *rail*, d'installer le *ballast* ou d'accrocher un *tender*, comment me recevraient-ils, ces messieurs ? En me renvoyant à ma chère Sorbonne, ils n'auraient que raison. Or, quand, au lieu d'une *reille*, ils posent un *rail*, quand ils accrochent un *tender* au lieu d'un *ravitailleur*, ils commettent le même genre d'indiscrétion dont je me garderai toujours de me rendre coupable à leur égard. Serait-ce au nom du français langue vivante qu'ils agiront de la sorte ? Que ne comprennent-ils que, ce faisant, non seulement ils l'enlaidissent, leur langue, mais surtout l'appauvrissement, la minent, la *tuent*. Pour avoir étudié quelque peu la formation des vocabulaires scientifiques et la technique dans des langues comme l'arabe ou le chinois, qui ont dû s'en créer de radicalement neufs, je puis garantir à nos techniciens que, s'ils savaient le français et en tirer parti, jamais ou quasiment ils n'auraient besoin de mots anglais. Jargonnent-ils sabir parce qu'ils ont besoin d'une langue universelle ? Alors, qu'ils en choisissent une, n'importe laquelle (j'ai là-dessus mon idée), et qu'ils s'y tiennent (mais les nationalismes infantiles qui gouvernent partout la planète ne sauront jamais convenir d'une langue). Il sera loisible de la traduire en français, cette langue universelle dont je conviens que nous aurions tous grand besoin (dans ma discipline autant, sinon plus, que dans les autres). Mais le potpourri sabiral qu'on nous sert ne peut que gâter l'esprit des techniciens, comme il corrompt déjà les mœurs.

Il faut donc souhaiter que le *Comité consultatif du langage scientifique* que préside M. Louis de Broglie, et le *Comité d'étude des termes techniques français* que préside M. Combet, prennent l'importance qui leur revient dans la lutte contre le sabir scientifique et technique. Me permettrai-je un conseil d'amateur ? Lorsqu'ils auront à choisir un objet, une machine, un mot nouveau, qu'ils se méfient des savants, des ingénieurs. Qu'ils se rappellent que, pour établir la nomenclature des choses de la nature, les Indiens Guaranis réunissaient

des conseils de tribu ; moyennant quoi, ils ont fort bien
réparti les espèces en groupes et sous-groupes. Qu'ils
se rappellent que le peuple, lui seul, dans la mesure où
il ne sait ni le grec, ni l'anglais, trouvera le mot expressif, sonnant clair, et qui fasse image. Au tunnel du mont
Blanc, si les ouvriers n'eussent point été pervertis
d'emblée par le *jumbo* dont on désignait la *perforatrice
à fleurets mobiles*, ils auraient, j'en suis sûr, imaginé
pour cette machine efficace un mot bien venu. La *fleu-
rettiste*, voilà ce que je me disais, notamment, devant ce
jumbo, parce que j'ai quelque peu fréquenté les salles
d'armes ; un ouvrier aurait trouvé autre chose (mieux
sans doute) ; dix ouvriers, dix autres choses, drôles ou
belles, entre lesquelles le *Comité d'étude des termes techniques* n'aurait eu qu'à choisir. Autre suggestion : que
ces deux comités s'adjoignent un ou deux amateurs du
langage, des gens comme Queneau ou Perret, des écrivains qui ont démontré qu'un *bulldozer*, un *ketch* ne
leur en imposent pas, et qu'on en fait très facilement
un *bouledoseur* ou un *quèche*. Moyennant quoi, nous
n'aurons jamais de peine à éliminer les intrus (première
urgence), puis à maintenir désormais la cohésion du
lexique.

La plupart des langues — on le sait — existent encore
plus par leurs désinences que par leurs racines. La nôtre,
hélas, perdit en route ses déclinaisons et ne peut plus
procéder comme le russe, le polonais, le serbe qui,
acceptent-ils un mot étranger, le voilà presque toujours
assorti de fioritures qui le naturalisent.

Voyez le polonais. Nous emprunte-t-il *cornichon* ?
Premier temps, il l'écrit *korniszon*, selon la phonétique
polonaise, de sorte que chaque Polonais peut le prononcer sans la moindre difficulté. Qu'il s'agisse de *kapiszon*

ou de *bulwar* (*capuchon* ou *boulevard*), le polonais triture les mots français. Il a raison, comme il a raison de décliner tous ces mots-là ; comme il a raison de décliner jusqu'aux noms propres étrangers : *Piero della Francesca* devient au génitif *Piera della Francesca* ; *Tchouang-tseu*, le philosophe chinois, qu'no transcrit en polonais *Czuang Tsy*, se décline inflexiblement · *Czuang-tiego, Czuang-tsemu, Czuang-tsym.*

La serbo-croate ne procède pas autrement. Voyez là-dessus l'étude de M. Rudolf Filipovitch sur « l'adaptation morphologique des mots anglais empruntés par le serbo-croate » (*Studia romanica et anglica zugrabiensia*, octobre 1961). A *bluffer, kidnapper, manager, quaker* correspondent *blefer, kidneper, menedzer, kveker*, et c'est le premier temps (quelquefois on ajoute un suffixe : *sport* devient alors *sportas*, et *striker strajkac*). Deuxième temps, on décline :

SINGULIER		PLURIEL
(nominatif)	bungalo	bungaloi
(génitif)	bungaloa	bungaloa
(datif)	bungalou	bungaloima
(accusatif)	bungalo	bungaloe
(vocatif)	bungalo	bungaloi
(locatif)	bungalou	bungaloima
(intrumental)	bungaloom	bungaloima

Même principe pour les verbes. De sorte que le polonais et le serbo-croate peuvent accueillir des mots étrangers, sans rien lâcher d'essentiel.

Parce que le français ne dispose plus de ces ressources, il se doit de rester beaucoup plus réservé quand il accueille. Chez nous, c'est le radical et la cohésion phonétique qui, pour l'essentiel, définiront la langue ; accessoirement, les préfixes et les suffixes, qui n'ont pas la vigueur d'une déclinaison riche. Dérivons donc et suffixons, à partir de racines françaises ; mais dérivons et suffixons *à la française*, en supprimant les licences langagières des marchands et en proscrivant tous les *suffixes* et *préfixes* américains (-*ing*, -*er*, -*rama*, -*matic*, *super*-, etc.). Dans les cas désespérés, traduisons le mot yanqui. Ne soyons pas moins attachés à notre langue que ceux qui, en swahili, adaptent *jet plane* en *eropleni ya aina ya jeti* (aéroplane du genre jet) et traduisent *air conditioning* : *kuingiza hewa baridi kwenye chumba* (introduire de l'air froid dans une pièce). Le français serait-il moins soucieux de soi que le polonais, le serbo-croate, le swahili ? Si oui, qu'on le dise franchement, officiellement. Au nom de quel chauvinisme pervers les Français accepteraient-ils d'appartenir au seul pays qui se laisse d'autant plus lâchement coloniser qu'il compensera cette lâcheté par une larme d'orgueil au souvenir de Rivarol et de l'*universalité de la langue française*. Il n'y a plus de français. *Cocorico !*

CHAPITRE III

LIBÉRALISME OU DIRIGISME?

La « ligne atlantique » étant cette année recommandée par *Elle* aux hommes pour leurs chapeaux (*calotte légèrement conique et bords plus important* (sic) *très cambrés*), c'est notre tête ensuite qu'on aura modelée selon la « ligne atlantique », et non plus seulement nos hites. Nul ne parle innocemment le sabir ; nul en tout cas ne le parle impunément. Héritage de mots, héritage d'idées : avec le *twist* et la *ségrégation*, la civilisation *cocalcoolique*, « la manière américaine de ne pas vivre » vont contaminer et bousiller ce qui nous reste de cuisine, de vins, d'amour et de pensées libres. N'ayant presque jamais publié aux États-Unis un texte qui ne fût à mon insu mutilé, expurgé, adapté à la « libre entreprise » (dernière métamorphose langagière des monopoles capitalistes), je parle ici en connaisseur ; d'autre part, quand on la connaît, comment ne pas déplorer, *pour lui*, la grande misère sexuelle d'un peuple asservi par des femmes frigides, obsédées, puritaines et dominatrices (mes amies américaines m'approu-

veront, j'en suis sûr) pour qui l'homme se tue bêtement
à la tâche et à l'alcool :

> « New York, 12 avril 1963. — Cinq cent mille
> nouvelles veuves chaque année aux U. S. A. Il y en a
> aujourd'hui 8 250 000 dans tout le pays. »
>> *France-Soir*, 13 avril 1963.

> « Il m'a fallu un certain temps pour comprendre
> comment la télévision américaine avait vendu son
> âme au diable. Le téléspectateur étant un client, le
> principe fondamental de tout programme (y compris
> les informations) est de n'offenser personne, de crainte
> qu'il ne « décroche » au bénéfice d'un autre réseau.
> Ce dernier point est important. Il conditionne l'uni-
> formité de ton et la platitude générale des émissions. »
>> *Le Figaro*, 19 septembre 1962.

> « Yolande Bavan tente de s'adapter à la vie améri-
> caine, une vie qui, selon Annie Ross, *vous rend fou et
> fait de vous une loque, une épave.* »
>> *Jazz Magazine*, septembre 1962, p. 13.

> « Cœur de Lièvre symbolise l'homme-type améri-
> cain, trop faible pour diriger son existence, cassé dès
> l'enfance par une mère dominatrice, écrasé par les
> contraintes sociales, tournant comme un boulon dans
> la machine collective. »
>> *Candide*, 22-29 août 1962.

Après cinq ans d'États-Unis, je n'ai pas envie de
revivre en Europe le « cauchemar climatisé » que j'ai fui.
Or les mots du sabir nous apportent les mets yanquis :
hamburger, le hamburger. Écoutez plutôt les conseils
que dispensent les *Cahiers du Jardin des Modes*, en
juin 1961 : « Pour compléter l'ambiance américaine,
présentez des cœurs de céleri en branches, des carottes

crues effilées et des concombres en longues lamelles, sans oublier des petits oignons nouveaux avec leurs tiges vertes (dans les mains du petit Noir réjoui). » Ce « petit Noir réjoui », insidieusement amené pour justifier la cuisine infantile à quoi sont réduits et se complaisent les Yanquis, n'est-ce pas toute la « manière américaine de vivre » ? Quand on a failli comme moi subir les rigueurs de la loi pour s'être assis exprès à côté des « niggers » dans les transports en commun de La Nouvelle-Orléans, bafouant ainsi la sainte loi de « ségrégation », on apprécie « l'ambiance américaine » selon *Le Jardin des Modes* ! Quand on constate en lisant *Le Monde* de juillet 1963 que le propriétaire d'un bistrot à l'enseigne prometteuse : *New York Whisky*, expulse de son bar les Martiniquais afin de pouvoir y accueillir les partisans de la « manière américaine de vivre » ; quand on lit dans *France-Observateur*, le 22 août 1963, que « les experts électoraux (en France) songent déjà aux grands spectacles à l'américaine, avec majorettes et cirques ambulants », on comprend que *New York* (au lieu de *Nouillorque*) ou *majorette* ne sont pas des mots innocents, et que notre concupiscence — infantile déjà ! — pour les cuisses de ces « gueurles » nous conduit insidieusement à l'amour du lynchage et à l'admiration des bureaucrates corrompus qui manipulent, aux États-Unis, les deux partis politiques.

Nous ne manquons ni de ridicules, ni de défauts, ni de vices bien français ; sachons nous en contenter et dispensons-nous d'emprunter, avec le vocabulaire des Yanquis, les défauts, les ridicules et les vices qu'il annonce. Pour peu que nous persévérions à sabirer atlantique, l'antisémitisme larvé, le racisme virulent, la tartuferie sexuelle, la dévotion au dollar, les supers

stitions scientiste et chrétienne-scientiste seront notre
pain quotidien. Toute politique alors nous conviendra
qui convient à la dynastie Rockefeller, à la United Fruit,
au Réarmement moral, à la John Birch Society. Eh
bien ! *merde à tous ces chiens-là !*

Écoutons plutôt les conseils que nous donnent les
Anglais : M. Robert Startin, de Shirley, qui écrit à
Paris-Match, en 1962 :

> « Messieurs,
> « Anglais, puis-je demander qu'on parle français
> en France ? La prononciation des mots anglais
> dont on se sert en France est incompréhensible
> à un Anglais, et la prononciation correcte est du
> snobisme, et mal comprise par les Français. »

Mᵐᵉ Ann Boulter qui, à quelques mois de là, écrit
au même journal, de Thorpe Bay :

> « Monsieur,
> « Que je suis d'accord avec M. le professeur Etiem-
> ble ! J'ai passé une dizaine d'années à apprendre le
> français. Vous pouvez imaginer mon horreur à en-
> tendre tant de mots anglais et américains.
> « Pourquoi le rock and roll, la surprise-party, les
> blue-jeans, le chewing-gum, etc., et aussi, chose
> étrange à mes oreilles, pourquoi le smoking ? Un
> mot qui n'est qu'un adjectif en anglais.
> « Messieurs les Français, gardez votre belle
> langue. »

La plus ingénieuse satire du franglais, ou du sabir
atlantique, n'est-elle pas formulée dès 1891 dans *Peter*

Ibbetson, ainsi que le rappelait à point nommé dans *Paris-Match*, le 6 octobre 1962, un professeur de lettres du nom de Michel Ligny. Les héros de ce livre ont inventé deux langues, le *frankingle* et l'*inglefrank*. « Cela consistait à angliciser les noms et les verbes français, pour ensuite les conjuguer et les prononcer à l'anglaise ; et vice versa. Artifice grâce auquel nous parvenions à confondre et à égarer les profanes, aussi bien anglais que français. » Est-ce là notre idéal ? Si oui, que M. le Ministre de l'Information, M. le Ministre de la Guerre, M. le Ministre de l'Éducation nationale et M. le Ministre de la Culture nous le notifient sans tarder. Ce serait piquant, car M. Dauzat citait en 1952 (*Le Monde*, 6 août) une lettre publiée par le *Manchester Guardian* et qui fit en son temps quelque bruit outre-Manche : un grand personnage du Royaume-Uni déclarait que « l'*imprécision* due à l'emploi généralisé de l'anglais fait souhaiter qu'on utilise plus libéralement le français ».

Les Yanquis, à cet égard, ne réagissent pas tous comme font les Anglais qui subissent, eux aussi, l'invasion. L'an dernier, lorsque le *New York Herald Tribune* publia sur cinq colonnes un article où l'on exposait loyalement mon point de vue, *The Times Picayune*, de La Nouvelle-Orléans, répliqua en éditorial que je devrais me sentir heureux de *pull-over* pour chandail, car ç'aurait pu être *sweater* [1]. Cet ignorantin ne soupçonne pas que nous subissons à la fois et *pull-over*, et *sweater*, et *furover*, et *cardigan*, et *pull-over fully fashioned*, et *pull-over mock fashioned*, etc., qui tuent chez nous : tricot, lainage, gilet, chandail, etc. M. Art Buchwald s'en tire

---

1. « Prof. Etiemble should be happy, rather than otherwise, with pull-over, considering that it might have been sweater. » (*Parlez-vous Franglais ?*, dans *The Times Picayune*, 20 décembre 1962).

aussi par une pirouette : sous prétexte que ses compatriotes emploient quelques dizaines de mots français
dans le langage de la diplomatie ou de la publicité, il
feint l'inquiétude : « Si cela continue, la France va bientôt offrir de racheter la Louisiane. » Allusion maladroite,
car je me rappelle dans quelles circonstances, à quelle
date et à quel prix, oubliant La Fayette, les jeunes
États-Unis nous menacèrent du pire si nous ne leur
cédions pas ces immenses territoires. Cela se passait en
octobre 1803, et la France était aux abois. D'un seul
coup, pour onze millions de dollars — à prendre ou à
laisser, — la jeune République doublait son territoire
(la Louisiane couvre en effet *treize* des États aujourd'hui
Unis). La guerre, c'est la guerre, soit ; mais Art Buchwald se fout un peu trop du monde, quand il feint de
craindre pour sa Louisiane, alors que c'est nous, les
Français, qui chaque jour, peu à peu, sommes achetés
par le capitalisme yanqui. Ici, 20 000 hectares de terres,
là Simca, ailleurs un grand couturier, un peu partout des
consciences (à coups d'innombrables bourses, d'invita-
tions dollaresquement payées. Ah ! on ne lésine pas ! Lorsque je commençai à me défendre contre le sabir, une
agence politique essaya de me séduire, de m'acheter, de
me lier pieds et poings. Veut-on la lettre et ma réponse ?).

Aux États-Unis comme partout ailleurs, il se trouve
des hommes intelligents, généreux et libéraux qui, dans
cette affaire du sabir, prennent le parti du bon sens et
nous prient, *nous somment*, de parler chez nous français.
Le professeur Kolbert, par exemple, qui écrit dans *Vie
et Langage* (mars 1961) :

« L'invasion des mots anglais existait, certes, il y a
cinq ans, mais, depuis notre dernière visite, elle est devenue une avalanche verbale difficile à ignorer.

« Ce qui nous désole, ce n'est pas seulement que les Français semblent emprunter à d'autres langues des foules de vocables, compromettant ainsi la pureté de leur langue, c'est aussi qu'avec ces mots étrangers ils adoptent en même temps les manières de vie que ces mots expriment. »

Les écouterons-nous, ces « vrais amis » ?

Ou bien les Français comprendront tout seuls à quels abîmes, à quelle servitude volontaire ils se ruent en continuant à subir atlantique, et alors je me retire dans ma cabane, à la montagne, et j'y cultive paisiblement mon jardin en écrivant à loisir les quelques livres qu'à tort sans doute j'aimerais achever avant de mourir : j'aurais alors quelque chance de travailler sur une langue vivante et, si mes livres valent quelque chose, ils auront leur chance d'être lus dans cinquante ans, ou cent. Ou bien mes compatriotes continueront à briguer leur carte du *O'He-Club*, du *O'She-Club*, et alors, comme un chien, je hurlerai à la mort, comme un blessé agonisant, je crierai *au secours !* jusqu'à mon dernier souffle. Car je consens que l'écrivain écrive pour son époque. Je ne crois guère à ceux qui ne vivent que pour elle. Il se peut que tous les grands livres furent des pamphlets de circonstance (le *Quichotte*, *Bouvard et Pécuchet*) ; ils ne méritaient de paraître que si, trois siècles plus tard, ils font rire les enfants et sourire les sages.

Au train dont galope le sabir, nos fils ne comprendront plus, je ne dis pas Montaigne ou Molière, que l'on n'entend plus guère, mais Proust, Malraux, la série noire...

Des années ont passé depuis que je rédigeai ma première mise en garde contre ce *cancer yanqui* ; je ne puis me flatter de l'avoir extirpé. Tout au plus, comme je l'ai dit, puis-je présumer que j'y ai sensibilisé un certain nombre de lecteurs et d'auditeurs. Nul ne m'accuse plus de l'avoir inventé. (Voilà dix ans, ne m'accusait-on pas, en Sorbonne cette fois, de bâtir un mythique *mythe de Rimbaud*, « canular » dont j'étais à la fois créateur, exploitant et bénéficiaire... ?)

Plusieurs Français pensent qu'il faut agir : M. Alfred Sauvy, notamment. Hélas, quelques enseignants et chroniqueurs exceptés, on ne fait pas grand-chose. Pour freiner ou empêcher toute réforme, le *Petit Larousse* est un peu là. *Quick-freezing* peut illustrer un mot croisé de *France-Soir* : il est au *Larousse*! De gros intérêts sont en jeu : supposons que, soucieux du patrimoine national, un gouvernement français enjoigne à la maison Larousse de corriger son dictionnaire, faute de quoi on l'interdirait dans nos écoles, que de millions perdus! Un professeur de français qui se permet d'enseigner, preuves à l'appui, que le *Petit Larousse* est bourré d'américanismes, quel scandale! Le plus simple est donc d'essayer la dénonciation, la menace. L'édition 1962, qui en rajoute encore, est donc approuvée par la *Commission des Livres* du ministère de l'Éducation nationale.

Moi, naïf, je croyais avoir lu au *Journal officiel de la République française*, le 7 août 1962, une certaine *loi* du 4 août 1962, *complétant la législation sur la protection du patrimoine historique et esthétique de la France et tendant à faciliter la restauration immobilière.* J'en conclus que notre gouvernement se soucie du « patrimoine historique et esthétique » de la France *en général*; de la langue française par conséquent qui, ou je me trompe fort, constitue notre *principal* patrimoine historique et esthétique, celui qui commande, organise et permet tous

les autres. Non, je ne peux pas supposer que la sauve-
garde du patrimoine esthétique de la France consiste
à ravaler le Palais Bourbon et le Palais Mazarin, et à
faire gagner des millions à ceux qui, par système ou
négligence, défont et massacrent la langue française.
On protège les sites ; parfait! On restaure le Marais ;
j'applaudis. Le français, pardonnez-moi, importe à la
France un peu plus même que Notre-Dame. Rasez
Notre-Dame : Chartres nous restera, et Reims, cent
églises romanes, autant de châteaux, mille chefs-
d'œuvre. Il nous restera l'essentiel de la France.
Détruisez la langue française ; il ne nous reste plus
que le patois d'une chétive colonie de l'impérialisme
yanqui.

Tirons-en, selon Charles Bruneau, les dernières consé-
quences : « Le commerçant qui parle de poires en *tin*,
la ménagère qui *canne* ses tomates, sont, au point de
vue linguistique, de véritables criminels. »

A moins qu'ils ne s'amendent, on sévit contre les
criminels. Montaigne l'avait compris, qu'il y devrait
avoir « quelque coercion des lois contre les écrivains
ineptes et inutiles, comme il y en a contre les vagabonds
et fainéants ». Ça vous embête que Montaigne l'huma-
niste ait lâché une phrase aussi roide, aussi peu libérale.
Ça vous embête d'autant plus que les neuf dixièmes de
nos hommes publics, journalistes et radioteurs, socio-
logues, publicitaires et philosophes seraient aujourd'hui
passibles de cette « coercion des lois ». La part en moi
de l'anarchiste veut leur épargner ce déboire ; c'est
pourquoi je les invite, tous tant qu'ils sont — le temps
presse — à s'amender spontanément, et dare-dare.

Quelques signes favorables, que j'accueille comme
on fit dans l'arche la colombe, ah! s'ils pouvaient

annoncer le renouveau! Outre ceux qu'incidemment j'ai rapportés, en voici d'autres, pour conclure :

1) Alors que la maison Larousse, en vendant à plus de vingt-cinq millions son dictionnaire sabiral, contribue plus que personne en France, sinon *Elle* (et ses séquelles) à nous américaniser bon gré mal gré, et coûte que nous coûte, elle s'est associée à la maison Hachette pour publier un périodique qui se propose de favoriser la diffusion du français dans le monde ; mieux, elle publie toute seule une revue que dirige M. Guillermou (*Vie et Langage*), dont tous les postulats, tous les articles contrarient heureusement les tendances du dictionnaire. Alors, que diable, un peu de *consistance* (comme diraient nos anglolâtres, un peu de *consistency*). Un peu de suite dans les idées! Puisque vous financez *Vie et Langage,* pourquoi ne pas y conformer votre fameux dictionnaire?

2) Le comité de rédaction des *Cahiers de la publicité* semble désireux de réagir contre le jargon d'une profession qui pourrit la France entière. Certes, il ferait bien de corriger d'abord son bulletin, et d'y interdire « le media planning, supports et cadence optima », exemple achevé de babélien sabiral ; mais cela, c'est du passé. Pensons à l'avenir. Il suffirait d'un publicitaire intelligent qui persuaderait quelques-uns de ses plus puissants clients qu'on ne saurait lutter contre la concurrence américaine en plagiant le système qui se propose de nous ruiner. Si vous prétendez servir le Marché commun ou l'économie française, comprenez donc qu'il vous faut créer un style français de la réclame. Dans son *Vade-mecum du rédacteur publicitaire,* M. Linze, qui sabire tant qu'il peut, consigne néanmoins deux façons de vendre : *à la française,* en cherchant à susci-

ter la sympathie ; *à l'américaine*, en prêchant la qualité
du produit. Cette distinction est aujourd'hui spécieuse,
parce que voilà belle lurette que nos publicitaires ne
jurent que par les thèmes et les clichés du *marketing*
atlantique.

Nos produits sont pourtant capables de séduire « à
la française » les marchés étrangers. D'Angleterre, j'en
recevais ces jours-ci la plaisante confirmation. Le *Sunday
Mirror* du 11 août 1963 publia ce placard : « *Le tee-shirt
à la Française* is THE summer buy in Paris-selling at the
rate of fifty a morning in some shops. » *La T ou Tee
shirt à la française* serait donc cet été le clou des ventes
à Paris ; on en débiterait jusqu'à cinquante par matinée
dans certaines boutiques. Pour conclure : « Fabriquée
en doux jersey de coton par Chez Choses, à Saint-Tro-
pez, les jeunes Françaises l'emploient à toutes fins :
pour la plage, pour la nuit, et en guise de tunique, avec
un pantalon. L'an prochain, nous l'espérons, on la
trouvera dans nos boutiques. Si oui, ce sera, n'en doutez
point, un succès sensass' et formid'. » Pour vendre aux
Anglaises des *Tee-Shirts*, on les déguise donc « à la
française ». Et nos publicitaires, nos fabricants ne com-
prendraient point, je ne dis pas leur devoir, dont ils
se fichent, mais leur intérêt, qui ne peut les laisser
insensibles ? Allons donc ! Ils sauront bientôt que pour
vendre au Japon, en Amérique du Sud, des produits
de marque et de qualité françaises, il est idiot de leur
donner des noms pseudo-anglais. Autant avouer : les
Américains excellent à ce point en toutes choses que
nous ne pouvons que les imiter et vous offrir nos sous-
produits de la supermarque USA.

3) En s'adressant cette année au directeur général
d'Air France pour obtenir que, dans nos aéroports,

l'expression sabirale *welcome service* soit remplacée par *service d'accueil*, un député français démontra que, parmi les représentants du peuple ou censés tels, il en est un au moins pour accepter l'idée que, la langue étant notre patrimoine commun, nul individu n'a le droit d'y introduire au petit bonheur du yanqui, au grand malheur. (A quand la francisation d'Air France ?)

Si toutefois ces hirondelles n'annonçaient point un renouveau, si la presse, l'armée, la publicité, la radio, la télé continuaient à sabirer, nous devrions en appeler à l'État. Alors que nous devons souvent nous plaindre des interventions indiscrètes, inutiles et nuisibles des pouvoirs dans l'ordre de l'information, de la culture, de l'enseignement (cette idée, par exemple, de confier à des culottes de peau l'éducation de notre jeunesse : et si moi je demandais un poste d'amiral, comment me recevrait-on, rue Royale ?), nous exigerons que l'État intervienne, aussi discrètement mais aussi fortement qu'il le faut, dans les domaines de son ressort. M. Alfred Sauvy, que je ne crois pas beaucoup plus fachiste que moi, mais qui connaît comme moi la question, écrivait cette année dans la *Revue de Paris* : « Quatre ministères sont en cause : Éducation nationale, Affaires culturelles, Affaires étrangères et Information. *Tous les quatre sont profondément défaillants*. Des initiatives individuelles méritantes, mais aucune vue d'ensemble, aucune volonté. De nombreux entretiens m'ont montré du reste le peu d'intérêt que soulève la question. »

Je nuancerai son point de vue. Du temps que M. Lucien Paye était ministre de l'Éducation nationale, il m'accorda une audience à propos du sabir ; si le plan qu'il avait ébauché avec moi s'était réalisé, le ministère aurait agi. Ce n'est point en l'espèce le ministre qui me lâcha.

Un ministre qu'omet M. Sauvy, celui de l'Industrie, aurait son rôle à jouer, lui aussi. Quand il occupait ce poste, M. Jeanneney me convoqua, me marqua l'intérêt qu'il portait à notre langue et à mon entreprise. Deux ministres au moins, par conséquent, sous le régime actuel, m'ont écouté. Dommage qu'ils aient trop tôt changé d'affectation, et que la stabilité du régime s'accompagne d'une aussi constante valse inter-ministérielle qu'aux pires moments des cabinets qui nous donnaient le tournis.

Au pis, le pouvoir se dérobe ? Nous serons têtus, obstinés. Nous importunerons — s'il le faut — tout le monde, et le Premier Ministre, et le Président de la République. Je ne vois pas l'intérêt d'une force de frappe qui n'aurait à protéger qu'une colonie de Wall Street : les fusées Polaris suffiront. Et puis il y a Malraux, qui déclarait à Lima, en septembre 1959, que la France « ne pouvait admettre une colonisation de l'esprit par les États-Unis et l'Union Soviétique », Malraux qui écrivit quelques livres puissants, et à qui sans doute il ne déplairait pas qu'on le lût quand il sera, comme nous tous, un mort. Non, je ne croirai jamais qu'il conteste, celui-là, que l'intégrité de la langue importe au moins autant à la condition humaine et à *La Condition humaine* que le ravalement de la Madeleine.

Voici, en bref, ce qu'il faut obtenir du pouvoir (au cas, je le répète, où, *dans six mois*, la presse, la radio, la télé, les publicitaires se déroberaient encore à leur devoir) :

1° Que la Radio et la Télé, que contrôle si scrupuleusement le ministère de l'Information, et qui sont officiellement au service de la nation, soient invitées — je

m'entends — à parler français ; sitôt les speakers et
speakerines redevenus annonceurs, annonceuses, ils
recouvreront, vous verrez, le goût de leur langue ; et
les rédacteurs du même coup. Au cas où ça ne suffirait
pas, on dressera une liste, constamment tenue à jour,
des mots et tours interdits ; interdits sous peines d'amendes que paierait la *Radiotivi franglaise* (amendes légères,
d'abord, mais à tarif progressif). Quand on considère
avec quelle dureté le citoyen se voit pénalisé, qui
viole un règlement de zone bleue (lors même qu'il peut
prouver par témoignage sa bonne foi, et n'avoir pas
stationné plus d'un quart d'heure), on admire la mansuétude des Grands à l'égard de ceux qui, par caprice,
négligence ou snobisme, corrompent l'esprit public.

2º Que les ministères de l'Éducation nationale et
celui de la Culture, je dis bien ces deux-là, et non point
celui de l'Information, fassent une démarche conjointe
auprès de tous les journaux français — et notamment
des illustrés à l'usage de la jeunesse — pour obtenir que
la presse française mérite enfin son nom, et proscrive
elle aussi tous les mots, tous les tours anglo-saxons
interdits à la radio ainsi qu'à la télé. Les contrevenants
étant mis à l'amende, eux aussi, au prorata des infrac-
tions qu'ils commettraient.

3º Que le ministre de l'Industrie obtienne que les
noms de produits français, que les *marques déposées*
en France soient désormais libellés en français, afin
de nous épargner le ridicule d'*ami-cat* et de *snack-dog*
(comme si les chats et les chiens fussent eux aussi, après
le *Bourbon*, la *coca-cola*, le *chewing-gum*, des sous-pro-
duits de l'industrie yankie). Ce faisant, nous imiterions
les Canadiens français, qui ne s'en trouvent pas plus mal.

Un impôt substantiel prélevé sur les marchands qui

ont besoin de l'*y magic*, de l'apostrophe, du *k magic* et de tous les mots *magic* comme *standing, shopping, self-service*, serait du meilleur effet. Quand j'étais gosse, ma mère payait le fisc pour ses « portes et fenêtres »; pourquoi ne pas taxer toutes les « enseignes sabirales » ? Les marchands déposent leurs marques (et ce sont généralement des ordures langagières) ; ils comprendront que nous autres, enseignants et écrivains de France, nous exigions le respect de toutes *nos marques déposées* (*nos mots*, déposés dans les dictionnaires, *nos tours de syntaxe*, déposés dans les grammaires qui font autorité).

4º Que le ministre de la Guerre (ou de quelque nom qu'il lui plaise de camoufler la réalité de ses occupations) poursuive la campagne qu'il a timidement amorcée pour suggérer que l'armée française parle de nouveau français. Sinon, il encouragera l'objection de conscience. Quelque heureux que je sois de vivre, je crèverais sans trop rechigner si, en tombant, j'avais l'espoir de contribuer à léguer aux survivants le droit de parler leur langue ; mais, si tout ce que je puis attendre, c'est une épitaphe en sabir, un « captain Etiemble » (or *captain* se répand), qu'on ne compte pas trop sur moi.

5º Que le ministère des Affaires étrangères, qui a tant fait, depuis 1945, pour restaurer la situation du français dans le monde — ce dont j'ai pu m'assurer en Turquie et en Grèce, en Argentine et au Pérou, au Mexique et en Union Soviétique, ailleurs encore, — obtienne des gouvernements étrangers que les placards de publicité proposés à la presse française soient rédigés soit en français, soit dans la langue originale, mais non point en sabir. Auquel cas, les journaux français seraient autorisés ou contraints à corriger les solécismes, les barbarismes, les tours vicieux. Est-il tolérable que, dans un seul placard de *France-Soir*, le 20 février 1960, nos concitoyens lisent ce charabia : « Pour ceux qui désirent avoir une vraie joie et amusement... Là de jolies femmes danset (*sic*)... avec leurs costumes tropicaux pleins de coulers (*sic*)... Reposez à (pour *reposez-vous*)... Une merveilleuse couverte de gardenias... etc., etc. » Il pourrait aussi demander que les emballages de produits importés soient *tous*, sans exception, rédigés en français.

6º Que le ministère de la Culture, celui de l'Éducation nationale et celui de l'Industrie agissent en commun auprès des éditeurs, des agences de nouvelles, de tous ceux qui emploient des traducteurs, afin que ceux-ci, pourvu que leur compétence soit confirmée par un organisme sérieux (titre universitaire spécialisé ; garantie syndicale), reçoivent une rémunération digne de ce beau métier malaisé. « Le traducteur est méconnu, écrivait déjà Valery Larbaud ; il est assis à la dernière place ; il ne vit pour ainsi dire que d'aumônes ; il accepte de remplir les plus infimes fonctions, les rôles les plus effacés. » Traducteur d'occasion en Amérique, en France, et dans plusieurs organisations internationales, comment ne souscrirais-je point à ces pudiques doléances ? Larbaud a pu traduire, lui, et à loisir, ceux des écrivains qu'il aimait : luxe de riche, que nous ne pouvons plus nous permettre puisque, selon le mot d'Edmond Cary, un spécialiste, ce siècle n'est qu'une « immense machine à traduire ». En traduisant mal, vous desservez la langue de départ et ruinez celle d'arrivée. Or, lisez la plupart des traductions...

Autant de mesures nécessaires, mais insuffisantes. Il faudrait surtout que, des classes maternelles à l'enseignement supérieur, on formât nos enfants à connaître, aimer et respecter le français. On leur bourre la cervelle de notions idiotes ou fausses qu'ils doivent oublier quand ils se spécialisent dans une discipline. Plutôt leur faire apprendre, et *par cœur*, la grammaire, avec beaucoup de poèmes, de belle et forte prose. Actuellement occupées à ruiner notre langue, il faudrait que la radio et la télévision soient employées à la consolider. Si de temps en temps, et non pas seulement pour les émissions culturelles, ces deux institutions diffusaient une langue sûre ; si elles accordaient fût-ce une demi-heure ou une heure par semaine à des émissions normatives, mais amusantes, concernant la langue française, et le sabir, alors on pourrait une fois de plus vérifier que la pire des choses peut devenir la meilleure. Capable de tuer notre langue, la télé, elle seule, dans l'état présent des mœurs, peut la sauver. C'est dire qu'elle doit le faire.

On a senti, je veux le croire, que je n'obéis à aucun chauvinisme politique, à aucun « malthusianisme » langagier. Je veux seulement que le français *redevienne* une langue vivante, c'est-à-dire capable d'*assimiler*. L'herbe devient gazelle, qui devient homme, tigre ou lion. Comme toutes les langues, le français a vécu d'emprunts, je le sais à peu près aussi bien que les *fans* du sabir ; peut-être un peu mieux, parce que je sais, en outre, que le français n'existe que dans la mesure où d'un *kruiskœn* il sait trousser un joli *troussequin*, et de *Buckingham* un gracieux *bouquinquant*. Dès l'instant que ce que vous appelez le français tolère de trois à cinq mille mots anglais tels quels, sans parler des expressions calquées sur l'américain, il ne s'agit plus du français. Quand vous me refusez *récriture* pour exiger *rewriting*, quand vous snobez le *coquetèle* et lui préférez les *cocktails*, quand à mon *groupier* vous substituez *groupman*, à

mon *vivoir* votre *living-room*, à mon *annonceuse speakerine*, à mon *rase-vagues* (ou *rase-rouleaux*) du *surf-
riding*, à la *plaisance yachting*, quand vous acceptez
qu'une voiture *de grand standing* se vende plus cher
qu'une voiture *de luxe*, qui donc, je vous prie, appauvrit
le français ? Qui donc le tue ?

Et quand à la grammaire vous opposez l'histoire, au
dirigisme le libre-échange, où voulez-vous en venir ?
Au libre-échange du lion et du mouton ? Merci.

Ou bien nous « régenterons » le français, ce que deux
ou trois personnes m'accusent de vouloir faire — et
elles ont bigrement raison ; ou bien, c'est clair, il n'y
aura plus de français ; rien que du sabir. Sans les régents
qui, au XVIᵉ, nous épargnèrent l'italianisation ; au XVIIᵉ,
nous sauvèrent du pédantisme hellénisant, et depuis
lors ont réussi, sous les brocards et l'insulte, à canaliser
le cours naturellement irrégulier de la langue, où en
serions-nous ? Le français n'est pas un don gratuit du
libre-échange et du laisser-aller. Il dut constamment se
défendre contre la corruption, et surtout depuis que
chacun, sous le prétexte fallacieux qu'il sait lire, s'arroge
sur le patrimoine ancestral tous les droits, y compris
celui de le dilapider.

A qui donc conférer le droit de « régenter » ? Voilà
plus de trois siècles, on créa une compagnie à qui le
gouvernement d'alors confia ce soin glorieux : l'Académie française. Est-ce ma faute si, indigne de son rôle,
une majorité ignorante ou gâteuse paralyse le petit
nombre de ceux qui pourraient et voudraient bien faire ?
Devant cette carence, Gourmont rêva d'une autre Académie, celle de la *beauté verbale*, qui se chargerait de
naturaliser les emprunts nécessaires et de proscrire les
pilleries. Que son idée fût opportune, j'en veux pour

garantie la naissance, depuis lors, de l'Office du Vocabulaire français, et de ces deux commissions dont j'ai parlé, qui contrôlent le vocabulaire des sciences et celui des techniques. Il faut les encourager, en créer d'autres, en coordonner les activités, et leur associer quelques écrivains, linguistes, humanistes, grammairiens qui, à partir de ces travaux préliminaires, trancheront en dernier ressort et dont les décisions orienteront l'usage. (Si l'on s'y refuse, que l'on dise officiellement : « Tout le monde en France a le droit de créer des mots, de changer le sens des mots, à l'exception des enseignants et des écrivains. ») Cette commission de « régents », je n'aspire nullement à la « régenter ». A supposer qu'on la créât telle que je la souhaite, je m'engage à ne jamais en faire partie. Je ne brigue ici aucun poste, aucune décoration. Après six semaines de dur travail, j'ai achevé ce que je me proposais d'écrire. Demain, j'aurai le temps de sarcler mes rosiers : ils ont pâti du sabir. Quand je vous dis qu'il pourrit tout !

Si j'échoue à obtenir, par ce petit ouvrage, ce pour quoi depuis des années je m'exerce : une réaction spontanée mais persévérante de l'opinion ; à défaut, une action énergique et durable des pouvoirs publics, j'irai bientôt, en compagnie d'Audiberti, solder sur l'esplanade des Invalides mes manuscrits « irréels et crépusculaires » ; après quoi, « nous nous rassemblerons à cinq ou six en quelque bistrot désuet afin de nous gargariser des lointaines années où *bamboo* s'écrivait bambou ».

> *Alors, parlons anglais.*
> *Parlons anglais et n'en parlons plus* [1].

1. Audiberti, *Profitez des vacances, parlez français*, dans *Arts*, août 1963.

Le *timing* et le *standing* l'exigent ; en outre, c'est si facile. *It's so easy!* De plus, c'est plus sûr. *It's safer.* Et puis, ça paie. *It pays.* — O. K.? — ?!?!?!?! — BBBBAAAAAAAANNNNNNGGGGGGG! — !?!?!?! — K. O.!

Appendice

1) Étienne Pasquier : *Quelle est la vraie naïveté de notre langue.*
2) Henri Estienne : *Contre l'italianisation du français.*
3) Cadalso : *Contre la francisation de l'espagnol.*
4) George Moore : *Contre la francisation de l'anglais.*
5) Frère Untel : *Contre l'anglicisation du canadien-français.*

1) *Quelle est la vraie naïveté de notre langue.*

Quoi donc! Est-il impossible de trouver entre nous
la pureté de notre langue, vu qu'elle ne fait sa demeure
ni en la cour du roi ni au palais? Vous entendrez, s'il
vous plaît, quelle est mon opinion. Je suis d'avis que
cette pureté n'est restreinte en un certain lieu ou pays,
ains éparse par toute la France. Non que je veuille dire
qu'au langage picard, normand, gascon, provençal, poite-
vin, angevin ou tels autres, séjourne la pureté dont nous
discourons. Mais tout ainsi que l'abeille volette sur unes
et autres fleurs, dont elle forme son miel, aussi veux-je
que ceux qui auront quelque assurance de leur esprit se
donnent loi de fureter par toutes les autres langues de
notre France, et rapportent à notre vulgaire tout ce
qu'ils trouveront digne d'y être approprié...
  Un jour, devisant avec les veneurs du roi, et les son-
dant de tous côtés, sur toutes les particularités de la
vénerie, entre autres choses l'un d'eux me dit qu'ils
connaissaient la grandeur d'un cerf par les voies, sans
l'avoir vu : ah! (dis-je alors) voilà en notre langue ce
que le latin voudrait dire *ab unguibus leonem*, et de fait
il m'advint d'en user par exprès au premier livre de mes

Recherches, au lieu qu'un écolier, revenant frais émoulu des écoles, eût dit : reconnaître le lion par les ongles.

Une autre fois, devisant avec un mien vigneron, que je voyais prompt et dru à la besogne, je lui dis, en me riant, qu'il serait fort bon à tirer la rame : à quoi il me répondit promptement que ce serait très mal fait, parce que les galères étaient dédiées pour les fainéants et vauriens, et non pour lui, qui était franc au trait. Recherchez telle métaphore qu'il vous plaira, vous n'en trouverez nulle si hardie pour exprimer ce qu'il voulait dire ; laquelle est tirée des bons chevaux qui sont au harnais : dont je ne me fusse jamais avisé, pour n'avoir été charretier ; un pitaud de village me l'apprit. — Achetant un cheval d'un maquignon et lui disant qu'il me le faisait trop haut : « Défendez-vous du prix », me fit-il ; je marquai dès lors cette chasse, qui valait mieux, ce me semblait, que le cheval que je voulais acheter. — Quand nous lisons quelquefois : reprendre nos anciens arrhements, pour dire que nous retournions à notre premier propos, de qui le tenons-nous que de la pratique ? — Quand sur un même sujet nous disons : retourner sur nos brisées ou sur nos routes, qu'est-ce autre chose que métaphores tirées de la vénerie ? Il y en a dix mille autres sortes dont pouvons nous rendre riche en notre langue, par la dépouille de toutes autres professions, sans toutefois les appauvrir : qui est un larcin fort louable, et dont on n'eût jamais été repris dedans la ville de Sparte. Qui suivra cette voie, il atteindra, à mon jugement, à la perfection de notre langue, laquelle bien mise en usage est pleine de mots capables de tous sujets : et n'y a rien qui nous perde tant en cela, sinon que la plupart de nous, nourris dès notre jeunesse au grec et latin, ayant quelque assurance de notre suffisance, si nous ne trouvons mot à point, faisons d'une parole bonne latine une très mauvaise, en français : ne nous avisant pas que cette pauvreté ne provient de la disette de notre langage, ains de nous-mêmes et de notre paresse.

Étienne Pasquier,
Quelle est la vraie naïveté de notre langue,

2) *Contre l'italianisation du français.*

De quel français donc entends-je parler? Du pur et simple, n'ayant rien de fard ni d'affectation, lequel M. le courtisan n'a point encore changé à sa guise, et qui ne tient rien d'emprunt des langues modernes. — Comment donc? ne sera-t-il loisible d'emprunter d'un autre langage les mots dont le nôtre se trouvera avoir faute? — Je ne dis pas le contraire; mais s'il faut venir aux emprunts, pourquoi ne ferons-nous plutôt cet honneur aux deux langues anciennes, la grecque et la latine (desquelles nous tenons déjà la plus grande part de notre parler), qu'aux modernes, qui sont, sauf leur honneur, inférieures à la nôtre? Que si ce n'était pour un égard, à savoir: d'entretenir la réputation de notre langue, je serais bien d'avis que nous rendissions la pareille à MM. les Italiens, courant aussi avant sur leur langage comme ils ont couru sur le nôtre; sinon que, par amiable composition, ils s'offrissent à nous prêter autant de dizaines de leurs mots comme ils en ont emprunté de centaines des nôtres. Et toutefois, quand ils les nous auraient prêtés, qu'en ferions-nous? Il est certain que, quand nous nous en servirions, ce ne serait point par

nécessité, mais par curiosité : laquelle puis après con-
damnerions nous-mêmes les premiers, avec un remords
de conscience d'avoir dépouillé notre langue de son honneur pour en vêtir une étrangère. Ce ne serait point, dis-je,
par nécessité vu que, Dieu merci, notre langue est tant
riche, qu'encore qu'elle perde beaucoup de ses mots,
elle ne s'en aperçoit point et ne laisse de demeurer bien
garnie, d'autant qu'elle en a si grand nombre qu'elle
n'en peut savoir le compte, et qu'il lui en reste non
seulement assez, mais plus qu'il ne lui en faut.

Ce nonobstant, posons le cas qu'elle se trouvât en
avoir faute en quelque endroit : avant que d'en venir là
(je dis d'emprunter des langues modernes), pourquoi
ne ferions-nous plutôt feuilleter nos romans et dérouiller
force beaux mots tant simples que composés, qui ont
pris rouille pour avoir été si longtemps hors d'usage ;
non pas pour se servir de tous sans discrétion, mais de
ceux pour le moins qui seraient le plus conformes au
langage d'aujourd'hui. Mais il nous en prend comme aux
mauvais ménagers, qui, pour avoir plus tôt fait, em-
pruntent de leurs voisins ce qu'ils trouveraient chez eux
s'ils voulaient prendre la peine de le chercher. Et encore
faisons-nous bien pis quand nous laissons, sans savoir
pourquoi, les mots qui sont de notre cru et que nous
avons en main, pour nous servir de ceux que nous avons
ramassés d'ailleurs. Je m'en rapporte à *manquer* et à
son fils *manquement*, à *bâter* et à sa fille *bâtance*, et à ces
autres beaux mots : *à l'improviste, la première volte,
grosse intrade, un grand escorne.* Car qui nous meut à
dire *manquer* et *manquement* plutôt que *défaillir* et
défaut ? *bâter* et *bâtance* plutôt que *suffire* et *suffisance* ?
Pourquoi trouvons-nous plus beau *à l'improviste* que
au dépourvu ? *la première volte* que *la première fois* ?

grosse intrade que *gros revenu*? Qui fait que nous prenons plus de plaisir à dire : *il a reçu un grand escorne* qu'à dire *il a reçu une grande honte*, ou *diffame*, ou *ignominie*, ou *vitupère* ou *opprobre*? J'alléguerais bien la raison si je pensais qu'il n'y eût que ceux de mon pays qui la dussent lire, étant ici écrite ; mais je la tairai de peur d'escorner ou escorniser ma nation envers les étrangers...

Henri Estienne.
Traité de la conformité du langage français...

3) *Contre la francisation de l'espagnol.*

En España, como en todas partes, el lenguaje se muda al mismo paso que las costumbres ; y es que, como las voces son invenciones para representar las ideas, es preciso que se inventen palabras para explicar la impresión que hacen las costumbres nuevamente introducidas. Un español de este siglo gasta cada minuto de las veinticuatro horas en cosas totalmente distintas de aquellas en que su bisabuelo consumía el tiempo ; éste, por consiguiente, no dice una palabra de las que al otro se le ofrecían. — Si me dan hoy a leer — decía Nuño — un papel escrito por un galán del tiempo de Enrique el Enfermo refiriendo a su dama la pena en que se halla ausente de ella, no entendería una sola cláusula por más que estuviese escrito de letra excelente, moderna, aunque fuese de la mejor de las Escuelas Pías. Pero en recompensa, qué chasco llevaría uno de mis tatarabuelos si hallase, como me sucedió pocos días ha, un papel de mi hermana a una amiga suya que vive en Burgos ? Moro mio, te lo leeré, [lo has de oir] y como lo entiendas, tenme por hombre extravagante.

Yo mismo, que soy español por todos cuatro costados,

y que si no me debo preciar de saber [el] idioma de mi patria a lo menos puedo asegurar que lo estudio con cuidado, yo mismo no entendí la mitad de lo que contenía. En vano me quedé con copia de dicho papel ; llevado de curiosidad me dí prisa a extractarlo, y apuntando las voces y frases más notables, llevé mi nuevo diccionario de puerta en puerta, suplicando a todos mis amigos [que] arrimasen el hombro al gran negocio de explicármelo. [Ne bastó mi ansia ni su deseo de favorecerme.] Todos ellos se hallaron tan suspensos como yo por más tiempo que gastaron en revolver calepinos y diccionarios. Solo un sobrino que tengo de edad de veinte años, muchacho que tiene habilidad de trinchar una liebre, bailar un minuet y destapar una hotella con más aire que cuantos hombres han nacido de mujeres, me supo explicar algunas voces ; con todo, su fecha era de este mismo año.

Tanto me movieron estas razones a deseo de leer la carta, que se la pedí a Nuño. Sacóla de su cartera, y poniéndose los anteojos, me dijo : Amigo, ¿ qué sé yo si leyéndotela te revelaré flaquezas de mi hermana y secretos de mi familia ? Quédame el consuelo de que no lo entenderás. Dice así : « Hoy no ha sido día en mi apartamento hasta medio día y medio. Tomé dos tazas de té ; púseme un deshabillé y bonete de noche ; hice un tour en mi jardín ; leí cerca de ocho versos del segundo acto de la Zaira. Vino Mr. Labanda : empecé mi toeleta ; no estuvo el abate. Mandé pagar mi modista. Pasé a la sala de compañía ; me sequé toda sola. Entró un poco de mundo ; jugué una partida de mediator ; tiré las cartas. Jugué al piquete. El maitre d'hotel avisó. Mi nuevo jefe de cocina es divino ; él viene de arribar de París. La crapaudina, mi plato favorito, estaba deliciosa. Tomé café y licor. Otra partida de quince ; perdí mi todo. Fuí al espectáculo ; la pieza que han dado es execrable ; la pequeña pieza que han anunciado para el lunes que viene es muy galante ; pero los actores son pitoyables ; los vestidos, horribles ; las decoraciones, tristes. La Mayorita cantó una cavatina pasablemente bien. El actor que hace los criados es un poquito extremado ; sin eso sería pasable. El que hace los amorosos no jugaría mal ; pero su figura no es preveniente. Es menester tomar paciencia, porque es preciso matar el tiempo. Salí al tercer acto, y me volví de allí a casa. Tomé de la limonada ; entré en mi gabinete para escribirte ésta, porque soy tu veritable amiga. Mi hermano no abandona su humor de misántropo ; él siente todavía furiosamente el siglo pasado, yo no le pondré jamás en estado de brillar ; ahora quiere irse a su provincia. Mi primo ha dejado a la joven persona que él entretenía. Mi tío ha dado en la devoción ; ha sido en vano que yo he pretendido hacerle entender la razón. Adiós, mi querida amiga, hasta otra posta ; y ceso, porque me traen un dominó nuevo a ensayar. »

Acabó Nuño de leer, diciéndome : — ¿ Qué has sacado en limpio de todo esto ? Por mi parte te aseguro que antes de humillarme a preguntar a mis amigos el sentido de estas frases, me hubiera sujetado a estudiarlas, aunque hubiesen sido precisas cuatro horas [por la mañana y] por la tarde durante cuatro meses. A quello *de medio día y medio*, y que no había sido día hasta medio día, me volvía loco, y todo se me iba en mirar el sol, a ver qué nuevo fenómeno ofrecía aquel astro. Lo del *deshabillé* también me apuró, y me dí por vencido. Lo del *bonete de noche* o de día, no pude comprender jamás qué uso tenga en la cabeza de una mujer. *Hacer un tour*, puede ser una cosa muy santa y muy buena ; pero suspendo el juicio

hasta enterarme. Dice que leyó de la *Zaira* [hasta] unos
ocho versos ; sea [muy] enhorabuena ; pero no sé qué es
Zaira. Mr. de Labanda dice que vino : bien venido sea ;
pero no le conozco. Empezó su *toeleta ;* esto yo lo entendí,
gracias a mi sobrino, que me lo explicó, no sin bastante
trabajo, según mis cortas entendederas, burlándose de
que su tío es hombre que no sabe lo que es *toeleta*. También me dijo lo que es *modista, piquete, maitre d'hotel* y
otras palabras semejantes. Lo que no me supo explicar,
de modo que yo acá me hiciese [bien] cargo de ello,
fué aquello de que *el jefe de cocina es divino*, y lo de *matar
el tiempo*, siendo asi que el tiempo es quién nos mata a
todos ; fué cosa que tampoco se me hizo fácil de entender,
aunque mi intérprete habló mucho, y, sin duda, muy
bien sobre este particular. Otro amigo, que sabe griego,
o a lo menos dice que lo sabe, me explicó lo que era
Misántropo, cuyo sentido yo indagué con sumo cuidado,
por ser cosa que me tocaba personalmente ; y a la verdad
que, una de dos : o mi amigo no me lo explicó cual es,
o mi hermana no lo entendió, y siendo ambas cosas
posibles, y no como quiera, sino sumamente posibles,
me creo obligado a suspender por ahora el juicio hasta
tener mejores informes. Lo restante me lo entendí tal
cual, ingeniándome a mi modo y estudiando acá con
paciencia, constancia y trabajo.

Ya se ve — prosiguió Nuño — cómo había de entender esta carta el conde Fernán Gonzalo, si en su tiempo
no había *té*, ni *deshabillé*, ni *bonete de noche*, ni había
Zaira, ni *Mr. Banda*, ni *toeletas* [ni *modistas*], ni los
cocineros eran divinos, ni se conocían *crapaudinas*, ni *café*,
ni más licores que el agua y el vino.

Aqui lo dejó Nuño. Pero yo te aseguro, Ben-Beley,
que esta mudanza de modas es muy incómoda, hasta para

el uso de las palabras, uno de los mayores beneficios con que [la] naturaleza nos dotó. Siendo tan frecuentes estas mutaciones, y tan arbitrarias, ningún español, por bien que hable su idioma este mes, puede decir : el mes que viene entenderé la lengua que me hablen mis vecinos, mis amigos, mis parientes y [mis] criados. Por todo lo cual, dice Nuño, mi parecer y dictamen, salvo *meliori*, es que en cada un año se fijen las costumbres para el siguiente, y, por consecuencia, se establezca el idioma que se ha de hablar durante los trescientos sesenta y cinco días. Pero como quiera que esta mudanza dimana en gran parte o en todo de los caprichos, invenciones o codicias de los sastres, zapateros, ayudas de cámara, modistas, reposteros, [cocineros], peluqueros y otros individuos igualmente útiles al vigor y gloria de los estados, convendrá que cierto número igual de cada gremio celebre varias juntas, en las cuales quede este punto evacuado ; y de resultas de estas respetables sesiones vendan los ciegos por las calles en los últimos meses de cada año, al mismo tiempo que el Kalendario, Almanack y Piscator, un papel que se intitule : *Vocabulario nuevo al uso de los que quieran entenderse y explicarse con la gente de moda, para el año de mil setecientos y tantos, y siguientes, aumentado, revisto y corregido por una Sociedad de varones insignes, con los retratos de los más principales.*

José de Cadalso, *Cartas Marruecas*, 1789-1793,
Lettre XXXV.
(D'après l'édition Duviols.)

4) Contre la francisation de l'anglais.

A little drawing, a little sculpture, a little piano, and above all a little French, for every boy and girl must have a chance of learning French ; and the result of the French lesson is that the middle classes will soon know as much French as the upper, which amounts to no more than a sufficiency of French words for the corruption of the English language. To many people it sounds refined, even cultured, to drop stereotyped French into stereotyped English phrases. To use *badinage* for *banter*, and to think that there is a shade of difference, or I suppose I should say, a *nuance* of meaning. Yes, Balderston, I am looking forward to reading in the news-papers a *précis* of a *résumé* of a *communique*. You see I omit the accent on the last *e*, and I wish you would tell me if the people who speak and write this jargon think that *résumé* is more refined than summary, abridgment, compendium. In society every woman is *très raffinée*. I once met an author who had written *small* and *petite*, and when I asked him why he did it, he said : *Petite* means dainty as well as small ; I said : No, it doesn't, but if you wanted to say *dainty*, why didn't

you say dainty ? One of the most beautiful words in our
language is *bodice*, but it had given way to *corsage*, and
there is no author now living amongst us who would not
prefer to write : the delicious *naïveté* of it, rather than :
the delicious simplicity of it, or the delicious innocency
of it. None seems aware that naïveté is a dead word in
our language, yet the wretches say they cannot express
their ideas unless they be permitted to use French, to
which I answer : do not worry about the ideas, think
of the words, and above all, try to distinguish between
the quick and the dead. Innocency and simplicity have
been in the language for more than two hundred years,
and are fragrant of it. For the last four months we have
armistice, never *truce*, and it is hard to discover a modern
book in which the writer does not flaunt his knowledge of
the word *métier*. I say flaunt, for he must know that he has
three words to choose from : trade, business, craft. Our
language is becoming leaner. Translate *Memoirs of my
Dead Life*, and you get *Mémoires de ma Vie Morte*. I
have a cousin in a convent at Lourdes, and thinking
she might have forgotten English in the twenty years
she had spent in France, I wrote to her in French, and
there came into my letter this phrase : Nous sommes les
deux rêveurs d'une famille peu rêveuse, a phrase diffi-
cult to render into English owing to that lack of gram-
mar which the unity of our Empire demands. Every-
thing has its price — Empire assuredly : it would seem
that we must furnish a language that can be learnt
easily by our dependencies, and we are doing it, shall
I say, by leaps and bounds. In America you invent new
words, and all that comes out of our own imagination is
welcome ; yet many who would not write *stunt*, take
pleasure in that disgraceful word *camouflage*, turning

it recklessly into a verb, a thing unthinkable to a French-
man or to anybody who has acquired even a small part
of the ear.

George Moore, *Avowals*, London, Heinemann, 1924,
pp. 285-286. Reproduit avec l'aimable autorisation des ayants droit de l'auteur.

5) Contre l'anglicisation du canadien-français.

Quoi faire ? C'est toute la société canadienne-française qui abandonne. C'est nos commerçants qui affichent des raisons sociales anglaises. Et voyez les panneaux-réclame tout le long de nos routes. Nous sommes une race servile. Nous avons eu les reins cassés, il y a deux siècles, et ça paraît.

Signe : le Gouvernement, via divers organismes, patronne des cours du soir. Les cours les plus courus sont les cours d'anglais. On ne sait jamais assez d'anglais. Tout le monde veut apprendre l'anglais. Il n'est évidemment pas question d'organiser des cours de français. Entre jouaux, le joual [1] suffit. Nous sommes une race servile. Mais qu'est-ce que ça donne de voir ça ? Voir clair et mourir. Beau sort. Avoir raison et mourir.

Signe : la comptabilité s'enseigne en anglais, avec des manuels anglais, dans la catholique province de Québec, où le système d'enseignement est le meilleur au monde. L'essentiel c'est le ciel, ce n'est pas le français. On peut se sauver en joual. Dès lors...

1. Le *joual* (prononciation vulgaire, au Canada, de *cheval*) désigne au Québec le langage relâché (E.).

Joseph Malègue dit quelque part (je sais où, mais je ne veux pas paraître pédant. On peut avoir du génie et être modeste) : « En un danger mortel au corps, les hommes tranchent tout lien, bouleversent vie, carrière, viennent au sanatorium deux ans, trois ans. Tout, disent-ils, plutôt que la mort. » N'en sommes-nous pas là ? Quoi faire ? Quand je pense (si toutefois je pense), je pense liberté ; quand je veux agir, c'est le dirigisme qui pointe l'oreille. Il n'est d'action que despotique. Pour nous guérir, il nous faudrait des mesure énergiques. La hache ! la hache ! c'est à la hache qu'il faut travailler :

a) contrôle absolu de la Radio et de la T. V. Défense d'écrire ou de parler joual sous peine de mort ;

b) destruction, en une seule nuit, par la police provinciale (la Pépée à Laurendeau), de toutes les enseignes commerciales anglaises ou jouales ;

c) autorisation, pour deux ans, de tuer à bout portant tout fonctionnaire, tout ministre, tout professeur, tout curé, qui parle joual.

On n'en est pas aux nuances. Mais cela ne serait pas encore agir au niveau de la civilisation. Ferons-nous l'économie d'une crise majeure ? Ferons-nous l'économie d'un péril mortel, qui nous réveillerait, mais à quel prix ?

C'est au niveau de la civilisation qu'il faut agir. Or
la publicité commerciale est un fait de civilisation.
C'est donc là qu'il faut frapper. Nous parlerons français
aussitôt, mais pas avant qu'il sera *snob* de parler français, et honteux de parler joual. Je veux dire que nous
parlerons français, quand la Radio et la T. V. parleront
français, la T. V. surtout. Par entraînement, par snobisme, par la séduction du beau, par science, par tout
cela ensemble, nous parlerons français aussitôt que tout
nous parlera français à la T. V. et à la Radio. La grande
école universelle moderne, c'est la publicité. Le grand
maître d'école, c'est l'annonceur commercial. Gagnons
la publicité, contraignons la publicité, et tout sera sauvé.
Voilà où il faut frapper.

Mgr Gosselin me faisait un jour remarquer que nos
compatriotes de l'Ouest ont bien plus besoin de catalogues de *Chez Dupuis* que de livres français usagés, ou
même de manuels de classe. Nos gens diront « portière
d'automobile » et non « porte de char », quand tous les
fabricants et tous les annonceurs diront portière. Nos
gens ne songeraient pas à dire « King size », si on leur

avait dit tout de suite « format géant » ou quelque chose
du genre.

. . . .

Il est question d'un *Office provincial de la linguistique.*
J'en suis. La langue est un bien commun, et c'est à
l'État comme tel de la protéger. L'État protège les
orignaux, les perdrix et les truites. On a même prétendu
qu'il protégeait les grues. L'État protège les parcs
nationaux, et il fait bien : ce sont là des biens communs.
La langue aussi est un bien commun, et l'État devrait
la protéger avec autant de rigueur. Une expression vaut
bien un orignal, un mot vaut bien une truite.

L'État québécois devrait exiger, par loi, le respect de
la langue française, comme il exige, par loi, le respect
des truites et des orignaux. L'État québécois devrait
exiger, par loi, le respect de la langue française par les
commerçants et les industriels, quant aux raisons sociales et quant à la publicité. Sauf erreur, les industries
et les commerces importants doivent, un moment ou
l'autre, se présenter devant le Gouvernement pour un
enregistrement ou une reconnaissance légale. C'est là
que le Gouvernement devrait les attendre. « Nommez-vous
et annoncez-vous en français, ou bien je ne vous recon-
nais pas », pourrait-il leur dire en substance. Et alors,
on n'aurait plus de Thivierge Electrique, de Chicoutimi
Moving, de Turcotte Tire Service, de Rita's Snack Bar,
etc. Si seulement ces deux domaines : réclame commerciale et raisons sociales, étaient surveillés avec autant
de soin que le parc des Laurentides, la langue serait sauvée par ici. Mais le Gouvernement sera-t-il assez *réaliste*
pour agir en ce sens ? On peut être *pratique* et manquer
de réalisme ; arrivera-t-il enfin un Gouvernement qui
ne se contentera pas d'être pratique, i. e. dupe, en fin

de compte, mais qui sera réaliste ? Qui nous dira tout
le mal que les *pratiques* nous ont fait, par manque de réalisme ?

Les congrès, les concours de bon langage, les campagnes, sont pratiquement inefficaces. Seul l'État, gardien du bien commun, peut agir efficacement au niveau
de la civilisation. C'est à la civilisation de supporter la
culture. L'État a la loi et la force pour lui. Nous, les
instituteurs, nous n'avons que raison. C'est si peu de
chose, avoir raison ; ça ne sert qu'à mourir. Je suis un
peu lugubre, n'est-ce pas ?

Les Insolences du Frère Untel, préface d'André Laurendeau, Montréal, les Éditions de l'Homme, 1960.
[L'auteur, Frère Untel, est un prêtre canadien.]
Reproduit avec l'aimable autorisation des Éditions
de l'Homme, Montréal.

Table

IDÉES

Chaque jour, sous nos yeux, interviennent des bouleverse-ments de tous ordres et dans tous les domaines. Un immense travail de défrichage ouvre à l'homme des routes et des espaces nouveaux.

La collection « Idées » se propose de rendre compte de ce monde qui change. Son ambition est de présenter au lecteur, en format de poche, une synthèse des connaissances actuelles.

La collection « Idées » ne néglige aucune discipline et publie des études consacrées à la philosophie, la psychologie, la sociologie, l'ethnologie, la science, la religion et l'histoire, ainsi que des essais sur l'art et la littérature.

La collection « Idées » ne se contente pas de rééditer des textes contemporains déjà classiques, mais publie aussi des inédits d'auteurs français et étrangers.

La collection « Idées » présente une vue d'ensemble de l'évo-lution de la pensée contemporaine et offre à ses lecteurs les repères et les clefs qui leur permettent non seulement de com-prendre notre époque, mais encore d'en vivre les espoirs.

ACHEVÉ D'IMPRIMER LE
22 FÉVRIER 1964 SUR LES
PRESSES DE L'IMPRIMERIE
BUSSIÈRE, SAINT-AMAND (CHER)

N° d'édit. : 10178. — N° d'imp. : 246
Dépôt légal : 1er trimestre 1964
Imprimé en France